Архимандрит
Тихон (Шевкунов)

«Несвятые святые»
и другие рассказы

*Открыто являясь тем,
кто ищет Его всем сердцем,
и скрываясь от тех,
кто всем сердцем бежит от Него,
Бог регулирует человеческое
знание о Себе. Он дает знаки,
видимые для ищущих Его
и невидимые для равнодушных к Нему.
Тем, кто хочет видеть,
Он дает достаточно света.
Тем, кто видеть не хочет,
Он дает достаточно тьмы.*

БЛЕЗ ПАСКАЛЬ

Архимандрит
Тихон (Шевкунов)

«Несвятые святые»

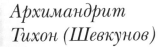

и другие рассказы

Издание четвертое

Издательство
Сретенского монастыря

Москва, 2012

УДК 23/28
ББК 86.372
Т46

Рекомендовано к публикации
Издательским Советом
Русской Православной Церкви
ИС 12-121-2150

Архимандрит Тихон (Шевкунов)

Т46   «Несвятые святые» и другие рассказы. — 4-е изд. — М.:
Изд-во Сретенского монастыря, «ОЛМА Медиа Групп»,
2012. — 640 с.: ил.

ISBN 978-5-7533-0652-4
ISBN 978-5-373-04582-7
Издательский номер 11-10599

Один подвижник как-то сказал, что всякий православный христианин может поведать свое Евангелие, свою Радостную Весть
о встрече с Богом. Конечно, никто не сравнивает такие свидетельства с книгами апостолов, своими глазами видевших Сына Божия,
жившего на земле. И всё же мы, хоть и немощные, грешные, но Его
ученики, и нет на свете ничего более прекрасного, чем созерцание
поразительных действий Промысла Спасителя о нашем мире.

УДК 23/28

ББК 86.372

ISBN 978-5-7533-0652-4
ISBN 978-5-373-04582-7

Предисловие

Как-то теплым сентябрьским вечером мы, совсем молодые тогда послушники Псково-Печерского монастыря, пробравшись по переходам и галереям на древние монастырские стены, уютно расположились высоко над садом и над полями. За разговором мы стали вспоминать, как каждый из нас оказался в обители. И чем дальше слушали друг друга, тем сильнее удивлялись.

Шел 1984 год. Нас было пятеро. Четверо росли в нецерковных семьях, да и у пятого, сына священника, представления о людях, которые уходят в монастырь, мало чем отличались от наших что ни на есть советских. Еще год назад все мы были убеждены, что в монастырь в наше время идут либо фанатики, либо безнадежно несостоявшиеся в жизни люди. Да! — и еще жертвы неразделенной любви.

Но, глядя друг на друга, мы видели совершенно иное. Самому младшему из нас исполнилось восемнадцать лет, старшему — двадцать шесть. Все были здоровые, сильные, симпатичные молодые люди. Один

блестяще окончил математический факультет университета, другой, несмотря на свой возраст, был известным в Ленинграде художником. Еще один основную часть жизни провел в Нью-Йорке, где работал его отец, и пришел в монастырь с третьего курса института. Самый юный, сын священника, талантливый резчик, только что завершил учебу в художественном училище. Я тоже недавно окончил сценарный факультет ВГИКа. В общем, мирская карьера каждого обещала стать самой завидной для таких юношей, какими мы были тогда.

Так почему же мы пришли в монастырь и всей душой желали остаться здесь навсегда? Мы хорошо знали ответ на этот вопрос. Потому что каждому из нас открылся прекрасный, не сравнимый ни с чем мир. И этот мир оказался безмерно притягательнее, нежели тот, в котором мы к тому времени прожили свои недолгие и тоже по-своему очень счастливые годы.

Об этом прекрасном мире, где живут по совершенно иным законам, чем в обычной жизни, мире, бесконечно светлом, полном любви и радостных открытий, надежды и счастья, испытаний, побед и обретения смысла поражений, а самое главное — о могущественных явлениях силы и помощи Божией я хочу рассказать в этой книге.

Мне не было нужды что-либо придумывать — все, о чем вы здесь прочтете, происходило в жизни. Многие из тех, о ком будет рассказано, живы и поныне.

Начало

Я крестился сразу после окончания института, в 1982 году. К тому времени мне исполнилось двадцать четыре года. Крещен ли я был в детстве, никто не знал. В те годы подобное случалось нередко: бабушки и тетушки часто крестили ребенка втайне от неверующих родителей. В таких случаях, совершая таинство, священник произносит: «Аще не крещен, крещается», то есть «если не крещен, крестится раб Божий такой-то».

К вере я, как и многие мои друзья, пришел в институте. Во ВГИКе было немало прекрасных преподавателей. Они давали нам серьезное гуманитарное образование, заставляли задумываться над главными вопросами жизни.

Обсуждая эти вечные вопросы, события прошлых веков, проблемы наших семидесятых–восьмидесятых годов — в аудиториях, общежитиях, в облюбованных студентами дешевых кафе и во время долгих ночных путешествий по старинным московским улочкам, мы пришли к убеждению, что государство нас обманывает, навязывая свои грубые и нелепые трактовки не только в области истории и политики. Мы очень хорошо поняли, что по чьему-то могущественному указанию сделано все, чтобы отнять у нас даже возможность самим разобраться в вопросе о Боге и Церкви.

Эта тема была совершенно ясна разве что для нашего преподавателя по атеизму или, скажем, для моей школьной еще пионервожатой Марины. Она абсолютно уверенно давала ответы и на этот, как, впрочем, и вообще на любые жизненные вопросы. Но постепенно мы с удивлением обнаружили, что все великие деятели мировой и русской истории, с которыми мы духовно познакомились во время учебы, кому мы доверяли, кого любили и уважали, мыслили о Боге совершенно по-другому. Проще сказать, оказались людьми верующими. Достоевский, Кант, Пушкин, Толстой, Гёте, Паскаль, Гегель, Лосев — всех не перечислишь. Не говоря уже об ученых — Ньютоне, Планке, Линнее, Менделееве. О них мы, в силу гуманитарного образования, знали меньше, но и здесь картина складывалась та же. Хотя, конечно, восприятие этими людьми Бога могло быть весьма различным. Но, как бы то ни было, для большинства из них вопрос веры был самым главным, хотя и наиболее сложным в жизни.

А вот персонажи, не вызывавшие у нас никаких симпатий, с кем ассоциировалось все самое зловещее и отталкивающее в судьбе России и в мировой истории, — Маркс, Ленин, Троцкий, Гитлер, руководители нашего атеистического государства, разрушители-революционеры, — все как один были атеистами. И тогда перед нами встал еще один вопрос, который был сформулирован нами грубо, но вполне определенно: или Пушкины, Достоевские и Ньютоны оказались столь примитивны и недалеки, что так и не смогли разобраться в этой проблеме и попросту были дураками, или все же дураки — мы с нашей пионервожатой Мариной? Все это давало серьезную пищу для наших молодых умов.

В те годы в обширных институтских библиотеках не было даже Библии, не говоря уж о творениях церковных и религиозных писателей. Нам приходилось выискивать сведения о вере по крупицам: то в учебниках по атеизму, то в произведениях классических философов. Конечно, огромное влияние оказала на нас великая русская литература.

Мне очень нравилось по вечерам приходить на службы в московские храмы, хотя я мало что там понимал. Большое впечатление произвело на меня первое чтение Библии. Взял я ее почитать у одного баптиста, да так все и тянул, не возвращая обратно, прекрасно понимая, что нигде больше эту книгу не найду. Хотя тот баптист совсем и не настаивал на возвращении. Он несколько месяцев

пытался меня обратить. Но в их молитвенном доме в Малом Вузовском переулке мне как-то сразу не приглянулось, хотя я до сих пор благодарен этому искреннему человеку, позволившему мне оставить у себя его книгу.

Как и все молодые люди, мы с друзьями проводили немало времени в спорах, в том числе о вере и о Боге, читая раздобытое мною Священное Писание и духовные книги, которые как-то все же умудрились найти. Но с крещением и воцерковлением большинство из нас тянули: нам казалось, что можно вполне обойтись без Церкви, имея, что называется, Бога в душе. Все, может быть, так бы и продолжалось, но однажды нам совершенно ясно было показано, что такое Церковь и зачем она нужна.

Историю зарубежного искусства у нас преподавала Паола Дмитриевна Волкова. Читала она очень интересно, но по каким-то причинам, возможно потому, что сама была человеком ищущим, рассказывала нам многое о своих личных духовных и мистических экспериментах. Например, лекцию или две она посвятила древней китайской книге гаданий «И-Цзин». Паола даже приносила в аудиторию сандаловые и бамбуковые палочки и учила нас пользоваться ими, чтобы заглянуть в будущее.

Одно из занятий касалось темы, известной лишь узким специалистам: многолетним исследованиям по спиритизму великих русских ученых Д. И. Менделеева и В. И. Вернадского. И хотя Паола честно предупредила, что увлечение подобного рода опытами чревато самыми непредсказуемыми последствиями, мы со всей юношеской любознательностью устремились в эти таинственные, захватывающие сферы.

В. И. Вернадский   Д. И. Менделеев

Не буду углубляться в описание технических приемов, которые мы вычитали в ученых трактатах Менделеева и узнали от сотрудников музея Вернадского в Москве. Применив некоторые из них на опыте, мы обнаружили, что можем установить особую связь с какими-то непостижимыми для нас, но совершенно реальными существами. Эти новые таинственные знакомцы, с которыми мы принялись вести долгие ночные беседы, представлялись по-разному. То Наполеоном, то Сократом, то недавно умершей бабушкой одного из наших приятелей. Эти персонажи рассказывали порой необычайно интересные вещи. И, к нашему безмерному удивлению, знали подноготную каждого из присутствующих. Например, мы могли полюбопытствовать, с кем это тайком гуляет до поздней ночи наш однокашник, будущий известный режиссер Александр Рогожкин?

И немедля получали ответ: «С второкурсницей Катей». Саша вспыхивал, сердился, и было совершенно ясно, что ответ попал в самую точку.

Но случались «откровения» еще более поразительные. Однажды в перерыве между лекциями один из моих приятелей, особенно увлекавшийся этими опытами, с красными от бессонных ночей глазами кидался то к одному, то к другому однокашнику и страшным шепотом выспрашивал, кто такой Михаил Горбачев. Ни мне, ни моим друзьям это имя тогда ничего не говорило. А приятель объяснил: «Сегодня ночью мы спросили у "Сталина", кто будет править нашей страной. Он ответил, что какой-то Горбачев. Что за тип, надо выяснить!»

Через три месяца мы были огорошены известием, на которое раньше не обратили бы никакого внимания: кандидатом в члены Политбюро избран Михаил Сергеевич Горбачев, бывший первый секретарь Ставропольского крайкома партии.

Но чем дальше мы увлекались этими захватывающими экспериментами, тем яснее ощущали, что с нами происходит нечто тревожное и странное. Без всяких причин нас все больше охватывали безотчетная тоска и мрачная безысходность. Все валилось из рук. Неумолимое отчаяние овладевало нами. Это состояние нарастало из месяца в месяц, пока наконец мы не стали догадываться, что оно как-то связано с нашими ночными «собеседниками». К тому же из Библии, которую я так и не вернул баптисту, вдруг выяснилось, что подобные занятия не только не одобряются, но, как там написано, прокляты Богом.

Но всё же мы еще не осознавали, что столкнулись с беспощадными и до неправдоподобия зловещими силами, вторгшимися в нашу веселую, беззаботную жизнь, и от которых никто из нас не имел никакой защиты.

Как-то я остался ночевать у друзей в общежитии. Мой сокурсник Иван Лощилин и студент с режиссерского курса Саша Ольков уселись за свои мистические опыты. К тому времени мы уже несколько раз давали зарок бросить все это, но ничего не могли с собой поделать: общение с загадочными сферами влекло к себе как наркотик.

На сей раз мои друзья возобновили прерванную накануне беседу с «духом Гоголя». Этот персонаж вещал всегда исключительно образно, языком начала XIX века. Но сегодня он почему-то не отвечал на наши вопросы. Он жаловался. Стенал, сетовал, разрывая сердце. Рассказывал, как ему невыносимо тяжело. И, главное, просил о помощи.

— Но что с вами происходит? — недоумевали мои друзья.

— Помогите мне! Ужас, ужас!.. — заклинало загадочное существо. — О, как нестерпимо тяжело! Умоляю вас, помогите!

Все мы искренне любили Николая Васильевича Гоголя и так же искренне думали, что беседуем именно с ним.

— Но что мы можем для вас сделать? — спрашивали мы, от всего сердца желая помочь столь любимому нами писателю.

— Помогите! Прошу, не оставляйте! Страшный пламень, сера, страдания... О, это нестерпимо, помогите...

— Но как? Как мы можем вам помочь?!

— Вы и правда хотите меня спасти? Вы готовы?

— Да, да, готовы! — горячо отзывались мы. — Но что мы должны сделать? Ведь вы в другом мире.

Дух помедлил и осторожно ответил:

— Добрые юноши! Если вы и вправду готовы сжалиться над страдальцем...

— Конечно! Скажите только — как?

— О, если так!.. Тогда я... Тогда я бы дал вам... яду...

Когда до нас дошел смысл этих слов, мы окаменели. А подняв глаза друг на друга, даже при тусклом пламени свечного огарка, увидели, что наши лица стали белы как мел. Опрокинув стулья, мы опрометью вылетели из комнаты.

Придя в себя, я сказал:

— Все правильно. Чтобы помочь ему, нам надо вначале стать такими же, как он. То есть... умереть!

— И мне все понятно, — стуча зубами от ужаса, проговорил Саша Ольков. — Он хочет, чтобы мы... совершили самоубийство.

— Я даже думаю, что вернусь сейчас в комнату и увижу на столе какую-нибудь таблетку, — добавил зеленый от страха Иван Лощилин. — И пойму, что мне ее обязательно надо проглотить. Или захочется броситься из окна... Они будут заставлять нас сделать это.

Мы не могли уснуть всю ночь, а наутро отправились в соседний храм Тихвинской иконы Божией Матери. Больше мы не знали, где просить совета и помощи.

Спаситель... Это имя от частого употребления порой теряет даже для христиан изначальный смысл. Но теперь оно было для нас самое желанное и самое важное — Спаситель. Мы поняли, как ни фантастически это звучит, что на нас объявили охоту могущественные неведомые нам силы, и избавить от их порабощения может только Бог.

Храм Тихвинской иконы Божией Матери

Мы боялись, что в церкви нас поднимут на смех с нашими «гоголями», но молодой священник, отец Владимир Чувикин, совершенно серьезно подтвердил все худшие опасения. Он объяснил, что мы общались конечно же не с Гоголем и не с Сократом, а с самыми настоящими бесами, демонами. Признаюсь, это прозвучало для нас дико. Но в то же время мы ни секунды не сомневались, что услышали правду.

Священник твердо сказал: подобные мистические занятия — тяжкий грех. Он настоятельно посоветовал тем из нас, кто не был крещен, не откладывая, подготовиться к таинству и креститься. А остальным прийти к исповеди и причастию.

Но мы вновь все отложили. Хотя с того дня больше никогда не возвращались к прежним экспериментам.

Началась подготовка к выпускным экзаменам, работа над дипломом, построение планов на будущее, снова вольготная студенческая жизнь... Но Евангелие я читал каждый день, и постепенно это стало настоящей потребностью. Тем более что Евангелие оказалось единственным лекарством, спасающим от тех самых мрака и отчаяния, которые время от времени возвращались, беспощадно накатывая на душу.

Только через год я окончательно признался себе, что жизнь без Бога будет лишена для меня всякого смысла.

Крестил меня замечательный батюшка, отец Алексий Зотов, в храме Николы в Кузнецах. Со мной крестились полтора десятка младенцев и несколько взрослых. Дети так истошно орали, а батюшка произносил молитвы настолько неразборчиво, что я ничего за эти полтора часа не понял.

Моя крестная, уборщица в этом храме, сказала:

— У тебя будет несколько очень благодатных дней, береги их.

— Как это — благодатных? — спросил я.

— Бог будет очень близко. Помолись, пожалуйста, обо мне. У тебя, пока не растеряешь, будет очень действенная молитва.

— Какая молитва? — снова переспросил я.

— Сам увидишь, — сказала крестная. — Если сможешь, поезжай обязательно в Псково-Печерский монастырь. Там есть старец Иоанн по фамилии Крестьянкин. Тебе бы хорошо с ним встретиться. Он все объяснит, ответит на твои вопросы. Но когда приедешь в монастырь, сразу не уезжай, проживи не меньше десяти дней.

— Хорошо, — сказал я, — посмотрим.

Я вышел из храма и сразу почувствовал нечто особое. Даже остатки гнетущей безысходности и мрака начисто исчезли. Но я не стал слишком углубляться в новые ощущения, а сразу решил поделиться своей радостью с самым близким мне тогда человеком — нашим институтским наставником и замечательным сценаристом Евгением Александровичем Григорьевым. Мы учились у него в творческой мастерской, это был кумир всего нашего курса. Жил он у метро «Беляево», на окраине Москвы. Я не знал, дома ли он (телефоны тогда имелись не у всех), и решил поехать в гости наудачу.

Долго, но тщетно звонил я в дверь его однокомнатной квартиры — Евгения Александровича не было. Расстроенный, я побрел к метро. И вдруг вспомнил про «благодатную молитву», о которой говорила мне крестная. Я остановился, задрал голову к небу и произнес:

— Иисус Христос, Бог, в веру Которого я сегодня крестился! Больше всего на свете я сейчас хочу увидеть Евгения Александровича Григорьева, моего учителя. Я понимаю, что не должен по мелочам беспокоить Тебя. Но, если возможно, сделай это для меня сегодня.

Я спустился в метро с твердой надеждой увидеть Евгения Александровича и стал ждать поезда из центра города. Когда пассажиры вышли из вагонов, я принялся напряженно выискивать своего преподавателя среди людского потока. Вдруг кто-то сзади похлопал меня по плечу. Это был Евгений Александрович.

— Кого ты тут высматриваешь орлиным взором? — как сейчас помню его слова.

— Вас, — ничуть не удивившись, ответил я.

— Ну, тогда пошли, — сказал Евгений Александрович.

И мы отправились к нему домой.

Я рассказал ему о том событии, которое произошло в моей жизни сегодня. Евгений Александрович выслушал внимательно. Сам он тогда еще был не крещен, но с уважением принял мой выбор. Интересовался деталями совершения таинства. Потом спросил, почему я принял такое решение.

— Потому что Бог есть, — ответил я, — я в этом убедился. И все, что в Церкви, — все правильно.

— Ты думаешь?.. — недоверчиво заметил Григорьев. — Знаешь, там много такого... разного.

— Наверное. Но зато там есть самое главное.

— Может быть, — сказал Евгений Александрович.

Мы зашли в магазин, купили бутылку «Столичной», пару пачек сигарет, что-то поесть и до вечера просидели у него, обсуждая новый сценарий.

Возвращаясь домой, я вспомнил о том, что произошло в метро, о своей молитве и о том, как я сразу после нее встретил Евгения Александровича. «Совпадение или нет? — задал я сам себе вопрос. — Так просто не ответить. Но связь между событиями определенно есть. Хотя в жизни всякое возможно. А с другой стороны, со мной такого никогда раньше не случалось... Надо бы разобраться».

Через день, по совету крестной, я взял билет на поезд и поехал в Псково-Печерский монастырь.

В Печорах

Поезд Москва — Таллин прибыл на вокзал города Печоры Псковские около пяти часов утра. Трясясь в стареньком автобусе по пути к монастырю, я рассматривал этот на удивление ухоженный западнорусский городок с небольшими красивыми домами с башенками и опрятными палисадниками. Печоры расположены всего в пяти километрах от границы с Эстонией. После революции и до 1940 года городок находился на территории Эстонии, оттого и остался цел монастырь, да и уклад жизни здесь не слишком изменился.

Вместе с другими пассажирами московского поезда я подошел к могучим крепостным стенам. Обитель была еще закрыта, и пришлось подождать, пока сторож в положенный час отворит старинные окованные железом ворота.

Внутри монастыря неожиданно оказалось так уютно и красиво, что нельзя было не залюбоваться. Все здесь создавало впечатление если не сказки, поскольку очевидно было явью, то чего-то удивительного. По вымощенной булыжником дороге я спустился

на монастырскую площадь, по пути разглядывая разноцветные монастырские корпуса, разбитые повсюду цветники с прекрасными розами. А церкви здесь были такие уютные и приветливые, каких я нигде больше не видел.

В главном соборе монастыря — пещерном храме Успения Пресвятой Богородицы — было почти темно. Когда я вошел, два послушника в черных одеждах до пола и с волосами, собранными в косички, зажигали лампады. Низкие выбеленные потолки тускло отражали свет, льющийся от лампад. Иконные лики в старинных окладах внимательно смотрели на меня.

В храм постепенно сходились монахи в своих мантиях и клобуках[*]. Стекался и мирской народ. Началась служба, которая прошла для меня на одном дыхании. Узнав, что скоро будет следующая литургия и что приедет архиерей, я поднялся к Михайловскому храму, расположенному на высоком холме, и отстоял еще одну службу.

[*] *Клобук — монашеский головной убор.*

Все поражало меня: и дьякона с распущенными длинными волосами и красивыми орарями по плечам, и грозный наместник[*], и священники — пожилые и молодые, лица которых были совсем другие, чем у людей в миру. И архиерей — огромный, очень старый, величественный в своих древних облачениях, с мудрым и необыкновенно добрым лицом.

После окончания долгой службы монахи выстроились по двое и со стройным пением торжественно направились в трапезную. А я вышел на монастырский двор и поинтересовался у богомольцев, как можно остановиться в монастыре. Мне объяснили, что следует обратиться к благочинному[**]. Я впервые слышал это слово и принялся твердить его про себя, чтобы не забыть. Когда монахи выходили из трапезной, я стал спрашивать у всех подряд, кто из них благочинный.

— Благочинный сейчас с Владыкой[***], но ты можешь обратиться к его помощникам — отцу Палладию или отцу Иринею, — посоветовали мне.

Я сразу признался, что никогда в жизни не запомню таких имен. Какой-то монах смилостивился надо мной и проводил к помощнику благочинного, а тот отвел в келью для паломников.

[*] *Наместник — духовное лицо, поставленное архиереем для управления монастырем.*

[**] *Благочинный — монах, ответственный за порядок в монастыре.*

[***] *Владыка — архиерей.*

Десять дней. Первые послушания

Келья, куда меня поселили, находилась на первом этаже корпуса самого́ наместника монастыря, чьи покои располагались прямо над нами. По соседству, как меня сразу предупредили, жил строгий казначей по имени отец Нафанаил. Я заметил про себя, что было бы неплохо давать этим монахам имена попроще. Хорошо что батюшку, которого мне предстояло здесь отыскать, зовут не так мудрёно — отец Иоанн.

В просторной светлой келье стояли с десяток кроватей, старинные шкафы с деревянной резьбой, тумбочки, в общем все, чтобы отдохнуть и переночевать. Народ здесь собрался разный, со всей страны, и отношения, как сразу было видно, устанавливались самые добрые и приветливые.

Мне объяснили, что утром и вечером все ходят на службы, а днем — послушания. Какие послушания — скажут. Может, колоть дрова, может помогать на кухне или на продовольственном складе, а может, мести дорожки.

Вечером мы пошли на службу. На этот раз выстоять ее оказалось почему-то весьма тяжело. Служба все никак не заканчивалась и, к моему ужасу, продолжалась больше четырех часов. Зато я разглядел людей, наполнявших храм. Преимущественно это были простые женщины, старше средних лет, реже мужчины. Но молилось и немало молодых людей, во всяком случае, молодежь здесь встречалась чаще, чем в московских церквях. И конечно — странники, юродивые, все те, кто составляет ни с чем

Юродивые странники

не сравнимый дух русского монастыря и посадского городка вокруг него.

После службы все пошли на ужин. Монахов было человек пять, остальные, как мне объяснили, ели раз или два в день, так что трапезная наполнилась в основном послушниками и паломниками. Еду подали не изысканную, но весьма вкусную. Специально поставленный инок громко читал жития святых. Вместе со всеми на трапезе присутствовал строгий казначей отец Нафанаил. Тогда ему было лет шестьдесят пять. Сухонький, седой, он ничего не ел, а только присматривал за порядком и поправлял чтеца, если тот ошибался в ударении или произносил неправильно какое-нибудь древнее византийское имя.

По окончании трапезы все остались на местах и снова началась молитва — вечерняя. Потом все негромко запели что-то старинное и мелодичное и один за другим пошли прикладываться к кресту, который держал в руке иеромонах.

Выйдя из трапезной, я впервые увидел ночной монастырь. Он был необычайно красив. Фонари высвечивали дорожки и кроны деревьев, на корпусах тоже мерцали фонарики. Все это делало ночь в монастыре не страшной, а загадочной и мирной. Не хотелось идти в дом, но мне подсказали, что по ночам ходить по территории не принято. К тому же завтра рано вставать. Узнав, во сколько, я здорово расстроился — надо же, в пять тридцать утра! Дома я никогда так рано не просыпался.

В полшестого, как и было обещано, меня разбудил громкий звон колокольчика. «Молитвами святых отец наших, Господи Иисусе Христе, помилуй нас!» Это будильщик, распахнув дверь нашей кельи, заспанным голосом прочел положенную молитву и побрел дальше, будить остальных.

Как же тяжело и неуютно было подниматься в такую рань, чистить зубы ледяной водой в большой умывальной комнате. Я уже сто раз пожалел, что приехал сюда, а еще больше — что пообещал Богу пробыть здесь целых десять дней. И кому нужны эти ранние подъемы? Богу? Нет, конечно! Нам? Тоже нет. Мучают сами себя!..

На улице было еще темно. Монахи в развевающихся черных мантиях молча поднимались по извилистой лестнице на высокий холм к Михайловскому собору. Мы, паломники, поспевали за ними.

При свете лампад и свечей начался братский молебен. На нем все просили у Господа, Божией Матери и у покровителя монастыря преподобномученика Корнилия благословения на грядущий день. От лампады, висящей у чудотворной иконы, затеплили свечу в старинном фонаре, а фонарь сразу понесли на монастырскую кухню, чтобы зажечь от него огонь в печах. После братского молебна все слушали утренние молитвы и читали записки, поданные паломниками о здравии и о упокоении своих близких. Наконец те, кто не участвовали в дальнейшей службе, и я в их числе, пошли на завтрак.

Когда я увидел, чем здесь кормят паломников, настроение у меня поднялось. Рыбка, какую и в Москве-то не часто увидишь, соленые грузди, кабачки, каши — и гречневая рассыпчатая, и овсяная, все с жареным лучком. В общем, всего вдоволь. Потом я узнал, что в Печорах традиционно старались от души угостить трудников. Это повелось еще со времен правления предыдущего намстника, отца Алипия. И нынешний, архимандрит* Гавриил, сохранял этот обычай.

—————
* *Архимандрит, игумен, иеромонах, иеродиакон — чины священнослужителей в монастырях.*

За завтраком монахи и послушники дружелюбно переговаривались, подшучивали иногда. Это мне очень понравилось, такой спокойной доброжелательности я в миру не встречал.

В восемь часов мы, паломники, собрались на хозяйственном дворе. Отец Максим, бригадир (так по-советски его здесь называли), прочел краткую молитву и стал распределять послушания. Мне он сказал коротко: «Чистить пойдешь». Что «чистить», я не знал, но когда понял, то разозлился так, чуть не развернулся и не ушел совсем. Мне досталась чистка выгребных канализационных колодцев. Но я нашел силы сдержаться и заставил себя надеть предложенную мне грязную одежду и сапоги, чтобы лезть в колодцы.

Не буду описывать оставшийся день. Я провел его в вонючих ямах, до пяти вечера выгребая жижу пополам с песком и загружая ее в ведра.

Изредка, выбираясь из своего колодца подышать, я видел монахов, как мне казалось, праздно шатающихся по монастырю, и вспоминал лекции по атеизму и рассказы о зажравшихся эксплуататорах в рясах, лицемерах и ханжах, угнетающих доверчивый, простой народ. То есть в данном случае — меня.

Я тогда еще не знал, что у каждого монаха — не одно, а множество послушаний и что вся монашеская жизнь состоит из труда и молитвы. Но это скрыто от посторонних глаз. Монахи трудятся в кузнице, в столярных и плотницких мастерских, в пекарне, в библиотеке, в просфорне. Ризничий убирает алтарь, снаряжает все необходимое к службе, чистит облачения и утварь. Кто-то ездит за продуктами, готовит еду на сотни человек — монахов и мирян. Другие трудятся в саду, в полях и на овощных складах. И так далее, и так далее. Не говоря уже о том, что все участвуют в многочасовых богослужениях, а священники к тому же исповедуют людей, порой до глубокой ночи, и выполняют еще массу других обязанностей. Но когда сидишь в канализационной яме, мир представляется мрачным и несправедливым.

Вечером я вновь стоял на службе и читал бесконечные имена в пухлых тетрадях-синодиках и поминальных записках, что подсовывал мне старик-монах. О здравии, о упокоении... О здравии, о упокоении... Иваны, Агриппины, Петры, Надежды, болящие Екатерины, непраздные Анны, путешествующие Николаи как живые проходили перед моими глазами. Чувствуя ответственность, я старался не просто перечислять имена, но и как мог молился за них. Только в одном месте мне стало весело: это когда попалась записка, написанная старушечьим почерком, с поминовением о здравии «заблудшего младенца Григория». Я так и представил себе этого зловредного младенца, до отчаяния доведшего свою несчастную бабушку.

Как же мне хотелось домой! Еще восемь дней этой бессмыслицы! А тут все никак не удавалось встретиться с отцом Иоанном и решить с ним свои вопросы.

На следующий день меня поставили колоть дрова и складывать их в огромные поленницы, возвышавшиеся на хозяйственном дворе, как необычайные многоэтажные избы. Я никогда в жизни не чистил канализацию, не колол дров, не убирал за коровами, не подметал булыжные мостовые. Так что впечатлений к окончанию моего десятидневного пребывания в монастыре сложилось множество. Раздражения и усталости тоже. Вся эта «экзотика» сидела у меня в печенках.

Но все же я увидел незнакомый и поразивший меня мир. С отцом Иоанном мы повстречались на ходу, на несколько минут. Тогда он показался мне обычным дедушкой, конечно, очень добрым, но совсем простым и не слишком интересным. Вопросы мои к нему были, кажется, вполне дурацкими. Но отец Иоанн все же выслушал меня и, за отсутствием времени, посоветовал обратиться к игумену Тавриону. Я в который раз с унынием отметил, что нипочем не запомню это имя. Однако на вопрос, который меня тогда особенно волновал — о кино, можно ли им заниматься и как Церковь к нему относится, отец Иоанн дал совершенно неожиданный ответ. Он сказал:

— Ведь кино — это язык. Им можно провозгласить: «Распни, распни!» А можно и прославить Бога.

Я сразу это запомнил и подумал: а «дедушка» не так уж и прост...

Откуда же мне было знать, что этот человек определит всю мою судьбу, станет одним из главных открытий в моей жизни и навсегда останется для меня образцом христианина, монаха и священника.

Архимандрит
Иоанн (Крестьянкин)

А тогда этот старичок на прощание тепло обнял меня, благословил и наказал непременно еще раз приехать в обитель, в возможности чего я сразу очень усомнился. Одного раза в Печорах, казалось мне, будет более чем достаточно.

За день до отъезда я наконец с трудом вспомнил имя священника, к которому мне посоветовал обратиться отец Иоанн, — игумен Таврион — и нашел его. Он оказался невысокого роста монахом лет сорока, с высшим образованием (я понял замысел отца Иоанна — в тогдашнем состоянии мне требовались «умные беседы»). Отец Таврион отнесся ко мне очень снисходительно. Он серьезно отвечал на мои многочисленные вопросы, а под конец беседы посоветовал читать Священное Писание и святых отцов, утром и вечером молиться по молитвослову, регулярно исповедоваться и причащаться и главное — найти духовника. Отец Таврион подарил мне молитвослов с Псалтирью — настоящую драгоценность по тем временам. И тоже пригласил приезжать.

Я выдержал все десять дней — ранние подъемы, послушания, нескончаемые службы с кричащими то и дело под ухом бесноватыми. Не могу сказать, что я сожалел о потерянном времени. Однако в последний день всей душой стремился в Москву.

Прощались со мной очень тепло. По благословению наместника казначей выдал мне на дорогу целых тридцать рублей. Получил я еще и сумку со всякой вкусной стряпней. Зайдя помолиться в храм, я, с мимолетной благодарной грустью, но и с радостным предвкушением возвращения в Москву, вышел из обители.

И тут произошло то, что повергло меня в настоящий шок. Когда, впервые за десять дней, я оказался за монастырскими воротами, первым чувством, охватившим меня, было неудержимое желание — бросить сумки и стремглав бежать назад! Такого я от себя никак не ожидал. Сделав над собой огромное усилие, я медленно пошел к автовокзалу, с каждой минутой понимая, что оказался совершенно в другом мире, совсем не в том, который оставил десять дней назад.

Был ранний вечер. Обычные люди шли по улице. Навстречу мне попался парнишка, который на ходу жевал пирожок и закусывал яблоком. Помню, в какой ужас повергла меня эта заурядная картина. Я не мог понять: почему? И наконец догадался, что за эти дни так привык приступать к еде, только помолившись Богу, что человек, уплетающий что-то дорогой, показался для меня чем-то немыслимым.

Из кинотеатра выходила молодежь. Кто-то громко хохотал. Влюбленные парочки, обнявшись, прошли мимо меня. Все было совершенно нормально. Кроме того, что я почему-то чувствовал себя здесь безмерно чужим.

В купе со мной ехали две девушки и парень, мой ровесник. Я забрался на верхнюю полку, а они тем временем достали еду и вино. Явно предвкушая веселую поездку, они стали настойчиво зазывать меня в свою компанию. Еще десять дней назад я бы, не раздумывая, присоединился к ним и мы бы прекрасно провели время. Но теперь, что-то пробормотав в ответ, я забился в угол на своей полке и всю дорогу под веселые упреки моих спутников и их призывы спуститься на грешную землю читал непонятые мне славянские слова из молитвослова, подаренного отцом Таврионом. Нет, я ни на секунду не осуждал этих ребят и, сохрани Бог, не считал себя праведником, а их грешниками. Я даже не думал об этом. Просто все стало другим.

В Москве

И действительно — все стало другим. Не знаю, что произошло, но мир потерял для меня весь интерес и привлекательность. То, что еще вчера казалось желанным и ценным, теперь открылось если не как бессмысленное (я не дерзал многое так называть), то совершенно далекое. Я не узнавал себя. И друзья тоже меня не узнавали.

Вернувшись в Москву, я вдруг с удивлением обнаружил, что все десять дней не только не курил, но и не вспоминал о своей многолетней привычке. И это при том, что обычно я выкуривал в день не меньше двух пачек сигарет.

Единственное место, где я чувствовал себя хорошо, был храм. Ни друзья, ни развлечения, ни желанная когда-то работа — ничто не касалось моего сердца. Даже книги, даже любимые Достоевский и Толстой не задерживали внимания. Я понял, что совершенно изменился. А может, безнадежно испортился для этого, столь любезного для меня раньше, мира. Открылась другая жизнь, по сравнению с которой все прожитое мною за двадцать четыре года не шло ни в какое сравнение. То есть я искренне любил тот старый мир, жалел его, сопереживал ему от всего сердца!.. Но как раз в сердце-то и было дело: оно уже принадлежало не старым заветам, а новому, открывшемуся так нежданно таинственному и непреодолимому завету человека с Богом.

По доброму совету отца Тавриона я открыл для себя творения святых отцов. Они ошеломили меня. Обиднее всего казалось, что мы, обладая таким несравненным сокровищем, ничего не знаем о нем.

Передо мной открылся целый континент великих авторов, которые столетиями копили опыт иного познания жизни, нежели то, что давали лучшие умы философской мысли и гении классической литературы. Исаак Сирин, Иоанн Лествичник, авва Дорофей, Иоанн Златоуст, наши Игнатий (Брянчанинов) и Феофан Затворник, Тихон Задонский, вся

эта великая духовная громада — законное наследство, которое так долго от нас скрывали.

Уже через месяц служба в церкви стала для меня понятной, церковнославянские слова — глубокими и исполненными смысла. Утренние и вечерние молитвы — желанным временем, а причащение и исповедь — потребностью.

Вскоре я снова приехал в Печоры. И с тех пор стал бывать там, как только позволяли обстоятельства. Кино потеряло для меня всякий интерес, что, думаю, было и для него не большой потерей. Честно говоря, я просто отрабатывал время, обязательное после окончания института. Мои руководители сетовали, глядя на это, но скоро поняли, что ничего изменить не смогут. Выполнив текущую работу на киностудии, я получал недели две свободного времени, садился в поезд и уезжал в монастырь.

Что же меня так притягивало в нем? В первую очередь — люди. О них я и хочу рассказать.

Отец Иоанн

Отец Филарет

Отец Иоанн

Я впервые увидел архимандрита Иоанна (Крестьянкина) в 1982 году, когда приехал в Псково-Печерский монастырь. Тогда, кажется, он не произвел на меня особого впечатления: такой очень добрый старичок, весьма крепкий (в ту пору ему было только семьдесят два года), вечно куда-то спешащий, даже суетливый, неизменно окруженный толпой паломников. Другие насельники монастыря выглядели гораздо строже, аскетичнее и даже солиднее.

Обычно перед началом вечерней службы из братского корпуса Псково-Печерского монастыря вылетала странная процессия. Молодой монастырский эконом[*] отец Филарет, подхватив под руку отца Иоанна, почти бегом тащил его за собой, так что тот еле поспевал за своим келейником. Вслед за ними немедленно устремлялась толпа паломников, поджидавших батюшку на улице. Так, все вместе, они неслись через монастырский двор. Монашеские мантии и клобуки развевались, батюшка то и дело спотыкался, задыхался от бега, впопыхах все же пытаясь благословить кого-то из паломников и чуть ли

[*] Эконом — монах, ответственный за хозяйственную жизнь монастыря.

не ответить на какие-то вопросы. Отец Филарет на это страшно сердился, кричал своим пронзительным фальцетом то на батюшку, то на паломников, иногда даже отгонял их зонтиком. Наконец он проталкивал отца Иоанна в храм и побыстрее утаскивал его в алтарь.

Надо сказать, что делал это эконом совсем не по зловредности, а потому, что в холодное время года отец Иоанн быстро простужался на улице. Когда же было тепло, батюшка рисковал вообще не дойти до храма: люди не отпускали его буквально часами.

Мы с друзьями-послушниками, день за днем наблюдая эту картину, от души смеялись, пока со временем до нас не стало доходить, что так потешно волочащийся за сердитым монастырским экономом отец Иоанн на самом деле — один из очень немногих людей на земле, для которых раздвигаются границы пространства и времени, и Господь дает им видеть прошлое и будущее, как настоящее. Мы с удивлением и не без страха убедились на собственном опыте, что перед этим старичком, которого недоброжелатели насмешливо именовали «доктором Айболитом», человеческие души открыты со всеми их сокровенными тайнами, с самыми заветными стремлениями, с тщательно скрываемыми, потаенными делами и мыслями. В древности таких людей называли пророками. У нас в Православной Церкви их именуют старцами.

Сам отец Иоанн никогда не называл себя старцем. А когда ему что-то подобное говорили, только в ужасе всплескивал руками: «Какие старцы?! Мы в лучшем случае опытные старички». Он и до конца жизни, по глубочайшему своему смирению, был в этом искренне уверен. Впрочем, равно как и многие, знавшие отца Иоанна, были убеждены, что в его лице Господь послал им истинного старца, знающего волю Божию.

Да, это было самым главным! Отцу Иоанну открывалась воля Божия о людях. Это мы тоже поняли далеко не сразу. Вначале казалось, что батюшка просто старый и очень мудрый человек. И как раз за этой пресловутой «мудростью» к нему и съезжается народ со всех концов России. И лишь позже мы с изумлением открыли для себя, что все эти тысячи людей ждали от отца Иоанна вовсе не мудрого совета.

Советчиков от человеческого опыта на свете немало. Но люди, появлявшиеся перед отцом Иоанном, как правило, в самые трагические, переломные моменты своей судьбы, хотели услышать от него не о том, как им поступить мудро, а как им поступать единственно правильно. Собственно говоря, этим — познанием воли Божией — старец и отличается от всех остальных людей. Даже от прославленных мудрецов, интеллектуалов-богословов, даже от самых замечательных опытных священников.

Помню, когда я был еще совсем молодым послушником, ко мне подошел один из паломников-москвичей и поведал историю, свидетелем которой только что оказался. Отец Иоанн, как обычно, в окружении множества людей спешил по монастырскому двору к храму. Вдруг к нему бросилась заплаканная женщина с мальчиком лет трех на руках.

— Батюшка, благословите ребенка на операцию! Врачи требуют срочно, в Москве...

Отец Иоанн остановился и сказал женщине слова, которые просто потрясли паломника-москвича:

— Ни в коем случае! Он умрет на операционном столе. Молись, лечи его, но операцию не делай ни в коем случае. Он выздоровеет.

И перекрестил младенца.

Мы сидели с этим паломником и сами ужасались от своих размышлений. А вдруг батюшка ошибся? Что, если ребенок умрет? Что мать сделает с отцом Иоанном, если такое случится?

Мы, конечно, не могли заподозрить отца Иоанна в вульгарном противлении медицине, встречающемся, хотя и очень редко, в духовной среде. Мы знали немало случаев, когда он благословлял, а порой и настаивал на хирургических операциях. Среди его духовных детей были известные врачи.

С ужасом мы ждали, что будет дальше. Явится ли в монастырь убитая горем мать и устроит чудовищный скандал, или все будет именно так, как предсказал отец Иоанн? Судя по тому, что батюшка по-прежнему мирно продолжал свой ежедневный путь между храмом и кельей, нам оставалось лишь заключить, что старец, давая столь решительный совет, знал, что говорил.

Доверие и послушание — главное правило общения между православным христианином и его духовным отцом. Конечно, по отношению далеко не к каждому духовнику можно проявлять полное послушание. Да и духовников-то таких единицы. Это на самом деле непростой вопрос. Случаются трагедии, когда неразумные священники начинают мнить себя старцами и при этом повелевать, самонадеянно приказывать и, наконец, совершать абсолютно непозволительное в духовной жизни — подавлять свободу своих духовных детей.

Отец Иоанн никогда не диктовал и не навязывал свою волю. Он бесконечно ценил человеческую свободу и относился к ней с каким-то особым благоговением. Батюшка готов был уговаривать, увещевать, готов был даже умолять об исполнении того, что, как он знал, необходимо для обратившегося к нему человека. Но если тот упорно стоял на своем, батюшка обычно вздыхал и говорил:

— Ну что ж, попробуйте. Делайте как знаете...

И всегда, насколько мне известно, те, кто не исполнял советов отца Иоанна, в конце концов горько в этом раскаивались. Как правило, в следующий раз они приходили к батюшке уже с твердым намерением исполнить то, что он скажет. А тот с неизменным сочувствием и любовью принимал этих людей, не жалел для них времени и сил, всячески старался исправить их ошибки.

* * *

История о мальчике и об операции напомнила мне похожий случай, произошедший лет десять спустя. Но закончился он совсем по-другому.

Жила в те годы в Москве необычайно интересная и своеобразная женщина — Валентина Павловна Коновалова. Казалось, она сошла с полотен Кустодиева — настоящая московская купчиха. Была она вдовой лет шестидесяти и директором большой продуктовой базы на проспекте Мира. Полная, приземистая, Валентина Павловна обычно торжественно восседала за большим канцелярским столом в своей конторе. Повсюду на стенах, даже в самое тяжелое советское лихолетье, у нее висели внушительных размеров бумажные репродукции икон в рамах, а на полу под письменным столом лежал большущий целлофановый мешок, набитый деньгами. Ими Валентина Павловна распоряжалась по своему усмотрению — то отправляя подчиненных закупить партию свежих овощей, то одаривая нищих и странников, во множестве стекавшихся к ее продовольственной базе.

Подчиненные Валентину Павловну боялись, но любили. Великим постом она устраивала общее соборование прямо в своем кабинете. На соборовании всегда благоговейно присутствовали и работавшие на базе татары. Частенько в те годы дефицита к ней заглядывали московские настоятели, а то и архиереи. С некоторыми она была сдержанно почтительна, с другими, которых не одобряла «за экуменизм», резка и даже грубовата.

Меня не раз на большом грузовике посылали из Печор в столицу за продуктами для монастыря к Пасхе и к Рождеству. Валентина Павловна всегда особо тепло, по-матерински принимала нас, молодых послушников: она давно уже похоронила единственного сына. Мы подружились. Тем более что у нас всегда находилась общая тема для бесед — наш общий духовник отец Иоанн.

Батюшка был, пожалуй, единственным человеком на свете, перед кем Валентина Павловна робела, но кого при этом бесконечно любила и уважала. Дважды в год она со своими ближайшими сотрудниками ездила в Печоры, там говела и исповедовалась. В эти дни ее невозможно было узнать — тихая, кроткая, застенчивая, она ничем не напоминала «московскую владычицу».

Осенью 1993 года происходили перемены в моей жизни: я был назначен настоятелем Псково-Печерского подворья в Москве. Оно должно было расположиться в старинном Сретенском монастыре. Для оформления множества документов мне часто приходилось бывать в Печорах.

У Валентины Павловны болели глаза, ничего особенного — возрастная катаракта. Как-то она попросила меня испросить благословение у отца Иоанна на небольшую операцию в знаменитом Институте Федорова. Ответ отца Иоанна, признаться, удивил меня: «Нет, нет, ни в коем случае. Только не сейчас, пусть пройдет время», — убежденно сказал он. Вернувшись в Москву, я передал эти слова Валентине Павловне.

Она очень расстроилась. В Федоровском институте все уже было договорено. Валентина Павловна написала отцу Иоанну подробное письмо, снова прося благословения на операцию и поясняя, что дело это пустяшное, не стоящее и внимания.

Отец Иоанн конечно же не хуже,чем она, знал, насколько безопасна операция по поводу катаракты. Но, прочитав привезенное мною послание, он очень встревожился. Мы долго сидели с батюшкой, и он взволнованно убеждал меня во что бы то ни стало уговорить Валентину Павловну сейчас отказаться

от операции. Он снова написал ей пространную депешу, в которой умолял и своей властью духовника благословлял отложить операцию на некоторый срок.

В то время мои обстоятельства сложились так, что выпало две свободные недели. Больше десяти лет у меня не было отпуска, и поэтому отец Иоанн благословил съездить подлечиться на две недели в Крым, в санаторий. И непременно взять с собой Валентину Павловну. Об этом же он написал ей в своем письме, прибавив, что операцию она должна сделать потом, через месяц после отпуска.

— Если она сейчас сделает операцию, она умрет... — грустно сказал батюшка, когда мы прощались.

Но в Москве я понял, что нашла коса на камень. Валентина Павловна, наверное впервые в жизни, взбунтовалась против воли своего духовника. Последний раз она была в отпуске в далекой юности и теперь, кипятясь, сердито повторяла:

— Ну вот, что это еще батюшка надумал? Отпуск!.. А на кого я базу оставлю?

Она была всерьез возмущена, что из-за какой-то «ерундовой глазной операции» отец Иоанн «заводит сыр-бор». Но тут уж я решительно не стал ничего слушать и заявил, что начинаю хлопотать о путевках в санаторий, и в ближайшее время мы едем в Крым. В конце концов Валентина Павловна, казалось, смирилась.

Прошло несколько дней. Я получил от Святейшего благословение на отпуск, заказал две путевки (поздней осенью их несложно было найти) и позвонил на базу сообщить Валентине Павловне о дате нашего выезда.

— Валентина Павловна в больнице. Ей сегодня делают операцию, — известил меня ее помощник.

— Как?! — закричал я. — Ведь отец Иоанн запретил!..

Выяснилось, что пару дней назад на базу заглянула какая-то монахиня. В миру она была врачом и, узнав об истории с катарактой, тоже возмутилась решением отца Иоанна. Полностью поддержав Валентину Павловну, она взялась испросить благословения на операцию у одного из духовников Троице-Сергиевой лавры и в этот же день такое благословение получила. Валентина Павловна, удовлетворенная, поехала в Федоровский институт, рассчитывая после быстрой и несложной операции через два-три дня отправиться со мною в Крым. Но во время операции с ней случился тяжелейший инсульт и полный паралич.

Узнав об этом, я бросился звонить в Печоры эконому монастыря отцу Филарету, келейнику батюшки. В исключительных случаях отец Иоанн приходил к отцу Филарету и пользовался его телефоном.

— Как же вы так можете? Почему же вы меня не слушаете? — чуть не плакал батюшка, услышав мой сбивчивый и печальный рассказ. — Ведь если я на чем-то настаиваю, значит, знаю, что делаю!

Что мог я ему ответить? Спросил только, как можно помочь, — Валентина Павловна до сих пор оставалась без сознания. Отец Иоанн велел взять из храма в келью запасные Святые Дары, чтобы, как только Валентина Павловна придет в себя, будь то днем или ночью, я без промедленья отправился исповедовать и причастить ее.

По молитвам отца Иоанна, на следующий день Валентина Павловна пришла в сознание. Родственники немедленно сообщили мне об этом, и через полчаса я был в больнице.

Валентину Павловну вывезли ко мне в вестибюль реанимации на огромной металлической каталке. Она лежала под белой простыней — крохотная и беспомощная. Увидев меня, она закрыла глаза и заплакала. Говорить она не могла. Но и без всяких слов была понятна ее исповедь. Я прочел над ней разрешительную молитву и причастил. Мы простились.

На следующий день ее еще раз причастил отец Владимир Чувикин. В тот же вечер она умерла. Хоронили мы Валентину Павловну со светлым и мирным чувством. Ведь, по древнему церковному преданию, душа человека, который сподобился причаститься в день смерти, сразу восходит к престолу Господню.

* * *

Неразрывно связано с отцом Иоанном и все, что касается возрождения и становления монашеской жизни в нашем Сретенском монастыре. Осенью 1993 года, под праздник Иверской иконы Божией Матери, я приехал к отцу Иоанну в очень сложный для меня период жизни. Был я к тому времени уже иеромонахом московского Донского монастыря. Но отношения мои с наместником монастыря архимандритом Агафодором по моей вине настолько испортились, что я решительно не знал, что делать и как поступать. Отец Агафодор сам отправил меня в Печоры к духовнику, чтобы тот разрешил мои проблемы.

Батюшка долго утешал меня и призывал к монашескому терпению. Он умел находить такие слова, а главное — его любовь к человеку, вера и надежда на Промысл Божий были столь велики, что люди, приезжая к нему даже с, казалось бы, самыми неразрешимыми проблемами, выходили из батюшкиной кельи исполненные не просто утешения, а новых сил к жизни. В этом была еще одна редчайшая особенность, присущая отцу Иоанну: он говорил как имеющий власть от Бога давать жизненные силы и вести вслед за Христом.

Мы засиделись тогда довольно долго. Уже началась всенощная. Отец Иоанн, взглянув на часы, заторопился и отправил меня в храм, сказав, что скоро подойдет и сам.

Вместе с молодыми монастырскими иеромонахами мы, уже облачившись, ждали в древнем пещерном алтаре Успенского собора выход на акафист. Вдруг к нам подошел отец Иоанн. Мы расстались с ним полчаса назад, но тут он сразу показался мне каким-то необычным — сосредоточенно-строгим. Не говоря ни слова, батюшка взял меня за руку и подвел в центр алтаря, к престолу. Здесь он сделал три глубоких

поклона, с благоговением приложился к Святой Трапезе и велел мне сделать то же. Потом, обратившись ко мне, он произнес:

— А теперь слушай волю Божию...

Никогда до этого я не слышал от отца Иоанна подобных слов.

— Ты вернешься в Москву и сразу пойдешь к Святейшему Патриарху, — объявил мне отец Иоанн. — Проси у него, чтобы он благословил тебя перейти из Донского в братию Псково-Печерского монастыря. Проси Святейшего, чтобы он благословил создание подворья Псково-Печерского монастыря в Москве, и ты будешь строить это подворье.

Я не знал, что и сказать!.. С одной стороны, было отчетливо ясно, что вот сейчас, в эту самую минуту, меняется моя жизнь. И в то же время умом я понимал, что сказанное батюшкой осуществить совершенно нереально.

—Батюшка, — проговорил я, — но это невозможно!.. Святейший совсем недавно объявил, что в Москве не будет открыто ни одного подворья епархиальных монастырей. И настрого запретил даже обращаться к нему с подобными просьбами.

Здесь необходимо небольшое пояснение. К тому времени в Русской Церкви было возрождено уже триста шестьдесят монастырей, и с каждым месяцем их число увеличивалось. Немало из этих провинциальных обителей хотели иметь свои подворья в столице и так донимали патриарха, что Святейший на одном из собраний духовенства очень твердо предупредил, чтобы с подобными просьбами к нему впредь не обращались. Поскольку если начать раздавать московские храмы монастырям, то приходских церквей в столице вообще не останется.

Все это я объяснил отцу Иоанну. Но тот даже бровью не повел.

—Ничего не бойся! — сказал он. — Иди к Святейшему и передай то, что я тебе сказал. Святейший все благословит. А затем, — тут батюшка продолжил уже совсем по-деловому, горячо и увлеченно, — тебе предложат на выбор несколько храмов. Первый не бери! А из остальных выбирай, какой тебе приглянется. Но только не гонись за большими и знаменитыми.

Пора было выходить на акафист.

—После службы жду тебя в келье! — велел батюшка.

Весь акафист и дальнейшую службу я только и переживал слова, сказанные отцом Иоанном, а после всенощной сразу примчался к нему. Батюшка еще несколько раз повторил мне то, что я услышал от него в алтаре. Успокоил, ободрил и велел, не сомневаясь, поступать в точности так, как он говорит.

На праздник Успения
Пресвятой Богородицы
идет дождик

Отец Иоанн никогда не бросался великими и страшными словами, такими как «я скажу тебе волю Божию». Ни раньше, ни потом я такого от него не слышал. Поэтому воспринял сказанное мне более чем серьезно и, превозмогая страх, решил исполнить все точно, как сказал старец.

В Москве вскоре представился удобный случай встретиться с патриархом, и я с замиранием сердца слово в слово передал Святейшему, что наказал мне батюшка: и о переводе меня в братию Псково-Печерского монастыря, и о создании монастырского подворья в Москве...

К моему удивлению, Святейший неожиданно нашел мысль о Псково-Печерском подворье очень своевременной и правильной. Оказывается, как раз в эти дни встал вопрос о введении особого пограничного режима в городе Печоры, находящемся в трех километрах от недавно тогда образованной границы с Эстонией, и, соответственно, о возможном ограничении свободного доступа паломников в Псково-Печерский монастырь. Подворье, по мнению патриарха, могло бы взять на себя обязанности помощи монастырю, если неблагоприятный для паломников пограничный режим будет введен. Святейший тут же поручил Владыке Арсению (Епифанову) и протоиерею Владимиру Дивакову заняться подбором храма для подворья.

Первым местом, которое предложил Владыка Арсений, был Покровский монастырь, недавно переданный Церкви. Я съездил полюбоваться им, но, помня слова отца Иоанна, что от первого храма следует отказаться, сослался на действительный факт: Покровский монастырь для подворья слишком обширный.

Тогда Владыка дал мне еще два адреса: храма Покрова Пресвятой Богородицы в Измайлове и Сретенского монастыря на Лубянке. Измайловский собор показался мне уж больно большим и великолепным, а Сретенский как раз таким, как говорил отец Иоанн. К тому же это был не просто храм, а монастырь, закрытый в 1925 году, в котором так или иначе следовало возрождать монашескую жизнь. Я позвонил отцу Филарету в Печоры, и он соединил меня по телефону с батюшкой.

— Сретенский? Это тот, что за Трубной площадью? — Батюшка отлично знал церковную Москву. — Его и бери!

Со дня открытия подворья минуло восемнадцать лет, но всегда — в дни радостей и испытаний — нас поддерживала молитва, благословение, а иногда и строгое взыскание отца Иоанна. Он передал нам множество своих икон, в том числе и любимую — Владимирскую. Отец Иоанн благословил создание монастырского издательства, интернет-сайта семинарии, детского дома, подсобного хозяйства. В о о б щ е ,

Отец Иоанн

Святейший Патриарх Алексий II

особенно в первые, самые сложные годы, батюшка следил буквально за каждым шагом в возрождающейся обители. А после того как отпала тревога по поводу закрытия Печор для паломников, именно отец Иоанн благословил просить Святейшего о преобразовании подворья в Сретенский монастырь.

Братия Сретенской обители почитает батюшку отца Иоанна как старца, благословившего создание нашего монастыря, как своего молитвенника, духовного наставника и благодетеля. Каждый день мы возносим молитвы о упокоении его души. Его проповеди, письма и наставления — настольные книги братии обители, студентов семинарии и многих наших прихожан.

* * *

Особо хочется вспомнить, как преображались, воскресали души людей от общения с отцом Иоанном, но трудно даже пересказать все, что происходило за те двадцать пять лет, что я знал отца Иоанна. Хотя как раз утверждать, что я знал его, было бы, пожалуй, неверно. Отец Иоанн весь был одной поразительной и прекрасной тайной.

Иногда он открывался перед нами с такой неожиданной стороны, что мы только диву давались. Как-то, например, я с великим удивлением услышал от него настоящую тюремную «зековскую» поговорку. Да еще произнесенную батюшкой так обыденно и привычно, как бы между прочим, что я ушам своим не поверил!

Как-то на глухой деревенский приход в ста километрах от Пскова к моему другу иеромонаху Рафаилу приехал его племянник Валера. С первого взгляда видно было, что парнишка не отличался особой церковностью и заглянул к своему дядьке-священнику не для

постов и молитв. Так оно и оказалось. Валерка попросту скрывался от милиции. Он не долго секретничал и в первый же вечер выложил нам все. В родном городе его обвиняли в очень тяжком преступлении, которое Валера, по его словам, не совершал. И хотя было видно, что гость — паренек лихой, мы ему поверили. Кстати, в конце концов его правота подтвердилась: в том злодействе, в котором его обвиняли, Валера замешан не был.

Мы повезли его в монастырь к отцу Иоанну — спросить благословения, что с ним делать дальше.

Батюшка сердечно принял его. Но потом вдруг неожиданно сказал:

— А ведь пострадать тебе, Валерий, все-таки придется.

— За что?! — возмутился Валерка.

Отец Иоанн поманил его пальцем и что-то пошептал на ухо. Валерка отшатнулся и ошеломленно уставился на батюшку. А тот попросил нас с отцом Рафаилом выйти из кельи, и они остались вдвоем.

Когда через полчаса отец Иоанн снова пригласил нас, Валера сидел на диванчике — заплаканный, но впервые за все дни нашего знакомства умиротворенный и даже счастливый. А батюшка, закончив исповедь, снимал епитрахиль и поручи. Отец Иоанн попросил нас помочь Валере три дня поговеть в монастыре, собороваться и причаститься. После этого батюшка благословил ему возвращаться в Чистополь. «Зачем?» — недоумевали мы, но Валере отец Иоанн, видимо, все объяснил.

Прощаясь с батюшкой, Валера спросил:

— А как вести себя в тюрьме?

Вот тогда-то отец Иоанн и сказал, очень жестко:

— Все просто: не верь, не бойся, не проси.

А потом добавил, уже совсем по-другому, как обычно:

— Молись — самое главное. Там Бог близко. Ты увидишь!

Отец Иоанн знал, о чем говорил.

Донос на священника Иоанна Крестьянкина в 1950 году написали трое: настоятель московского храма, где служил отец Иоанн, регент того же храма и протодьякон. Они обвиняли отца Иоанна в том, что он собирает вокруг себя молодежь, не благословляет вступать в комсомол и ведет антисоветскую агитацию.

Отец Иоанн был арестован. Во внутренней тюрьме на Лубянке он провел почти год в одиночной камере предварительного заключения. Во время допросов его жестоко пытали.

В период производства дознания подследственный Крестьянкин признал, что вокруг него и вправду собирается немало молодежи. Но, будучи пастырем Церкви, он не может отогнать их и перестать уделять необходимого внимания. На вопрос о комсомоле Крестьянкин также сознался, что не дает благословения на вступление в ряды этой организации, поскольку она является атеистической, и христианин в подобных сообществах состоять не может. А вот по поводу антисоветской пропаганды заключенный свою вину отрицал, говоря, что его, как священника, деятельность подобного рода не интересует. За весь год Крестьянкин не назвал на допросах ни одного имени, кроме тех, которые упоминались следователем. Он знал, что каждый названный им человек будет арестован.

Как-то раз батюшка рассказал нам о своем следователе. Они были ровесниками. В 1950 году обоим исполнилось по сорок лет. И звали следователя так же, как батюшку, Иваном. Даже отчества у них были одинаковые — Михайловичи. Отец Иоанн говорил, что каждый день поминает его в своих молитвах. Да и забыть не может.

— Он все пальцы мне переломал! — с каким-то даже удивлением говорил батюшка, поднося к подслеповатым глазам свои искалеченные руки.

«Да, — подумали мы тогда, — молитва отца Иоанна, да еще всежизненная, — это не шутка! Было бы интересно узнать судьбу этого следователя Ивана Михайловича, за которого так молится его бывший подследственный Иван Михайлович Крестьянкин».

С целью окончательного изобличения преступника следователь назначил очную ставку с тем самым настоятелем храма. Отец Иоанн уже знал, что этот человек является причиной его ареста и страданий. Но когда настоятель вошел в кабинет, отец Иоанн так обрадовался, увидев собрата-священника, с которым они множество раз вместе совершали Божественную литургию, что бросился ему на шею!.. Настоятель рухнул в объятия отца Иоанна — с ним случился обморок. Очная ставка не состоялась. Но отца Иоанна и без нее осудили на восемь лет лагерей.

Об одном из древних святых отцов было написано, что он от избытка любви вообще забыл, что такое зло. Мы, послушники, в те годы часто размышляли: почему, за какие подвиги, за какие качества души Господь дарует подвижникам прозорливость, чудотворения, делает их Своими сотаинниками? Ведь страшно даже представить, что тот, перед кем открываются самые сокровенные мысли и поступки людей, будет другим, чем бесконечно милосердным к каждому без исключения человеку, что сердце его не будет исполнено той могущественной, таинственной и всепрощающей любви, которую принес в наш мир распятый Сын Божий.

А что касается тюремной истории отца Иоанна, то меня всегда поражало, как он отзывался о времени, проведенном в лагерях. Батюшка говорил, что это были самые счастливые годы его жизни.

— Потому что Бог был рядом! — с восторгом объяснял батюшка. Хотя, без сомнения, отдавал себе отчет, что до конца мы понять его не сможем.

— Почему-то не помню ничего плохого, — говорил он о лагере. — Только помню: небо отверсто и Ангелы поют в небесах! Сейчас такой молитвы у меня нет...

* * *

В келье, где батюшка принимал своих многочисленных посетителей, он появлялся всегда очень шумно. Отец Иоанн влетал — да-да, именно влетал — и когда ему было семьдесят лет, и восемьдесят, и даже девяносто. Немного покачиваясь от старческой слабости, он бежал к иконе и на минуту, не обращая ни на кого внимания, замирал перед ней, весь погружаясь в молитву за пришедших к нему людей.

Закончив это главное дело, он поворачивался к гостям. Охватывал всех радостным взглядом. И тут же спешил благословить каждого. Кому-то что-то шептал. Волновался, объяснял. Утешал, сетовал, подбадривал. Охал и ахал. Всплескивал руками. В общем, больше всего в эти моменты он напоминал наседку, суетящуюся над многочисленным выводком. И только совершив все это, он почти падал на старый диванчик и усаживал рядом с собой первого посетителя. У каждого были свои проблемы. За других не расскажешь, но я очень хорошо помню, с чем сам приходил к батюшке.

Отец Иоанн девять лет не давал мне благословения на монашеский постриг. Держал в послушниках, поставив условие — дождаться благословения матери. Но мама, Царствие ей Небесное, хотя и благословляла служить Церкви в священническом сане, но не хотела, чтобы я шел по монашескому пути. Батюшка твердо стоял на условии — дождаться согласия матери. Говорил: если по-настоящему хочешь быть монахом, проси этого у Бога, и Он управит все в нужное время.

Я тогда твердо ему поверил. И спокойно ждал, будучи сначала послушником в Псково-Печерском монастыре, а потом — в Издательском отделе у митрополита Питирима. И вот однажды, приехав к батюшке в Печоры, я рассказал ему между прочим, что скоро открывают Донской монастырь, который

особо любили
москвичи. И тут
отец Иоанн ска-
зал:

— А ведь это при-
шло твое время.
Иди проси у мамы
благословения.
Думаю, теперь
она не откажет.
А за то, что девять
лет терпел и не само-
чинничал, увидишь,
как Господь не оста-
вит тебя особой ми-
лостью. Будет тебе по-
дарок.

Потом батюшка стал
рассказывать о Донском
монастыре времен своей
молодости, о жившем там под арестом святом патриархе Тихоне, которого батюшка любил и почитал
бесконечно. Рассказал и о том, как в 1990 году ему,
отцу Иоанну, в этой самой келье, где мы сейчас с ним
беседуем, явился святой патриарх Тихон и предупредил о разделении, которое ждало Русскую Церковь.
(Так оно впоследствии и случилось на Украине.)

В заключение отец Иоанн помолился перед своей
келейной иконой Пресвятой Богородицы «Взыскание
погибших» и велел мне торопиться домой. А получив
материнское благословение, идти просить постриг
у Святейшего Патриарха.

По молитвам отца Иоанна, в этот раз мама неожиданно согласилась с моим желанием и благословила

меня иконой Божией Матери. А Святейший Патриарх Алексий II определил меня в немногочисленную тогда братию московского Донского монастыря.

Сбылись и слова отца Иоанна о «подарке». Так получилось, что наместник Донского монастыря архимандрит Агафодор два раза откладывал мой монашеский постриг из-за срочных отъездов по делам обители. Наконец он постриг меня в самый день моего рождения, когда мне исполнилось тридцать три года, да еще с именем Тихон — в честь моего любимого святого и покровителя Донского монастыря.

Многое еще можно вспомнить... Вскоре после смерти Валентины Павловны Коноваловой я оказался в больнице. Болезнь была тяжелая, и отец Иоанн в письме, переданном мне через его духовную дочь Настю Горюнову, разрешил, несмотря на Рождественский пост, есть в больнице и рыбу, и молочное. Друзья устроили меня тогда в хорошую клинику, в палате был даже телевизор. Немного придя в себя, я решил посмотреть телевизионные новости, которые не видел несколько лет. Потом включил интересное кино...

В этот же день, к вечеру, из Печор приехала Настя Горюнова и через медсестру передала мне новое письмо от отца Иоанна. Помню, я, лежа в постели, досматривал какой-то фильм и читал письмо батюшки. В конце письма была приписка: «Отец Тихон, я благословлял тебе ослабить пост, а вот телевизор смотреть не благословлял». Я кубарем скатился с кровати и выдернул телевизионный шнур из розетки. К тому времени я уже очень хорошо понимал, что такое не слушаться отца Иоанна.

Были у отца Иоанна и недоброжелатели. Одни, по каким-то им ведомым причинам, просто не признавали его старческого служения. Но были и такие, что с гневом враждовали на него. Отец Иоанн с сердечной болью переносил их ненависть, напраслину, а иногда и предательство, но никогда не терял самой искренней христианской любви к ним. На всю жизнь остались у меня в памяти слова его проповеди, сказанной в Михайловском соборе Псково-Печерского монастыря в 1987 году: «Нам дана от Господа заповедь любви к людям, к нашим ближним. Но любят ли они нас или нет — нам об этом нечего беспокоиться! Надо лишь о том заботиться, чтоб нам их полюбить!»

Один московский священник, бывший духовный сын отца Иоанна, как-то обратился ко мне со страшной просьбой: вернуть отцу Иоанну епитрахиль, символ священнического служения, которую батюшка с благословением и напутствиями вручил ему перед рукоположением. Как заявил этот священник,

он разочаровался в отце Иоанне, поскольку тот не поддержал его церковно-диссидентских воззрений. Каких только разобиженных, горьких слов не наговорил этот батюшка! Но сам он ни к чему не прислушивался: ни к тому, что отец Иоанн много лет провел в лагерях, ни к тому, что подвергался пыткам и не был сломлен, и уж кого-кого, а батюшку никто не может заподозрить в конформизме.

С тяжелым сердцем я передавал епитрахиль отцу Иоанну. Реакция его меня поразила. Он перекрестился, с благоговением принял и поцеловал священное облачение. И произнес: «С любовью отдавал — с любовью принимаю».

Позже этот священник перешел в другую юрисдикцию, там ему тоже не понравилось, потом в третью...

А вот другое свидетельство — воспоминания старого москвича, Адриана Александровича Егорова. Он пишет: «Бо́льшую часть пути я прошел совместно с покойным патриархом Пименом. Однажды я спросил у него относительно духовника. И он мне сказал, что духовник, пожалуй, у нас один на всю Россию — это отец Иоанн». Сам патриарх Пимен в редкие приезды отца Иоанна в Москву всегда приглашал его к себе в Переделкино, и они подолгу беседовали.

Отец Иоанн с огромным благоговением, любовью и послушанием относился к церковному священноначалию. Осознание того, что истина на земле пребывает лишь в Церкви, была глубоко прочувствована им. Батюшка не терпел никаких расколов, никаких бунтов и всегда бесстрашно выступал против них, хотя прекрасно знал, сколько клеветы, а порой и ненависти ему придется испить. Он был поистине человеком Церкви. Множество раз он наставлял нас действовать именно так, как решит Святейший, как благословит епископ, наместник.

Но все это совершенно не означало автоматического, бездумного подчинения. Был случай, когда один из наместников монастыря и правящий архиерей убеждали батюшку преподать благословение на уже принятое ими решение, с которым отец Иоанн был принципиально не согласен. Начальству требовалось придать нужному им постановлению авторитет старца. Но огромный, почти столетний опыт церковной жизни (а Ваня Крестьянкин с четырех лет стал прислуживать алтарником в храме) подсказывал отцу Иоанну, что ни к чему доброму такие способы управления не приводят.

Приступали к батюшке серьезно, что называется, с ножом к горлу. Священники и монахи представляют, что такое противостоять давлению правящего архиерея и наместника. Отец Иоанн терпеливо выдержал много-дневный натиск. Он почтительно объяснял, что не может сказать «благословляю» на то, что не находит согласия в его душе. Если же начальствующие считают необходимым поступить именно так, он безропотно подчинится их решению — они отвечают за него пред Богом и перед братией. Но он полагает, что в данном случае распоряжение принимается по страсти. И благословить — дать свое «благое слово» на это — не может.

Обычно все, кто вспоминает отца Иоанна, пишут, какой он был благостный, ласковый, добрый, любвеобильный. Да, несомненно, истинно, что человека, более умеющего выказать отеческую, христианскую любовь, я не встречал во всей своей жизни. Но нельзя не сказать и о том, что отец Иоанн, когда необходимо, бывал настолько строг и умел находить такие слова обличения, после которых его собеседнику по-человечески не позавидуешь. Помню, когда я был еще послушником в Печорах, то услышал, как отец Иоанн сказал двум молодым иеромонахам: «Да какие вы монахи? Вы — просто хорошие ребята!»

Отец Иоанн никогда не боялся сказать правду невзирая на лица, и делал это в первую очередь для пользы своего собеседника, архиерей он был, мирянин или простой послушник. Эти твердость и духовная принципиальность были заложены в душу отца Иоанна еще в раннем детстве, когда он общался с великими подвижниками и будущими новомучениками.

Вот его ответ на один из моих вопросов в письме за 1997 год:

«А вот вам и еще один пример на аналогичную ситуацию из копилки моей памяти. Мне было тогда двенадцать лет, но впечатление было настолько ошеломляюще сильным, что и по сей день вижу все, тогда происходившее, и помню всех действующих лиц поименно.

У нас в Орле служил замечательный Владыка, архиепископ Серафим (Остроумов), умнейший, добрейший, любвеобильнейший, не счесть хвалебных эпитетов, что приличествуют ему. И жизнью своей он как бы готовился к венцу священномученика, что и произошло действительно. Так вот, в Прощеное воскресенье этот Божий архиерей изгоняет из монастыря двух насельников — игумена Каллиста и иеродьякона Тихона — за какой-то проступок. Изгоняет их принародно и властно, ограждая от соблазна остальных, и тут же произносит слово о Прощеном воскресенье и испрашивает прощения у всех и вся.

Мое детское сознание было просто ошеломлено случившимся именно потому, что все произошло тут рядом: и изгнание — то есть отсутствие прощения, и смиренное прошение о прощении самому, и прощение всех. Понял тогда одно только: что наказание может служить началом к прощению и без него прощения быть не может.

Теперь-то я преклоняюсь пред мужеством и мудростью Владыки, ибо урок, преподанный им, остался живым примером для всех присутствующих тогда, как видите, на всю жизнь».

Отец Иоанн всегда непоколебимо и радостно исповедовал драгоценную и очевидную для него истину: жизнь христианина на земле и жизнь Церкви Небесной связаны нерасторжимыми духовными узами. Эта его вера трогательно подтвердилась и в великий для отца Иоанна час его смерти.

Батюшка отошел ко Господу на девяносто шестом году жизни. Случилось это в праздник, который лично для отца Иоанна был особо важен, — в день памяти

новомучеников и исповедников Российских. Многие из этих святых, отдавших жизнь за Христа в годы жестоких гонений XX века, были его учителями и близкими друзьями. Да и сам он был одним из них. В день праздника новомучеников, утром 5 февраля 2006 года, после того как отец Иоанн причастился Святых Христовых Таин, Господь и призвал его к Себе.

* * *

Но даже после кончины отца Иоанна те, кому выпало счастье общаться с ним, чувствуют его любовь, поддержку, молитвы и заботу, которые не оставляют нас и теперь, когда отец Иоанн уже в другом мире.

В 2007 году тезоименитство Святейшего Патриарха Алексия II пришлось на первое воскресенье Великого поста, на праздник Торжества Православия.

Всю неделю до этого мы с братией Сретенского монастыря провели за незабываемыми богослужениями первой седмицы поста. В субботу, после литургии, стали съезжаться гости на именины патриарха. Время перед всенощной и после нее до самой ночи прошло в заботах по приему и расселению священников и архиереев, которые обычно останавливаются у нас в Сретенском. Когда уже было невмоготу — так хотелось спать, я решил, что прочту положенные каноны и последование ко причащению утром. Но, к стыду своему, утром проспал, и вот уже ехал в храм Христа Спасителя на литургию, так и не прочитав молитвенного правила.

Два или три раза за двадцать лет моей священнической жизни мне приходилось служить не подготовившись. И всякий раз никакие оправдания или ссылки на обстоятельства, а тем более на усталость, не могли заглушить жестоких обличений совести. Но теперь я все-таки пытался убедить себя, что, в конце концов, хотя я и не прочитал необходимое правило, но всю неделю утром и вечером по многу часов был в храме. А в среду, пятницу и субботу — то есть последний раз буквально вчера — причащался и читал все последования и молитвы.

Уже облачившись и входя в переполненный духовенством алтарь храма Христа Спасителя, я даже припомнил, что и вообще — сегодня некоторые именитые богословы утверждают, что правила ко причащению совсем не так уж необходимы... Короче, кажется, мне уже почти удалось договориться с обличающим меня внутренним голосом, как вдруг ко мне подошел митрополит Чувашский Варнава. Множество раз я видел этого пожилого, почитаемого всеми архипастыря на патриарших службах, но ни разу с ним не общался.

А тут митрополит сам подошел ко мне и благословил. Потом он сказал:

— Спаси тебя Господи, отец Тихон, за фильм о Печерском монастыре. Мне он очень понравился. Я ведь знал отца Иоанна пятьдесят лет и ездил к нему в Печоры.

Владыка имел в виду сделанный мною документальный фильм о Псково-Печерском монастыре, где было много хроникальных кадров с отцом Иоанном.

— Знаешь, что сейчас вспоминается? — продолжал Владыка. — Ты, наверное, слышал о том, что когда отец Иоанн в пятидесятые годы служил на одном деревенском приходе, однажды вечером, после всенощного бдения, грабители ворвались в его дом, связали и избили его. Так, связанного, и бросили умирать. Ты знаешь об этом?

— Да, Владыка, я знаю эту историю. Утром перед литургией прихожане нашли отца Иоанна и освободили его.

— Да, да, так оно и было! Отец Иоанн пришел в себя, поблагодарил Бога за испытание и за спасение и пошел совершать литургию. А знаешь, что он сказал мне потом? Что это был единственный случай за всю его жизнь, когда он служил литургию без приготовления, без положенных последований и молитв. Ну, вот так... Иди с Богом!

Рядом стоял архимандрит Дионисий (Шишигин). Я подошел к нему и рассказал всю историю: и о моем нерадении, и о беседе с Владыкой Варнавой. Я исповедовался отцу Дионисию, и мы вместе с ним, ожидая начала службы, говорили о том, как велика милость Божия к нам и как неисповедим Промысл Божий.

Кто знает, чему мы были сейчас свидетелями?.. Или тому, как отец Иоанн из иного мира через Владыку вразумил «одного из чад своих неразумных», как он однажды назвал меня в одном из писем. Или, быть может, мы встретили сейчас еще одного сокровенного подвижника и раба Божия, которыми не оскудеет Христова Православная Церковь до скончания века.

Архимандрит Серафим

О́тец Серафим был для меня самым загадочным человеком в Псково-Печерском монастыре. Происходил он из остзейских баронов. В тридцатые годы пришел в монастырь и отдал себя в послушание великому старцу иеросхимонаху Симеону.

Отец Серафим мало общался с людьми. Жил он в приспособленной под жилище пещере, очень сырой и темной. На службе стоял, весь углубленный в молитву, низко склонив голову, изредка по-особому легко и благоговейно совершая крестное знамение. И по монастырю отец Серафим проходил всегда такой же сосредоточенный. Нам, послушникам, казалось преступлением отвлечь его. Правда, иногда он сам коротко обращался к нам. Например, возвращаясь в келью с литургии, всегда давал просфору дежурному на монастырской площади. Или как-то один послушник — Саша Швецов — подумывал о том, чтобы оставить монастырь. Отец Серафим неожиданно подошел к нему и, топнув ногой, строго прикрикнул: «Нет тебе дороги из монастыря!»

Сам он, прожив здесь безвыходно шестьдесят лет, говорил: «Я даже помыслом не выходил из обители». В 1945 году его, правда, как немца, выводили на расстрел наши солдаты, но потом передумали и не расстреляли.

Вообще, несмотря на замкнутость и суровость, отец Серафим был необычайно добрым, любящим человеком. В монастыре его все почитали и любили. Хотя и относились со страхом, точнее, с трепетом, как к человеку, живущему на земле с Богом, как к живому святому.

Помню свое наблюдение тех лет. Я некоторое время был иподьяконом у отца наместника архимандрита Гавриила и заметил, что, когда отец Серафим входил в алтарь, наместник поспешно поднимался ему навстречу со своего игуменского места и приветствовал с особым почтением. Больше он ни к кому так не относился.

Зимой и летом, ровно в четыре часа утра, отец Серафим выходил из своей пещерной кельи и коротко осматривал монастырь, все ли в порядке. Только после этого он возвращался в келью и растапливал печь, которую из-за пещерной сырости приходилось топить почти круглый год. Думаю, отец Серафим ощущал себя особым хранителем Печерской обители, а может, это и вправду было ему поручено. Во всяком случае, голос этого немецкого барона, великого монаха-аскета, прозорливого подвижника всегда был определяющим при решении самых сложных вопросов, которые вставали перед братией монастыря.

Отец Серафим редко произносил какие-то особые поучения. В прихожей его суровой пещерной кельи висели листы с высказываниями из творений

святителя Тихона Задонского, и тот, кто приходил
к нему, часто довольствовался этими цитатами или
советом отца Серафима: «Побольше читайте святителя Тихона».

Все годы жизни в монастыре отец Серафим довольствовался лишь самым малым. И не только в еде,
во сне и в общении с людьми. Например, в бане он
никогда не мылся под душем, ему хватало двух-трех

шаек воды. Когда послушники спросили у него, почему он не использует душ, ведь там воды сколько угодно, он буркнул, что под душем мыться — все равно что шоколад есть.

Как-то, году в 83-м, мне довелось побывать в Дивееве. Тогда это было гораздо труднее, чем сейчас: поблизости находился закрытый военный город. Старые дивеевские монахини подарили мне частицу камня, на котором молился преподобный Серафим Саровский. Вернувшись в Печоры, я решился подойти к отцу Серафиму и подарить ему эту святыню, связанную с его духовным покровителем. Отец Серафим, получив этот неожиданный подарок, сначала долго стоял молча, а потом спросил:

— Что я могу за это для вас сделать?

Я даже немного опешил.

— Да ничего...

Но потом выпалил самое сокровенное:

— Помолитесь, чтобы я стал монахом!

Помню, как внимательно посмотрел на меня отец Серафим.

— Для этого нужно главное, — сказал он негромко, — ваше собственное произволение.

О произволении к монашеству он еще раз сказал мне через много лет, совсем при других обстоятельствах. Я тогда уже был в Москве, на послушании у Владыки Питирима. А отец Серафим доживал последний год своей земной жизни и уже почти не вставал. Приехав в монастырь, я зашел повидать старца в его пещерную келью. И вдруг он сам завел разговор о монастыре, о нынешнем положении монашества. Это было очень необычно для него и тем более драгоценно. Из того разговора я запомнил несколько главных мыслей.

Во-первых, отец Серафим говорил о монастыре с огромной, невыразимой любовью, как о величайшем сокровище:

— Вы даже не представляете, что такое монастырь! Это... жемчужина, это удивительная драгоценность в нашем мире! Только потом вы это оцените и поймете.

Затем он сказал о главной проблеме сегодняшнего монашества:

— Беда нынешних монастырей в том, что люди приходят сюда со слабым произволением.

Теперь я все больше понимаю, насколько глубоко было это замечание отца Серафима. Жертвенного самоотречения и решимости на монашеский подвиг в нас все меньше. Об этом, наблюдая за молодыми насельниками обители, и болел сердцем отец Серафим.

Наконец он произнес очень важную для меня вещь:

— Время больших монастырей прошло. Теперь будут приносить плод небольшие обители, где игумен в состоянии заботиться о духовной жизни каждого монаха. Запомните это. Если будете наместником — не берите много братии.

Таков был наш последний разговор в 1989 году. Я тогда был простым послушником, даже не монахом.

Прозорливость отца Серафима не вызывала у меня и моих монастырских друзей никаких сомнений. Сам отец Серафим очень спокойно и даже несколько скептически относился к разговорам о чудесах и прозорливости. Как-то он сказал:

— Вот все говорят, что отец Симеон был чудотворец, прозорливый. А я, сколько с ним жил рядом, ничего не замечал. Просто хороший монах.

Отец Серафим
чинит крышу кельи

Но я не раз на своей судьбе испытал силу духовных дарований отца Серафима.

Как-то летом 1986 года я проходил мимо кельи старца и увидел, что он собирается сменить лампу в фонаре на своем крыльце. Я принес табурет и помог ему. Отец Серафим поблагодарил и сказал:

— Одного послушника архиерей забрал в Москву на послушание. Думали, что ненадолго, а он там и остался.

— Ну и что? — спросил я.

— Ну и все! — сказал отец Серафим. Развернулся и ушел в свою келью.

В недоумении я пошел своей дорогой. Какого послушника? Какой архиерей?..

Через три дня меня вызвал наместник архимандрит Гавриил. Он сказал, что ему сегодня позвонил из столицы архиепископ Волоколамский Питирим, председатель Издательского отдела Московского Патриархата. Владыка Питирим узнал, что в Печерском монастыре есть послушник с высшим кинематографическим образованием, и обратился к отцу наместнику с просьбой прислать его в Москву. Срочно требовались специалисты, чтобы готовить кинофильмы и телевизионные программы к Тысячелетию Крещения Руси. Празднование намечалось через два года. Послушником, о котором шла речь, был я. Не помню в моей жизни дня страшнее. Я умолял отца Гавриила не отправлять меня в Москву, но он уже принял решение:

— Я из-за тебя с Питиримом ссориться не буду! — отрезал он в ответ на все мои мольбы.

Лишь позже я узнал, что возвращение в Москву было еще и давней просьбой моей мамы, которая надеялась отговорить меня от монашества. Отец Гавриил очень жалел ее и ждал повода отправить меня к безутешной родительнице. А жесткие формулировки были в его обычном стиле.

Конечно, я сразу вспомнил свой последний разговор с отцом Серафимом о послушнике, об архиерее, о Москве и бросился к нему в келью.

— Воля Божия! Не горюйте. Все к лучшему, вы сами это увидите и поймете, — ласково сказал мне старец.

Как же тяжело, особенно в первое время, было снова жить в Москве! И тяжело именно потому, что, просыпаясь ночью, я осознавал: поразительный, не сравнимый ни с чем мир монастыря — с отцами Серафимами, Иоаннами, Нафанаилами, Феофанами, Александрами — далеко, за сотни километров. А я здесь, в этой Москве, где ничего подобного нет.

Вредный отец Нафанаил

Е**сли бы в то время кто-то предложил назвать самого вредного человека в Печорах, то, без сомнений, услышал бы в ответ только одно имя — казначей Псково-Печерского монастыря архимандрит отец Нафанаил. Причем в этом выборе оказались бы единодушны священники и послушники, монахи и миряне, коммунисты из Печерского управления КГБ и местные диссиденты. Дело в том, что отец Нафанаил был не просто вредный. Он был очень вредный.

К тому времени, когда я узнал его, он представлял собой худенького, с острым пронзительным взглядом, преклонных лет старца. Одет он был и зимой и летом в старую застиранную рясу с рваным подолом. За плечами обычно носил холщовый мешок, а в нем могло быть что угодно — и сухари, пожертвованные какой-то бабкой, и миллион рублей. И то и другое в глазах отца казначея являло чрезвычайную ценность, поскольку было послано в обитель Господом Богом. Все это достояние отец Нафанаил перетаскивал и перепрятывал по своим многочисленным потаенным кельям и складам.

Финансы монастыря находились полностью в ведении и управлении отца Нафанаила. А тратить было на что: каждый день в обители садились за стол до четырехсот паломников и сотня монахов. Требовалось обеспечивать бесконечные монастырские ремонты, новые стройки. Да вдобавок — повседневные житейские потребы братии, да помощь бедным, да прием гостей, да подарки чиновникам... И много чего еще. Как отец Нафанаил один справляется со всеми этими финансовыми проблемами, неведомо было никому. Впрочем, на его плечах лежало и все монастырское делопроизводство. А еще — составление устава для ежедневных длинных богослужений, обязанности монастырского секретаря, ответы на письма людей, обращавшихся в монастырь по самым разным вопросам. И наконец, он делил с отцом наместником труды по общению — как правило, весьма неприятному — с официальными советскими органами. Все эти обязанности, от одного перечисления которых любому нормальному человеку стало бы плохо, отец Нафанаил исполнял с таким вдохновением и скрупулезностью, что мы иногда сомневались, осталось ли в нем что-то еще, кроме церковного бюрократа.

Ко всему прочему на отце казначее лежала обязанность надзора за нами — послушниками. И можно не сомневаться, что исполнял он это дело со свойственной ему дотошностью: подглядывал, высматривал, подслушивал — как бы мы чего не сотворили против уставов или во вред монастырю. Хотя, честно признаться, присматривать за послушниками действительно требовалось: приходили мы из мира в обитель изрядными разгильдяями.

Была у отца Нафанаила еще одна фантастическая особенность: он всегда появлялся именно в тот момент, когда его меньше всего ждали. Скажем, увильнет монастырская молодежь от послушания и расположится где-нибудь на гульбище древних стен отдохнуть, поболтать, погреться на солнышке. Вдруг, как из воздуха, возникает отец Нафанаил. И, тряся бородой, начинает своим трескучим, особенно невыносимым в такие минуты голосом выговаривать. Да так, что послушники готовы сквозь землю провалиться, лишь бы закончилось это истязание.

В своем усердии отец Нафанаил в буквальном смысле не ел и не спал. Он был не просто аскетом: никто, например, никогда не видел, чтобы он пил чай, — только простую воду. Да и за обедом съедал еле-еле пятую часть из того, что подавалось. Но каждый вечер непременно приходил на ужин в братскую трапезную, правда, лишь с той целью, чтобы, сидя перед пустой тарелкой, придирчиво наблюдать за порядком.

При этом энергия его была изумительна. Мы не знали, когда он спит. Даже ночью из окон его кельи сквозь ставни пробивался свет. Старые монахи говорили, что в своей келье он либо молится, либо пересчитывает груды рублей и трешек, собранных за день. Все это несметное богатство ему еще надо было аккуратно перевязать в пачки, а мелочь разложить по мешочкам. Когда он заканчивал с этим, то принимался набивать на допотопной печатной машинке руководство и пояснения к завтрашней службе: никто, как отец Нафанаил, не разбирался во всех особенностях и хитросплетениях монастырского уставного богослужения.

Однако даже если свет в его келье и выключался, это вовсе не означало, будто мы хотя бы на время

Печоры
зимней
ночью

могли считать себя свободными от его надзора. Нет, ночь напролет, в любое мгновение, отец Нафанаил готов был появиться то там то здесь, проверяя, не ходит ли кто по монастырю, что было строго-на-строго запрещено.

Помню, как-то зимней ночью мы, просидев до-поздна в гостях у кого-то из братии на дне Ангела, пробирались к своим кельям. И вдруг в пяти ша-гах от нас из темноты выросла фигура отца На-фанаила. Мы замерли от ужаса. Но очень быстро с удивлением поняли, что на этот раз казначей нас не видит. И вел он себя как-то странно. Еле воло-чил ноги и даже пошатывался, сгорбившись под своим мешком. Потом мы увидели, как он перелез через низкий штакетник палисадника и вдруг улегся в снег, прямо на клумбу.

«Умер!» — пронеслось у нас в головах.

Мы выждали немного и затаив дыхание осторож-но приблизились. Отец Нафанаил лежал на снегу и спал. Просто спал. Так ровно дышал и даже поса-пывал. Под головой у него был мешок, который он обнимал обеими руками.

Мы решили ни за что не уходить, пока не уви-дим, что будет дальше. Спрятались за водосвятной часовней и стали ждать. Через час мы, вконец за-коченевшие, увидели, как отец Нафанаил внезап-но бодро поднялся, стряхнул запорошивший его снежок и, перекинув мешок за спину, как ни в чем не бывало направился своей дорогой.

Тогда мы совершенно ничего не поняли. И лишь потом давно знающие казначея монахи объясни-ли, что отец Нафанаил просто очень устал и захо-тел удобно поспать. Удобно — в том смысле, что ле-жа. Поскольку в своей келье он спал только сидя.

А чтобы не нежиться в кровати, предпочел поспать в снегу.

Впрочем, все, что касалось образа жизни печерского казначея, было лишь нашими догадками. Вредный отец Нафанаил никого в свой сокровенный внутренний мир не допускал. Да что там говорить — он никого не пускал даже в свою келью! Включая всесильного отца наместника. Хотя это и казалось совершенно невозможным, чтобы наместник отец Гавриил куда-то в своем монастыре не мог войти. Тем более что келья казначея находилась не где-нибудь, а на первом этаже дома, где жил наместник, прямо под его покоями. Конечно, мириться с таким положением вещей для хозяина монастыря было невозможно.

И вот однажды отец наместник после какого-то праздничного обеда, будучи в чудесном расположении духа, объявил отцу Нафанаилу, что, не откладывая, идет к нему в гости попить чайку.

Несколько человек из братии, находившиеся рядом в тот момент, сразу поняли, что сейчас произойдет нечто потрясающее ум, душу и всякое человеческое воображение. Упустить возможность увидеть такое событие было бы непростительно. Так что благодаря свидетелям сохранилось описание этой истории.

Отец наместник торжественно и неумолимо двигался по монастырскому двору к келье отца Нафанаила. А казначей семенил за его спиной и с великим воплем убеждал отца наместника отказаться от своей затеи. Он умолял его заняться чем-нибудь душеспасительным, полезным, а не праздными прогулками по ветхим, совершенно никому не интересным комнатушкам. Он красочно описывал, какой у него

в келье беспорядок, что он не прибирал в ней двадцать шесть лет, что в келье невыносимо затхлый воздух... Наконец, в полном отчаянии, отец Нафанаил перешел почти к угрозам, громко размышляя вслух, что ни в коем случае нельзя подвергать драгоценную жизнь отца наместника опасности, которая может подстерегать его среди завалов казначейского жилища.

— Ну хватит, отец казначей! — уже с раздражением оборвал его наместник, стоя перед дверью кельи. — Открывайте и показывайте, что у вас там!

Несмотря на сердитый тон, заметно было, что отца наместника разбирает настоящее любопытство.

Осознав наконец, что теперь никуда не деться, отец Нафанаил как-то вдруг даже повеселел и, молодцевато отрапортовав положенное монаху «Благословите, отец наместник», прогремел ключами и отверз перед начальством заветную дверь, которая четыре десятилетия до этого момента приоткрывалась лишь ровно настолько, чтобы пропустить худенького отца Нафанаила...

За широко распахнутой дверью зияла полнейшая, непроглядная тьма: окна в таинственной келье днем и ночью были закрыты ставнями. Сам отец Нафанаил первым прошмыгнул в этот черный мрак. И тут же исчез, как провалился. Во всяком случае, из кельи не доносилось ни звука.

Отец наместник вслед за ним осторожно ступил за порог и, неуверенно крякнув, пробасил:

— Что ж у вас тут так темно? Электричество-то есть? Где выключатель?

— Справа от вас, отец наместник! — услужливо продребезжал из непроницаемой тьмы голос казначея. — Только ручку протяните!

В следующее мгновение раздался душераздирающий вопль отца наместника и какая-то неведомая сила вынесла его из тьмы казначейской кельи в коридор. Вслед за ним на свет стремительно вынырнул отец Нафанаил. В долю секунды он запер за собой дверь на три оборота и бросился к ошеломленному наместнику. Охая и ахая, казначей принялся сдувать пылинки и оправлять рясу на отце наместнике, взахлеб причитая:

— Вот незадача, Господи помилуй! Этот выключатель... к нему приспособиться надо. Сломался еще в шестьдесят четвертом, на Покров Божией Матери, аккурат в день, когда Хрущева снимали. Знак! Утром отвалился выключатель — вечером Никиту сняли! С тех пор я этот выключатель назад не возвращаю. И ни-ни, никаких электриков — сам все наладил. Два проводка из стены торчат: соединишь — горит свет, разъединишь — гаснет. Но приспособиться, конечно, надо, это правда! Но не всё сразу, не всё сразу!.. Так что, отец наместник, милости просим, сейчас я дверку снова отворю, и грядем с миром! Теперь-то вы знаете, как моим выключателем пользоваться. А там еще — ох, много интересного!

Но наместника к концу этой юродивой речи и след простыл.

При всем том отец Нафанаил был действительно образцом послушания, писал длиннющие оды в честь отца наместника и Псково-Печерского монастыря, а также сочинял нравоучительные стихотворные проповеди в пять листов.

* * *

Вредность отца Нафанаила простиралась и на могучее Советское государство, особенно когда оно слишком бесцеремонно вмешивалось в монастырскую жизнь. Говорят, что именно отец Нафанаил дал особо тонкий совет Великому печерскому Наместнику архимандриту Алипию, когда даже тот пребывал в некотором затруднении от напора и грубости властей.

Произошло это в конце шестидесятых годов. Как известно, тогда все граждане Советского Союза должны были принимать участие в выборах. Ящик для голосования приносили в монастырскую трапезную, где после обеда братия под надзором наместника, недовольно ворча, отдавала кесарю кесарево.

Но вот как-то первый секретарь Псковского обкома КПСС узнал, что для каких-то там невежественных монахов попущена нелепая льгота: они голосуют за нерушимый блок коммунистов и беспартийных в своем отжившем исторический век монастыре, а не на избирательном участке. Первый секретарь возмутился духом и устроил своим подчиненным беспощадный разгон за попустительство нетрудовому элементу. И немедля распорядился, чтобы отныне и до века чернецы приходили на выборы в Верховный Совет СССР, как все советские люди, — на избирательные участки по месту жительства.

Вот тогда-то, как говорят, отец Нафанаил и пошептал наместнику отцу Алипию на ухо тот самый до чрезвычайности тонкий совет.

В день выборов (а это было воскресенье) после праздничной монастырской литургии из ворот обители вышел торжественный крестный ход.

Выстроившись по двое, длинной чередой, под дружное пение тропарей монахи шествовали через весь город на избирательный участок. Над их головами реяли тяжелые хоругви, впереди, по обычаю, несли кресты и древние иконы. Но и это было еще не все. Как и полагается перед всяким важным делом, в зале выборов духовенство начало совершать молебен. До смерти перепуганные чиновники пытались протестовать, но отец Алипий строго оборвал их, указав, чтобы они не мешали гражданам исполнять конституционный долг так, как это у них положено. Проголосовав, братия так же чинно крестным ходом вернулась в святую обитель.

Нет нужды объяснять, что к следующим выборам избирательная урна с раннего утра снова дожидалась монахов в монастырской трапезной.

И в то же время строго приглядывавший за нами отец Нафанаил всегда пресекал гласные проявления оппозиционности по отношению к государству и тем более — попытки диссидентства. Поначалу

Крестный ход
в Печорах

это казалось нам чуть ли не возмутительным. Мы думали, что казначей просто лебезит перед властями. Но потом мы постепенно узнавали, что отец Нафанаил не раз и не два сталкивался с засланными в монастырь провокаторами или переодетыми оперативниками. Но даже вполне понимая, что перед ним искренние люди, отец Нафанаил все же всякий раз обрывал столь любимое нами вольномыслие. И не только потому, что оберегал монастырь. А скорее потому, что берег нас самих от нашего же неразумия, фанаберии и молодой горячности, замешанной на самой простой гордыне. Он не дорого ценил слова, даже самые героические, и знал о советской власти и обо всем, что творилось в стране, не так, как мы, — большей частью понаслышке да по книгам. Отец Нафанаил имел трезвое и очень личное отношение к советской власти. Хотя бы потому, что его отец, священник

Николай Поспелов, был расстрелян за веру в тридцать седьмом году. Пройдя солдатом всю войну, отец Нафанаил стал послушником Великого Наместника архимандрита Алипия и духовным сыном святого печерского старца и чудотворца иеросхимонаха Симеона. Оба они, увидев в нем человека кристальной честности и необычайно живого ума, сделали его в тяжелейшие годы хрущевских гонений на Церковь казначеем и секретарем монастыря и поверили ему самые сокровенные монастырские тайны.

И еще к вопросу о советской власти. Как-то летней ночью я нес послушание дежурного на площади перед Успенским храмом. Звезды слабо мерцали на северном небе. Тишина и покой. Трижды гулко пробили часы на башне... И вдруг я почувствовал, что у меня за спиной кто-то стоит. Я испуганно обернулся. Это был отец Нафанаил. Он задумчиво смотрел в звездное небо. А потом спросил:

— Георгий, что ты думаешь о главном принципе коммунизма?

Псково-Печерский монастырь. Успенская площадь. 1983 год. Три часа ночи. Звезды...

Не дожидаясь ответа, отец Нафанаил так же в задумчивости продолжал:

— Главный принцип коммунизма — «от каждого по способностям, каждому по потребностям». Но «способности», «потребности» — это ведь, как всегда, какая-то комиссия будет определять. А какая комиссия?.. Скорее всего — «тройка»! Вот вызовут меня и скажут: «Ну, Нафанаил, какие у тебя способности? Кубометров двадцать леса в день напилить сможешь! А какие потребности? Бобовая похлебка!.. Вот он и главный принцип...»

Хотя отец Нафанаил всегда старательно подчеркивал, что он не кто иной, как педантичный администратор и сухой служист, даже мы, послушники, со временем стали догадываться, что свои духовные дарования он просто тщательно скрывает. Как это, впрочем, делали все настоящие монахи в обители. Отец казначей не был официальным монастырским духовником. На исповедь к нему приходили из города лишь несколько печорских старожилов да еще кто-то приезжал из далеких мест. Остальных он как духовник не принимал, ссылаясь на свою неспособность к этому занятию.

Но однажды он на мгновение приоткрыл сокровенную часть своей души. Хотя тут же опять спрятался за привычной строгостью и сварливостью. Я как-то провинился на послушании. Кажется, исполнил порученное мне дело весьма небрежно. За это сам отец наместник поставил меня на три дня убирать снег со всей Успенской площади. Я тогда порядком разобиделся. Да еще снег все шел и шел, так что к третьему дню я не просто устал, а еле ноги волочил. Мне было так жалко себя, я так надулся на весь мир, что даже всерьез начал вынашивать план мести. Но какая может быть месть послушника наместнику? Масштабы совершенно несопоставимые. И все же, из последних сил работая лопатой, я взлелеял в сердце следующую картину. Когда наместник будет проходить мимо меня на обед в братскую трапезную, то наверняка поинтересуется: «Ну как у тебя дела, Георгий?» И тут я отвечу — весело и беззаботно, как будто и не было этих трех каторжных дней: «Лучше всех, отец наместник! Вашими святыми молитвами!» И тогда он поймет, что меня так просто не сломить!

Картина этой ужасной мести настолько согрела мое сердце, что даже среди непрекращающегося снегопада я почувствовал себя значительно веселее. Когда рядом проходил отец Нафанаил, я даже разулыбался ему, подходя под благословение. В ответ он тоже очень приветливо осклабился и осенил меня крестным знамением. Я склонился поцеловать его руку и вдруг услышал над собой скрипучий голос:

— Так значит: «Лучше всех, отец наместник! Вашими святыми молитвами?!»

Я так и замер, согнувшись, словно от радикулита. Когда же наконец решился поднять глаза на старца, то он смотрел на меня с нескрываемым ехидством. Но, заметив мой ужас, уже с настоящей добротой проговорил:

— Смотри, Георгий, дерзость еще никого до добра не доводила!

И, перекинув свой мешок с миллионом, а может, с сухарями, заскрипел по морозному снегу к братскому корпусу. А я остался стоять разинув рот и только смотрел, как болтается при каждом шаге оторванная подметка на башмаке казначея.

Ну, настоящий Плюшкин! Только святой.

Как сказал один почтенный питерский протоиерей: «Один год Псково-Печерского монастыря — это все равно что пятьдесят лет духовной академии». Иное дело, как мы эти уроки усвоили... Но это уже другой и, признаться, весьма горький вопрос.

Кстати, Плюшкиным отец Нафанаил был самым нешуточным. Кроме того что он трясся над каждой монастырской копейкой, он исступленно кидался выключать все праздно горящие электрические лампочки, экономил воду, газ и вообще все, что можно было сберечь и поприжать.

И еще он строго бдел над вековыми устоями монастыря и древними иноческими уставами. К примеру, терпеть не мог, когда кто-то из братии уезжал в отпуск. Хотя лечебный отпуск полагался для тех, кому это было необходимо, отец Нафанаил все равно совершенно не принимал и не выносил этого. Сам он в отпуск, разумеется, за все пятьдесят пять лет пребывания в обители не ходил ни разу. Наместник архимандрит Гавриил тоже никогда отпуском не пользовался и косо смотрел на тех, кто приходил к нему с подобными просьбами.

Как-то, помню, наместник все же благословил поехать в летний отпуск одного иеромонаха. Благословить-то он его благословил, но деньги на дорогу велел получить у казначея.

Я тогда дежурил на Успенской площади и был свидетелем этой сцены. Началось с того, что собравшийся в отпуск иеромонах долго и впустую стучался в дверь кельи отца Нафанаила. Казначей, сразу поняв, о чем пойдет речь, затаился и не открывал. Тогда батюшка решил взять отца казначея измором. Он присел на скамью поодаль и стал ждать. Часа через четыре отец Нафанаил, опасливо озираясь, вышел на площадь, и тут его настиг отпускник с письменным благословением наместника выдать деньги на дорогу.

Увидев бумагу, отец Нафанаил замер, совершенно убитый, а потом с воплем повалился на землю и, задрав к небу руки и ноги (при этом под подрясником обнаружились драные башмаки и синие выцветшие кальсоны), закричал во весь голос:

— Караул! Помогите! Грабят!!! Деньги им давай! В отпуск хотят! Устали от монастыря! От Матери Божией устали! Грабят! Караул! Помогите!!!

Бедный батюшка даже присел от ужаса. Иностранные туристы на площади застыли в изумлении. Схватившись за голову, иеромонах опрометью бросился в свою келью. А наместник, стоя на балконе настоятельского дома, страшно довольный, взирал на всю эту картину.

Увидев, что опасность миновала, отец Нафанаил спокойно поднялся, отряхнулся от пыли и отправился по своим делам.

Особую радость нам доставляло, когда мы получали послушание помогать отцу Нафанаилу в проведении экскурсий по монастырю. Как правило, ему поручалось водить каких-то особо важных персон. В наши послушнические обязанности входило лишь отпирать старинные засовы и открывать перед посетителями тяжелые церковные двери. Остальное время мы внимали отцу Нафанаилу.

А послушать было что. Отец Нафанаил был продолжателем традиций своего учителя — архимандрита Алипия, отстаивавшего монастырь и веру в Бога во времена хрущевских гонений. Алипиевский дар мудрого, а порой и беспощадного слова перешел по наследству к отцу Нафанаилу.

В те атеистические годы советские работники, приезжавшие в монастырь, ожидали увидеть кого угодно: мракобесов, хитрецов-хапуг, темных недочеловеков, но только не тех, кого они встречали на самом деле, — своеобразно, но очень интересно образованных умниц, необычайно смелых и внутренне свободных людей, знающих что-то такое, о чем гости даже не догадывались. Уже через несколько минут экскурсантам становилось ясно, что таких людей они не встречали за всю свою жизнь.

Как-то, а это было в 1986 году, псковское партийное начальство привезло в монастырь высокого чиновника из Министерства путей сообщения. Он оказался на удивление спокойным и порядочным человеком: не задавал идиотских вопросов, скажем, о том, в каком корпусе живут жены монахов, не интересовался, почему Гагарин в космос летал, а Бога не видел. Но в конце концов после двухчасового общения с отцом Нафанаилом чиновник, пораженный своим новым собеседником, все же выдал:

— Слушайте, я просто потрясен общением с вами! Такого интересного и необычного человека я не встречал за всю свою жизнь! Но позвольте, как вы, с вашим умом, можете верить в... Ну, вы сами понимаете во что! Ведь наука раскрывает человечеству все новые и новые горизонты. И Бога там нет! Он, простите, просто не нужен. Вот в нынешнем году к Земле из глубин Вселенной приближается комета Галлея. И ученые, представьте, точно рассчитали весь ее маршрут! И скорость! И траекторию! И для этого, простите, никакóй идеи Бога не нужно!

— Комета, говорите?.. Галлея?.. — затряс бородой отец Нафанаил. — Значит, если с кометой все подсчитали, то и Господь Бог не нужен? Н-да, понятно!.. А вот представьте — если меня поставить у железной дороги и дать бумагу и карандаш. Ведь я через неделю точно смогу сказать вам, когда и в какую сторону будут ходить поезда. Но это ведь не значит, что нет кондукторов, диспетчеров, машинистов?.. Министров путей сообщения? Ведь не значит? Начальство — оно везде нужно!

Но не всегда подобные беседы заканчивались столь же благостно. Однажды в монастырь прибыла экскурсия, состав которой нам назвали шепотом: дети членов ЦК. Не знаю, так ли это было, но молодые люди оказались весьма невоспитанными. Такая золотая московская молодежь середины восьмидесятых годов, которую я очень хорошо знал. Молодые люди то и дело прыскали от смеха, показывали пальцами на монахов и задавали те самые идиотские вопросы. Но делать было нечего, и отец Нафанаил повел их по монастырю.

Экскурсия началась с пещер. Там при входе есть крохотная келья с маленьким окошком. В этой келье в начале XIX века подвизался затворник иеросхимонах Лазарь. Здесь же он и похоронен. Над могильной плитой висят его вериги и тяжелый железный крест.

— В этой келье двадцать пять лет подвизался в затворе иеросхимонах Лазарь, — начал свою экскурсию отец Нафанаил. — Я сейчас расскажу вам об этом удивительном подвижнике.

— А куда этот ваш Лазарь здесь в туалет ходил? — громко поинтересовался один из юных экскурсантов.

Его спутники просто покатились от хохота.

Отец Нафанаил терпеливо дождался, когда они успокоятся.

— Куда в туалет ходил? Хорошо, я вам сейчас покажу!

Он вывел озадаченных экскурсантов из пещер и повел их через весь монастырь к скрытому от посторонних глаз хозяйственному двору. Здесь, на отшибе, ютился старый нужной чуланчик. Выстроив экскурсантов пред этим заведением полукругом, как делают обычно в музеях, отец Нафанаил торжественно указал на него рукой и произнес:

— Вот сюда иеросхимонах Лазарь ходил в туалет! А теперь стойте и смотрите!

И, развернувшись спиной к изумленным молодым людям, оставил их одних.

Когда те пришли в себя, старший группы разыскал наместника и выразил свое негодование случившимся. На что отец наместник ответил:

— Архимандрит Нафанаил доложил мне, чем вы интересовались. Именно это он вам и показал. Ничем больше помочь не можем!

Надо учитывать, что на дворе стоял 1984 год. А тогда все было не так просто. Могли случиться и серьезные неприятности. Но наместники Псково-Печерского монастыря традиционно были сильными людьми.

* * *

Умирал вредный отец Нафанаил необычайно тихо и смиренно. Когда врачи предложили поставить ему сердечный стимулятор, он умолил отца наместника этого не делать:

— Отцы, представьте, — говорил он, — душа хочет отойти к Богу, а какая-то маленькая электриче-

ская штучка насильно запихивает ее обратно в тело! Дайте душе моей отойти в свой час!

Я имел счастье навестить отца Нафанаила незадолго до его кончины и был поражен бесконечной добротой и любовью, исходившими от старца. Вместо того чтобы беречь последние оставшиеся для жизни силы, этот невероятно экономный во всем другом церковный скряга отдавал всего себя человеку, которого лишь на несколько минут посылал к нему Господь Бог. Как, впрочем, поступал он всю свою жизнь. Только когда-то мы этого не понимали.

Схигумен Мелхиседек
со своими духовными детьми

Схиигумен Мелхиседек

Два года я ежедневно после своих послушаний читал Неусыпаемую Псалтирь. Это такая особая традиция, когда в монастыре не прекращают молитву ни днем ни ночью, попеременно читая Псалтирь, а потом по особым помянникам поминают множество людей о здравии и о упокоении.

Моя череда приходилась на поздний вечер — с одиннадцати часов до полуночи. На смену мне приходил схиигумен Мелхиседек. Он продолжал чтение Псалтири до двух часов ночи.

Отец Мелхиседек был удивительный и таинственный подвижник. Кроме как на службах, его почти не было видно в монастыре. На братской трапезе он появлялся только по праздникам. Но и за столом сидел, склонив голову под схимническим куколем, и почти ни к чему не притрагивался.

Великая схима в Русской Церкви — это высшая степень отречения от мира. Принимая схимнический постриг, монах оставляет все прочие послушания, кроме молитвы. Ему, как и при монашеском постриге, вновь меняют имя. Епископы-схимники складывают с себя управление епархией, монахи-священники освобождаются ото всех обязанностей, кроме служения литургии и духовничества.

Отец Мелхиседек появлялся под сводами небольшого и слабо освященного Лазаревского храма, где читали Неусыпаемую Псалтирь, всегда за минуту до того, как часы на монастырской колокольне должны были пробить двенадцать. У царских врат он медленно клал три земных поклона и ждал, когда я подойду. Преподав мне благословение, он знаком отсылал меня, чтобы в одиночестве приступить к молитве.

За целый год он не сказал мне ни слова. В древнем монашеском Патерике рассказывается: «Три монаха имели обыкновение ежегодно приходить к авве Антонию Великому. Двое из них вели с ним душеспасительные беседы, а третий всегда молчал и ни о чем не спрашивал. После долгого времени авва Антоний спросил у него: "Вот ты сколько времени ходишь сюда и почему никогда ни о чем не спрашиваешь?" Монах отвечал ему: "Для меня, отец, довольно и смотреть на тебя"». К тому времени я тоже понимал, как необычайно мне посчастливилось, что каждую ночь я могу хотя бы видеть этого подвижника.

Но все-таки однажды я набрался смелости и дерзнул нарушить привычный ритуал. Более того, когда отец Мелхиседек, как обычно, благословил меня у царских врат, я отважился задать вопрос, с которым очень хотели, но не решались обратиться к нему, наверное, все послушники и молодые монахи в монастыре.

История заключалась в следующем. Отец Мелхиседек до принятия великой схимы служил в монастыре, как все священники, и звали его игумен Михаил. Он был искусным и усердным столяром. В храмах и в кельях у братии до сих пор сохранились кивоты, аналои, резные рамы для икон, стулья, шкафы, прочая мебель, сделанные его руками. Трудился он, к радости монастырского начальства, с раннего утра до ночи.

Однажды ему благословили выполнить для обители большую столярную работу. Несколько месяцев он трудился, почти не выходя из мастерской. А когда закончил, то почувствовал себя столь плохо, что, как рассказывают очевидцы, там же упал и — умер. На взволнованные крики свидетелей несчастья прибежали несколько монахов, среди которых был и отец Иоанн (Крестьянкин). Отец Михаил не подавал никаких признаков жизни. Все собравшиеся в печали склонились над ним. И вдруг отец Иоанн сказал:

— Нет, это не покойник. Он еще поживет!

И стал молиться. Недвижимо лежащий монастырский столяр открыл глаза и ожил. Все сразу заметили, что он был чем-то потрясен до глубины души. Немного придя в себя, отец Михаил стал умолять, чтобы к нему позвали наместника. Когда тот наконец пришел, больной со слезами начал просить постричь его в великую схиму.

Говорят, услышав такое самочинное желание своего монаха, отец наместник, в свойственной ему отрезвляющей манере, велел больному не валять дурака, а поскорее выздоравливать и приступать к работе — раз уж помереть толком не смог. Но, как гласит то же монастырское предание, на следующее утро наместник сам, без всякого приглашения и в заметной растерянности, явился в келью отца

Михаила и объявил ему, что в ближайшее время совершит над ним постриг в великую схиму.

Это было так не похоже на обычное поведение грозного отца Гавриила, что произвело на братию чуть ли не большее впечатление, чем воскресение умершего. По монастырю разнесся слух, что наместнику ночью явился святой покровитель Пскво-Печерского монастыря преподобный игумен Корнилий, которому в XVI веке Иван Грозный собственноручно отрубил голову, и сурово повелел наместнику немедленно исполнить просьбу вернувшегося с того света монаха.

Повторюсь, это всего лишь монастырское предание. Но, во всяком случае, вскоре над отцом Михаилом был совершен схимнический постриг, и с тех пор он стал называться схиигуменом Мелхиседеком.

Отец наместник дал схимнику очень редкое имя в честь древнего и самого таинственного библейского пророка. По какой причине наместник назвал его именно так, тоже остается великой загадкой. Хотя бы потому, что сам отец Гавриил ни на постриге, ни во все оставшиеся годы так ни разу и не смог правильно выговорить это ветхозаветное имя. Как он ни старался, но коверкал его нещадно. Причем от этого у него всякий раз портилось настроение, и мы боялись попасть ему под горячую руку.

В монастыре знали, что в те минуты, когда отец Мелхиседек был мертв, ему открылось нечто такое, после чего он вновь восстал к жизни совершенно изменившимся человеком. Нескольким своим близким сподвижникам и духовным чадам отец Мелхиседек рассказывал, что он пережил тогда. Но даже отзвуки этого повествования были столь необычны, что мне и всем моим друзьям, конечно же хотелось узнать тайну от самого отца Мелхиседека.

И вот той ночью, когда в Лазаревском храме я набрался смелости впервые обратиться к схимнику, то спросил именно об этом: что видел он там, откуда обычно никто не возвращается?

Выслушав мой вопрос, отец Мелхиседек долго стоял молча у царских врат опустив голову. А я все больше замирал от страха, справедливо полагая, что дерзостно разрешил себе нечто совершенно непозволительное. Но наконец схимник слабым от редкого употребления голосом начал говорить.

Он рассказал, что вдруг увидел себя посреди огромного зеленого поля. Он пошел по этому полю, не зная куда, пока дорогу ему не преградил огромный ров. В нем среди грязи и комьев земли валялось множество церковных кивотов, аналоев, окладов для икон. Здесь же были и исковерканные столы, сломанные стулья, какие-то шкафы. Приглядевшись, монах с ужасом стал узнавать вещи, сделанные его собственными руками. В трепете он стоял над этими плодами своей монастырской жизни. И вдруг почувствовал, что рядом с ним кто-то есть. Он поднял глаза и увидел Матерь Божию. Она тоже с грустью смотрела на эти многолетние труды инока.

Потом Она проговорила:

— Ты монах, мы ждали от тебя главного — покаяния и молитвы. А ты принес лишь это...

Видение исчезло. Умерший очнулся снова в монастыре.

После всего случившегося отец Мелхиседек полностью переменился. Главным делом его жизни стало то, о чем говорила ему Пресвятая Богородица, — покаяние и молитва. Плоды теперь уже духовных трудов не замедлили сказаться в его глубочайшем смирении, плаче о своих грехах, искренней любви ко всем, в полном самоотвержении и превышающих человеческие силы аскетических подвигах. А потом и в замеченной многими прозорливости и в деятельной молитвенной помощи людям.

Видя, как он с совершенной отчужденностью от мира подвизается в невидимых и непостижимых для нас духовных битвах, мы, послушники, решались обращаться к нему лишь в самых исключительных случаях. К тому же его еще и побаивались: в монастыре знали, что отец Мелхиседек весьма строг как духовник. И он имел на это право. Его неукоснительная требовательность к чистоте души всякого христианина питалась лишь великой любовью к людям, глубоким знанием законов духовного мира и пониманием, насколько жизненно необходима для человека непримиримая борьба с грехом.

Этот схимник жил в своем, высшем мире, где не терпят компромиссов. Но если уж отец Мелхиседек давал ответы, то они были совершенно необычны и сильны какой-то особой, самобытной силой.

Однажды в монастыре на меня обрушилась лавина незаслуженных и жестоких, как мне представлялось, испытаний. И тогда я решил пойти за советом к самому суровому монаху в обители — схиигумену Мелхиседеку.

В ответ на стук в дверь и на положенную молитву на порог кельи вышел отец Мелхиседек. Он был в монашеской мантии и епитрахили — я застал его за совершением схимнического правила.

Я поведал ему о своих бедах и неразрешимых проблемах. Отец Мелхиседек выслушал все,

Отец Мелхиседек
и иконописец
Георгий (Гашев)

неподвижно стоя передо мной, как всегда, понурив голову. А потом поднял на меня глаза и вдруг горько-горько зарыдал...

— Брат! — сказал он с невыразимой болью. — Что ты меня спрашиваешь? Я сам погибаю!

Старец-схиигумен, этот великий, святой жизни подвижник и аскет, стоял передо мной и плакал от неподдельного горя, что он воистину — худший и грешнейший человек на земле! А я с каждым мгновением все отчетливее и радостнее понимал, что множество моих проблем, вместе взятых, — не стоят ровно ничего! Более того, эти проблемы здесь же и совершенно ощутимо для меня безвозвратно улетучивались из души. Спрашивать еще о чем-то или просить помощи у старца уже не было нужды. Он сделал для меня все, что мог. Я с благодарностью поклонился ему и ушел.

Все на нашей земле — простое и сложное, маленькие человеческие проблемы и нахождение великого пути к Богу, тайны нынешнего и будущего века — все разрешается лишь загадочным, непостижимо прекрасным и могущественным смирением. И даже если мы не понимаем его правды и смысла, если оказываемся к этому таинственному и всесильному смирению неспособными, оно само смиренно приоткрывается нам через тех удивительных людей, которые могут его вместить.

Отец
Антипа

сть в монастырях кроме Неусыпаемой Псалтири еще одна особая служба — чтение молебна с акафистами. Это когда к обычному молебну прибавляют службы тем или иным святым. Ни в древних уставах, ни в практике других православных стран такого, кажется, нет, только у нас, в России. Но народ к этим службам очень пристрастился, и акафистов в Печорах заказывали много, иногда по пятнадцать–двадцать, так что богослужение продолжалось порой больше трех часов.

Молодые монахи очень тяготились этими однообразными, продолжительными службами. Понять их было можно: ведь акафисты предназначены для домашнего чтения, и сочинялись они очень разными людьми — иногда великими церковными поэтами, а порой и благочестивыми провинциальными барышнями. Так что тексты акафистов, мягко говоря, не всегда совершенны. Молодые иеромонахи то и дело старались как-нибудь увильнуть от этих молебнов.

На их счастье, был в Печорах человек, который в любой момент готов был подменить такого образованного собрата в исполнении служебной череды. Звали его архимандрит Антипа. Пришел он в монастырь давно, после войны, с полной грудью боевых наград, и стал духовным сыном старца схиигумена Саввы, которому был предан, что называется, до гроба.

Несмотря на внушительный облик (а выглядел отец Антипа, как могучий старый лев с пламенно-рыжей густой гривой), батюшка этот был удивительно добр и всегда со всеми приветлив. Никто не видел его рассерженным или раздраженным. И это несмотря на то, что каждый день множество самых разных людей приходили к отцу Антипе на исповедь, за советом, а то и просто поговорить, отвести душу. За эту доброту многие стремились попасть к нему на исповедь. А он и рад — все грехи простит и своей священнической властью от них навеки разрешит! То-то было счастье!

Еще отец Антипа был начальником Неусыпаемой Псалтири. Если случалось, что кто-то из братии по болезни или по послушанию, а то и по нерадению пропустит свой час чтения, отец Антипа сам все исполнит за него и никогда никого не упрекнет. Хотя у самого ночью было не меньше трех часов чтения Псалтири.

И все же отрадой отца Антипы были молебны с акафистами. Он прямо весь сиял на этих нескончаемых службах и при этом обязательно добавлял еще и чтение трех—пяти синодиков, каждый — в добрый килограмм весом. Так уж он радовался и так глубоко чувствовал, сколь важны для живых и усопших церковные молитвы! Народ эти его службы очень любил.

Но вот пришел день, когда отец Антипа со своими больными ногами уже не мог больше подолгу стоять на молебнах. Отец благочинный объявил, что архимандрит Антипа освобождается от исполнения этих треб.

Последнюю свою службу батюшка совершал со слезами. Плакали и прихожане. Они жалели, что больше не будет на акафистах такого молитвенника. Не на шутку закручинились и молодые иеромонахи, сразу прикинув, сколько долгих молебнов им теперь придется служить без отца Антипы. Радовались только послушники-пономари: среди священников больше не оставалось охотников читать акафисты да синодики так, что им конца-края не видно. И теперь послушники наконец-то вовремя будут поспевать на обед.

Но все же больше всех скорбел отец Антипа. Ведь он не только служил свой последний молебен, но и в будущем лишался возможности читать любимые акафисты. Дело заключалось в том, что книги с акафистами (они так и называются — акафистники) тогда в нашей стране не издавались, а в монастыре были только старательно переписанные прихожанами толстые тетради с этими текстами. Драгоценные тетрадки хранились в специальном чемоданчике, а чемоданчик, прежде находившийся всецело в распоряжении отца Антипы, отныне переходил к другим священникам.

К концу этой самой грустной за всю жизнь отца Антипы службы в Михайловский храм вошла группа зарубежных туристов. Видимо, они были потомками русских эмигрантов, потому что, хотя и выглядели ухоженными иностранцами, но крестились и прикладывались к иконам правильно, как наши. Помолившись, паломники засобирались уходить, но тут одна из женщин достала из сумочки какую-то книгу и, издалека показав ее отцу Антипе, положила на ступеньку амвона перед алтарем.

Когда отец Антипа покидал храм, провожаемый рыдающими старушками, он вспомнил об оставленной книжке. Кряхтя, наклонился, поднял ее и открыл. Это был акафистник на славянском языке, изданный в Брюсселе.

С тех пор и до самой смерти отец Антипа не расставался с этим томиком, заменившим для него весь его драгоценный чемоданчик. Книга оказалась хоть и небольшой, но напечатанной на такой тонкой бумаге, что вмещала в себя, к радости старого батюшки, великое множество акафистов.

Бывало, этот огромный рыжий монах сидит, примостившись на скамеечке, на Святой горке со своей книжкой и, надев большие очки, усердно молится.

Перед смертью отец Антипа слег. В монастырском лазарете его часто исповедовали и причащали, но в самый день смерти он нашел силы подняться. Взял крест с Евангелием и направился в пещеры — на могилу своего духовника, схиигумена Саввы. Здесь отец Антипа исповедовался давно умершему любимому старцу за всю прожитую жизнь и испросил его молитв в далекий путь. А потом вернулся в лазарет — умирать.

Когда я приехал из Москвы на его похороны, то с удивлением не нашел гроб там, где в Печорах всегда ставят новопреставленного для трехдневной молитвы перед погребением, — в водосвятной часовне. Оказалось, что часовня на ремонте, и в связи с этим гроб с отцом Антипой разместили в пещерах. Прямо у могилы схиигумена Саввы. Даже смерть, как ни старалась, не смогла их разлучить. Здесь же, рядом, его и похоронили.

Отец Антипа со своим любимым акафистником

Теперь отец Антипа и его духовник отец Савва вместе: и мощами — на земле, и духом — в Царствии Небесном.

Я говорю «мощами» не потому, что до церковного прославления можно объявить кого-то святым, а просто — тело всякого умершего православного христианина в Церкви называют мощами. Хотя об этом мало кто знает.

В пещерах

Пещеры

О дной из удивительных особенностей Псково-Печерского монастыря являются святые
пещеры. С них шестьсот лет назад и началась
обитель. Подземные лабиринты тянутся под церквя-
ми, кельями, садами, полями на многие километры.
Здесь когда-то и поселились первые монахи. Под
землей они соорудили храмы, здесь же, по древнему
библейскому обычаю, хоронили в песчаных нишах
почивших братий. Лишь позже, когда число иноков
увеличилось, монастырь принялся обустраиваться
и на поверхности.

С тех давних времен пещеры стали называть «Богом зданные», то есть построенные, созданные Богом.
Название это появилось не столько в силу природно-
го происхождения пещер (впоследствии сами монахи
значительно расширили разветвления подземных
коридоров), а скорее оттого, что было замечено: тела
покойников, приносимые сюда, сразу прекращают
издавать свойственный мертвому телу запах.

К нашему времени в пещерах похоронено более
четырнадцати тысяч человек — монахов, печорских

жителей, воинов, защищавших монастырь в годы средневековых вражеских набегов. Гробы здесь не закапывают, а просто складывают один на другой в нишах и гротах. Но посетителей, бредущих со свечами по длинным лабиринтам, всякий раз поражает свежесть и чистота пещерного воздуха.

«Бог идеже хощет, побеждается естества чин» — есть такое церковное песнопение. Переводится оно примерно так: «Если Богу угодно, побеждаются законы природы». А неверующие туристы покидают пещеры, весьма удивляясь, но все же отказываясь верить своим глазам, а точнее, обонянию. Тем из них, кто пообразованнее, ничего не остается, как лишь глубокомысленно процитировать: «Есть многое на свете, друг Горацио, что и не снилось нашим мудрецам!»

С этими подземельями связано множество историй. Одна из сравнительно недавних произошла в 1995 году, когда в Печоры прибыл Борис Николаевич Ельцин. Показывал ему монастырь и, конечно, пещеры казначей архимандрит Нафанаил. Худенький, седой, в истоптанных башмаках и дырявой рясе, он, освещая путь свечой, вел главу государства и его свиту по пещерам.

Наконец Борис Николаевич сообразил, что вокруг происходит нечто непонятное, и выразил удивление, почему здесь не ощущается запаха тления, хотя гробы с покойниками стоят в нишах, так что их даже можно рукой потрогать.

Отец Нафанаил объяснил президенту:

— Это — чудо Божие.

Экскурсия продолжилась. Но через некоторое время Борис Николаевич в недоумении повторил тот же вопрос.

— Так уж Господь устроил, — снова коротко ответил отец Нафанаил.

Прошло несколько минут, и президент при выходе из пещер прошептал старцу:

— Батюшка, откройте секрет — чем вы их мажете?

— Борис Николаевич, — отвечал тогда отец архимандрит, — есть ли среди вашего окружения те, от кого дурно пахнет?

— Конечно нет!

— Так неужели вы думаете, что кто-то смеет дурно пахнуть в окружении Царя Небесного?

Говорят, этим ответом Борис Николаевич был полностью удовлетворен.

Во времена официального атеизма и в наши дни многие пытались и пытаются хоть как-то объяснить это загадочное свойство печерских пещер. Чего только не придумывали! Начиная с фантастического варианта, который пришел в голову Борису Николаевичу Ельцину: монахи ежедневно мажут четырнадцать тысяч покойников благовониями. И вплоть до гипотезы об уникальных особенностях местных песчаников, якобы поглощающих любые запахи. Эта последняя версия всегда была самой популярной. В советское время ее обычно и озвучивали перед туристами.

Старые монахи рассказывали, как Великий Наместник Псково-Печерского монастыря архимандрит Алипий, если ему приходилось водить делегации высокопоставленных советских работников в пещеры, всякий раз прихватывал носовой платок, обильно смоченный одеколоном. Когда посетители начинали важно толковать про песчаники и про поглощения запахов, отец Алипий попросту совал им под нос свой платок, напоенный сногсшибательной советской парфюмерией. Да еще предлагал обратить внимание на цветы, благоухающие в вазах у могил почитаемых старцев.

— Ну что, — спрашивал он, — не хотите смириться с тем, что вы хоть чего-то в этой жизни не понимаете? А если вам побывать при том, когда в пещеры вносят покойника, и всякий раз совершенно исчезает запах тления, вы что бы сказали? Тоже что-нибудь бы придумали?

Простираются пещеры на многие километры, и какова их истинная протяженность, в монастыре не знал никто, даже наместник. Мы подозревали, что это было известно лишь отцу Нафанаилу и архимандриту Серафиму, который дольше всех жил в монастыре.

Как-то мои тогда еще совсем молодые друзья, иеромонахи Рафаил и Никита, раздобыли ключи от старого братского кладбища. В этой части пещерного лабиринта не хоронили с 1700 года, и проход в него был закрыт железной дверью. Освещая путь свечными фонарями, монахи шли под низкими сводами, с любопытством глядя по сторонам. Справа и слева в нишах стояли рассыпавшиеся от времени колоды, в которых прежде хоронили на Руси. В них желтели кости предшественников отца Никиты и отца Рафаила — братий монастыря. Через некоторое время следопыты набрели на полностью сохранившуюся закрытую колоду. Любопытство взяло верх, и, опустившись на колени, монахи осторожно приподняли тяжелую крышку.

Перед ними лежал игумен. Тело его сохранилось совершенно целым, восковой желтизны пальцы сжимали на груди большой резной крест. Только лицо было почему-то зеленым. Оправившись

от первого удивления, иеромонахи сообразили, что причина столь странного явления — истлевшее покрывало зеленого цвета, которым по древнему обычаю закрывали лицо умершего священника. За несколько столетий ткань превратилась в пыль.

Один из монахов дунул: зеленое облако взвилось в воздух, и перед взглядами друзей открылось не тронутое тлением лицо старца. Казалось, еще мгновение, он откроет глаза и строго взглянет на любопытных иноков, дерзнувших нарушить его святой покой. Иеромонахи, осознав, что перед ними в нетленных мощах покоится неведомый миру святой, так перепугались своей дерзости, что поскорее закрыли крышку колоды и бросились наутек в свой двадцатый век.

Мы, послушники, частенько ходили в пещеры, если случались какие-то серьезные проблемы: попросить у великих подвижников помощи. Мы опускались на колени и, касаясь рукой гроба, просили у старца заступничества и вразумления. И помощь не заставляла себя ждать. Особенно мы донимали своими просьбами старца Симеона, умершего в 1960 году и недавно прославленного в лике святых. А еще Великого Наместника архимандрита Алипия. Да и других старцев, которые один за другим после трудов земной жизни душой уходили к Богу, а телом в пещеры.

Еще одно знаменательное отличие и особое служение Псково-Печерского монастыря открылось только в XX веке.

Троице-Сергиева лавра, Оптина пустынь, Киево-Печерская лавра, Соловки, Валаам, Саров были славны не только в России, но и во всем христианском мире. А Печоры Псковские многие столетия так и оставались не более чем провинциальной монашеской обителью.

Однако в послевоенные годы, когда Церковь стала подниматься от послереволюционного разорения, неожиданно обнаружилось, что этот захолустный монастырь избран Богом, чтобы нести свое особое и великое служение.

Вдруг оказалось, что единственным монастырем на территории России, никогда, даже в советское время, не закрывавшимся, а значит, сохранившим драгоценную преемственность монашеской жизни, были именно Печоры Псковские. До 1940 года монастырь находился на территории Эстонии, а после присоединения ее к СССР большевики попросту не успели с ним расправиться — началась война. Позже, во время хрущевских гонений на Церковь, Великий Наместник архимандрит Алипий сумел противостоять гигантской государственной машине и не допустил закрытия обители.

То, что в монастыре не прерывалось духовное преемство, имело неоценимое значение. Недаром именно здесь, в Печорах, в советские 1950-е годы было возрождено старчество — одно из самых прекрасных сокровищ Русской Церкви.

Монахи
и послушники
с отцом Иоанном

Послушничество

Неповторимым и, быть может, самым счастливым временем монашеской жизни надо признать послушничество. Это потом у инока будут и духовные взлеты, и превосходящие всякое воображение события, которых мирской человек даже представить не может. Будут победы и поражения в невидимой аскетической брани, удивительные открытия — мира и самого себя. Но все равно — годы послушничества не сравнимы ни с чем.

Как-то у престарелого патриарха Пимена спросили:

— Ваше Святейшество, вы достигли высшей ступени церковной иерархии. Но если бы сейчас можно было выбирать, кем бы вы хотели быть?

Обычно малоразговорчивый, погруженный в себя патриарх, не задумываясь, ответил:

— Послушником, сторожем на нижних воротах Псково-Печерского монастыря.

Если всеми почитаемый старец-патриарх даже и место послушничества в своих заветных, хотя и несбыточных, мечтах выбрал, можно представить

его неподдельное желание вернуться в то давнее послушническое состояние, когда ты впервые каждое мгновение ощущаешь отеческую заботу всемогущего Промысла Божьего. Это напоминает лишь светлую отраду беспечального детства — жизнь состоит из одних прекрасных открытий в новом бесконечном и неизведанном — мире.

Кстати, две тысячи лет назад апостолы, по сути, три года были самыми настоящими новоначальными послушниками у Иисуса Христа. Их главным занятием было следовать за своим Учителем и с радостным изумлением открывать для себя Его всемогущество и любовь.

Ровно то же самое происходит с послушниками наших дней. Апостол Павел сделал великое открытие: Иисус Христос вчера и сегодня и вовеки Тот же. Эти слова подтверждаются всей историей христианства. Меняются времена и люди, но Христос и для поколения первых христиан, и для наших современников остается все Тем же.

Святейший Патриарх Пимен

Христос с учениками идет засеянными полями

Истинные послушники получают от Бога бесценный дар — святую беззаботность, которая лучше и слаще всякой другой свободы. Таких истинных послушников мне посчастливилось видеть немало, причем пребывать они могли в любом звании — от монастырского трудника до епископа.

Как-то, вспоминает апостол Матфей, в середине лета где-то в Галилее ученики шли по тропинке между пшеничными полями за своим молодым Божественным Учителем. По пути все изрядно проголодались. Но это была не беда: апостолы на ходу принялись срывать колосья, растирали их между ладонями и ели спелые зерна. Но тут, как на грех, на их пути оказались законники-фарисеи. Они с бранью накинулись на изголодавшихся молодых людей. В глазах законников апостолы совершали ужасное преступление: день был субботний, а фарисеи и книжники учили, что в субботу даже самый необходимый труд запрещен — с той похвальной целью, чтобы мысли человека не отвлекались от Бога. Но простосердечные ученики, не обращая на разгневанных фарисеев внимания, продолжали свою дорожную трапезу. В их душах были мир и свобода. Они понимали, что нарушают совсем не Божественный закон, а лишь его нелепое человеческое толкование. Более того, идя за своим Учителем, они как раз в точности исполняли заповедь общения с Богом и следования за Ним.

Упоительное ощущение безмятежного счастья и свободы, которую никто не может отнять, осознание предельной защищенности в этом мире, потому что Бог Сам взял тебя за руку и ведет к необычайной, ведомой лишь Ему цели, — вот что составляет неповторимое состояние послушничества. Это состояние проходит. Но, говорят, после долгих лет подвижничества оно возвращается в умноженной силе и умудренном духе.

Мне несказанно повезло: четыре месяца я был дежурным именно в той сторожке у нижних ворот Псково-Печерского монастыря, о которой так мечтал патриарх Пимен. И могу сказать, что старый патриарх знал, о чем говорил: это действительно самое прекрасное место на свете!

Обязанностей у сторожа было немного: открывать и закрывать ворота для проезда машин и телег с сеном да убирать за стадом коров, которые утром и вечером пробредали по вековой булыжной мостовой с монастырского скотного двора на пастбище и обратно.

За время дежурств я перечитал множество интересных книг и от всей души полюбил одиночество. Правда, когда наступила осень и выпас закончился, мне дали новое послушание — трудиться на коровнике. Это уже было посложнее. В монастыре за чистотой и порядком следят строго, и требовалось быть внимательным — без задержки убирать навоз

Скотный двор

и снова подсыпать опилки. А то корова может лечь на навоз, вымя ссохнется, и буренка заболеет. В монастырском стаде было тридцать пять коровок. Сена запасали вдоволь, так что производство навоза шло весело, исправно и круглосуточно — только поспевай.

Как-то, помню, морозной зимней ночью, часа в четыре, я еле ноги волочил, глаза слипались, а коровы все — бух да бух! плюх да плюх!.. Наконец вроде выдалось затишье. Я повалился на видавший виды потертый диванчик и сразу задремал. Но скоро сквозь сон до меня донеслось требовательное: плюх-бух! Потом снова, настойчивее: бух-плюх!

Приоткрыв глаза, я увидел при тусклом свете электрической лампочки корову, которая стояла в своем стойле прямо напротив меня над кучей свежего дымящегося навоза и призывно помахивала мне хвостом. Еще бы ей не радоваться: поела душистого сена, поспала вдоволь, сделала свое дело и теперь ждет, когда я уберу. Но сил никаких не было! Коровка подождала-подождала и, шумно вздохнув, улеглась. Но прилегла, умница, правильно — на чистые опилки, только кисточка хвоста лежит в навозе и поигрывает по нему туда-сюда. Кисточка все больше разбухает, но это ведь не вымя, корова не заболеет. К тому времени я, городской человек, это уже знал и со спокойной совестью снова провалился в сон.

Но наконец пришло время продирать глаза и браться за лопату. Я слегка подтолкнул сапогом ту самую корову, чтобы она поднялась и можно было под ней прибрать. А коровка совсем разыгралась: с ноги на ногу переступает, хвостом широко машет, и вдруг, когда я наклонился, — хлоп меня прямо по лицу набухшей, отяжелевшей кисточкой хвоста! Мгновенно рот, глаза, нос, уши — все залепило навозом! Сначала я был так ошеломлен, что даже замер от неожиданности и обиды. Но потом, не помня себя, изо всех сил замахнулся на корову лопатой и...

И тут вспомнил, что нам заповедано Христом подставлять другую щеку. Это если нас оскорбит человек. А тут — неразумная тварь. Лопата опустилась сама собой. Я утер навоз и слезы рукавом телогрейки, повернулся к выцветшим бумажным иконкам на стене, перекрестился и, все еще плача от обиды, принялся за уборку...

Интересное, хотя и сложное, послушание было в пекарне. Обычно на выпечку просфор к пяти часам утра из города приходили печорские старики — на помощь монахам и послушникам. Загодя, с ночи, пекарь готовил тесто, а во время работы все молча трудились и слушали Псалтирь. Ее читал специально учиненный послушник или монах. Просфоры всегда пекутся под молитву.

Самое горячее время в пекарне — перед Пасхой. Надо напечь тысячи просфор на предстоящие две недели — Страстную и Светлую, когда все работы в монастыре откладываются для молитвы и праздника. Еще нужно испечь артосы — особые большие пасхальные хлебы, требующие много труда. Причем изготовить их не только для монастыря, но и для архиерейского дома, и для всех храмов в епархии. А еще требовалось великое множество куличей на всю Светлую седмицу — и тоже не только для монастыря, но и для архиерейского стола.

Мы заступали на работу в понедельник Страстной седмицы, рано утром, затемно. А выходили из пекарни на свет Божий только в Великий Четверг,

Пекарня

к литургии. Спали урывками, по очереди, прикорнув у стола. Большим утешением было, когда келарь* игумен Анастасий приносил послушникам банку аппетитных консервированных персиков, которые мы заедали горячим душистым хлебом.

Однажды эта пекарня просто спасла мне жизнь. В свой первый Великий пост в монастыре я заболел, и очень серьезно. У меня началась двусторонняя пневмония. Самое печальное — я знал, что в Печорах мне не вылечиться. Это называется «резистентность» — обычные антибиотики, которые можно было найти в монастырском лазарете или в городской аптеке, на меня не действовали. Но я решил: лучше умру в монастыре, чем жить в миру. И никуда не поехал.

В день, когда я принял это решение, к воспалению легких добавилось еще воспаление мышц. От боли я еле-еле поднимался с кровати. Но все-таки упрямо шел на послушание. Температура у меня ниже тридцати восьми не опускалась. В довершение ко всему, когда мы перекладывали тяжелые бревна, одно из них упало мне прямо на голову. Я тогда схватился за свою несчастную головушку и ушел за поленницу. В таких случаях одна дивеевская монахиня, матушка Фрося, говорила: «Ну вот! Люди на нас, и Господь на нас!»

Ну, погоревал я, погоревал, а потом встал и пошел дальше на послушание — носить бревна.

Спас меня старый монах, отец Дионисий. Увидев мое состояние, он взялся вылечить меня дедовским способом. Предпасхальная выпечка к тому времени была завершена. Отец Дионисий выложил сеном огромную остывающую печь и уложил меня прямо в нее. В печи было так томительно жарко, что от

* *Келарь — монах, ответственный за трапезу и монастырские припасы.*

изнеможения я быстро уснул. Когда же на следующий день проснулся, мокрый с головы до пят, то почувствовал себя совершенно здоровым. Я просто вылетел из этой печи, как весенняя птичка, и в ночь как ни в чем не бывало стоял на светлой пасхальной заутрене.

* * *

Хотя послушаний было множество, но все же главным делом в монастыре была и остается молитва. Вечером, после работ, мы отдыхали минут сорок и шли на службу. В будние дни она продолжалась часа четыре, а в праздники — больше пяти часов.

Начитавшись древних патериков, насмотревшись на вдохновенное пастырство отца Иоанна, аскетическое благородство и прозорливость отца Серафима, подвижничество схиигумена Мелхиседека, мудрость казначея отца Нафанаила, на отчитки игумена Адриана и удивительную кротость отца

Феофана, восхищаясь еще многими не упомянутыми здесь печерскими отцами, мы, послушники, мечтали во всем подражать им. Даже проходя по монастырским коридорам мимо келий старцев, мы с благоговением и страхом замолкали: за этими дверями совершались невидимые битвы с древними силами зла, рушились и созидались вселенные!

Неумелое подвижничество наше было, может, и смешным, но чистосердечным. Не буду рассказывать про многие наивные молитвенные «подвиги» тогдашних печерских послушников. Не хочу над этим посмеиваться даже по-доброму, потому что верю: Господь и эти, очень несовершенные, духовные труды принимал и благословлял. Ведь Бог смотрит на сердце человека, на его намерения. А намерения юных послушников были искренни и чисты.

Стремление послушников к подвигам строго регулировалось духовниками и монастырским начальством. Это необходимо, чтобы избежать прелести — гордостного и ложного мнения о самом себе. Вспоминаю, как строго одернул наместник архимандрит Гавриил послушника, напоказ расхаживающего по монастырю с четками. И наместник был прав. Сколько известно печальных случаев, когда люди начинают глупо и опасно актерствовать или самонадеянно, без смирения и должного руководства устремляются в исследование духовного мира.

Но все же опасение впасть в прелесть не превращалось в монастыре в некий ступор духовной жизни. Напротив, за нами внимательно и зорко наблюдали, направляли к молитве и поощряли стремление к Богу. Помню, как я удивился, когда однажды в алтаре наместник совершенно неожиданно задал мне вопрос:

— Георгий, а ты по ночам молишься?

— Нет, отец наместник! Ночью я только сплю, — отрапортовал я.

Отец Гавриил неодобрительно посмотрел на меня:

— А зря. Ночью надо молиться.

Потом, лет через десять, те же слова сказал мне митрополит Питирим:

— Помни заповедь преподобного Иосифа Волоцкого: день для труда, ночь для молитвы.

Ночная молитва, как говорят, — особая сила монаха. Однажды отец Иоанн, думаю, для того, чтобы укрепить меня в выбранном пути и помочь хоть чуточку увидеть, что же такое духовный мир, благословил совершать особое молитвенное правило. И в основном ночью. Время отец Иоанн выбрал как раз такое, что мое общение с внешним миром оказалось сокращено до минимума. С двух часов дня и до десяти вечера я нес послушание на коровнике, а вслед за этим всю ночь до утра дежурил на Успенской площади. Отец Иоанн благословил мне исполнять особое правило Иисусовой молитвы, стараться занять ею ум и сердце и отбросить все посторонние мысли, даже весьма правильные и похвальные.

Удивительно, но если человек уединяется в молитве и при этом сколько может ограничивает себя в еде, сне и общении с людьми, если не допускает в ум праздных мыслей, а в сердце — страстных чувств, то очень скоро обнаруживает, что в мире, кроме него и других людей, присутствует еще Кто-то. И Этот Кто-то терпеливо ждет, не обратим ли мы на Него внимание в нашей бесконечной гонке по жизни. Именно терпеливо ждет. Потому что Бог никогда и никому не навязывает Своего общества. И если человек продолжает правильно молиться (тут надо обязательно подчеркнуть — правильно, то есть не самочинно, а под началом опытного руководителя), то перед его духовным взором открываются поразительные явления и картины.

Святитель Игнатий (Брянчанинов) пишет:

«Силы и время употреби на стяжание молитвы, священнодействующей во внутренней клети. Там, в тебе самом, откроет молитва зрелище, которое привлечет к себе все твое внимание: она доставит тебе познания, которых мир вместить не может, о существовании которых он не имеет даже понятия.

Там, в глубине сердца, ты увидишь падение человечества, ты увидишь душу твою, убитую грехом... увидишь многие другие таинства, сокровенные от мира и от сынов мира. Когда откроется это зрелище, прикуются к нему твои взоры; ты охладеешь ко всему временному и тленному, которому сочувствовал доселе».

Ночь быстро проходила за назначенной отцом Иоанном молитвой и чтением Псалтири. А когда ум начинал скучать и отвлекаться, я принимался класть поклоны у входа в пещеры. При этом я как мог пытался поститься. Но есть очень хотелось! Поэтому я решил придумать такую трапезу, которая уж точно не возбуждала бы аппетита. Поразмыслив, я остановился на просфорах, размоченных в святой воде. Это было мое собственное аскетическое изобретение. Блюдо получилось очень благочестивое, но ужасно невкусное — скользкое и пресное. Но мне того и надо было. После небольшой тарелочки этого кушанья есть больше не хотелось. Отец Иоанн улыбнулся моей выдумке, но возражать не стал. Только строго наказал почаще приходить на исповедь и рассказывать все, что произошло за день.

А происшествия действительно начались. Со второго или с третьего дня я почувствовал, что почти не хочу спать. Точнее, для сна мне хватало четырех часов. Обычный общительный мой нрав тоже куда-то пропал. Хотелось побольше бывать одному. Потом один за другим стали вспоминаться похороненные в памяти грехи, давно забытые случаи из жизни. Закончив дежурство, я бежал на исповедь. Удивительно, но от этих горьких открытий на сердце становилось хоть и печально, но непередаваемо мирно и легко.

Через неделю такой жизни произошло нечто еще более странное. Когда ночью, заскучав от долгих молитв, я клал поклоны у входа в пещеры, позади меня вдруг раздался такой грохот, словно обрушились тысячи листов громыхающей жести. От страха я замер на месте. А когда решился обернуться, то увидел все ту же спокойную, в лунном свете площадь монастыря.

До утра я не отходил от пещер и молился святым угодникам, всякую минуту ожидая, что ужасный грохот повторится.

На рассвете, в четыре часа, из своей пещерной кельи на площадь, как обычно, вышел отец Серафим. Я бросился к нему и, запинаясь от волнения, поведал о том, что со мной случилось.

Отец Серафим только махнул рукой:

— Не обращай внимания, это бесы.

И, по-хозяйски оглядев монастырь, ушел к себе.

Ничего себе — «не обращай внимания»! Весь остаток дежурства я провел, дрожа как осиновый лист.

Но еще более поразительный случай произошел на следующий день. Вечером, заступив на дежурство на Успенской площади и уже привычно начав читать про себя Иисусову молитву, я скоро я увидел, что ко мне направляется наш послушник — Пашка-чуваш, известный хулиган, которого родители после армии отправили на перевоспитание в монастырь. Я загрустил, потому что Пашка шел с явным желанием о чем-то поговорить. А этого мне сейчас совсем не хотелось.

И вдруг где-то внутри себя я отчетливо услышал Пашин голос. Он задал мне вопрос, касавшийся очень важного для Павла дела. И сразу, опять же внутри себя, я услышал ответ на его вопрос и понял, что именно это мне и нужно растолковать Павлу. Голос Павла не соглашался и возражал. Другой голос терпеливо переубеждал его, подводя к правильной мысли. Таким образом, длинный, по крайней мере в несколько минут, диалог за одно мгновение промелькнул у меня в голове.

Пашка подошел, и я почти не удивился, когда он задал именно тот вопрос, который я уже слышал. Я отвечал ему словами, которые пронеслись в моем сознании за минуту до этого. Наш диалог продолжался именно так, слово в слово, как он только что прозвучал в моей душе.

Это было потрясающе! Наутро я бросился к отцу Иоанну и спросил, что со мной было. Отец Иоанн ответил, что Господь, по милости Своей, дал мне краешком глаза заглянуть в духовный мир, который скрыт от нас, людей. Для меня было ясно, что произошло это по молитвам отца Иоанна. А батюшка, строго наказав, чтобы я не возносился, предупредил, что это новое состояние скоро пройдет. Чтобы постоянно пребывать в нем, объяснил он, необходим настоящий подвиг. В самом прямом смысле слова. Какой? Каждый по-своему, кто как может, пытается сохранить эту загадочную связь с Богом. Миру кажутся безумными, несуразными, анекдотичными истинные подвижники духа, которые зачем-то уходят от людей в непроходимые пустыни, залезают на столпы, становятся юродивыми, годами стоят на коленях на камне, не спят, не пьют, не едят, подставляют оскорбляющим другую щеку, любят врагов, вменяют себя ни во что. «Те, которых весь мир не был достоин, скитались по пустыням и горам, по пещерам и ущельям земли», — говорит о них апостол Павел.

В заключение отец Иоанн еще раз сказал, чтобы я не печалился, когда, очень скоро, это состояние уйдет, но всегда помнил о произошедшем.

В истинности слов отца Иоанна я убедился уже на следующий день. Несмотря на громадное впечатление, которое не оставляло меня после удивительной беседы с Павлом, я вскоре как-то рассеялся мыслями, чего-то лишнего в трапезной поел, с кем-то немного поговорил, что-то нечистое допустил до сердца — и вот это не сравнимое ни с чем ощущение близости Бога неприметно растаяло.

Отец Иоанн

А я остался с тем, что выбрало мое сластолюбивое и грешное сердце: со своим любимым гороховым супом, увлекательной болтовней с моими замечательными друзьями, с самыми разнообразными интересными мыслями и мечтами. Со всем этим. Но только без Него. Это было так горько, что у меня в душе сложилось стихотворение:

Мне грустно и легко,
Печаль моя светла.
Печаль моя полна Тобою,
Тобой, одним Тобой...

Потом я спохватился, что вроде бы кто-то другой уже написал эти замечательные строки.

Лысый Пашка-чуваш через несколько лет ушел из монастыря, и его убили где-то в Чебоксарах. Царствие ему Небесное! Из остальных моих друзей — тогдашних печерских послушников — не многие остались на монашеском пути.

О том, как мы уходили в монастырь

Вообще-то в монастырь мы в начале восьмидесятых годов не уходили, а сбегали. Думаю, нас считали немножко сумасшедшими. А иногда и не немножко. За нами приезжали несчастные родители, безутешные невесты, разгневанные профессора институтов, где мы когда-то учились. За одним монахом (а он сбежал, уже выйдя на пенсию и вырастив до совершеннолетия последнего из своих детей) приезжали сыновья и дочери. Они орали на весь монастырь, что сейчас же увезут папочку домой. Мы прятали его за огромными корзинами в старом каретном сарае. Дети уверяли, что их отец, заслуженный шахтер, выжил из ума. А он просто на протяжении тридцати лет день и ночь мечтал, когда сможет начать подвизаться в монастыре.

Мы его прекрасно понимали. Потому что и сами бежали из ставшего бессмысленным мира — искать вдруг открывшегося нам Бога, почти так же, как мальчишки убегали юнгами на корабли и устремлялись в далекое плавание. Только зов Бога был несравненно сильнее. Преодолеть его мы не могли.

Точнее, безошибочно чувствовали, что если не откликнемся на этот зов, не оставим всего и не пойдем за Ним, то безвозвратно потеряем себя. И даже если получим весь остальной мир со всеми его радостями и утехами, он нам будет не нужен и не мил.

Конечно, было страшно жаль в первую очередь растерянных перед нашей твердостью, ничего не понимающих родителей. Потом — друзей и подруг. Наших любимых институтских профессоров, которые, не жалея времени и сил, приезжали в Печоры «спасать» нас. Мы жизнь готовы были за них отдать. Но не монастырь.

Нашим близким все это казалось диким и совершенно необъяснимым. Помню, я уже несколько месяцев жил в монастыре, когда сюда приехал Саша Швецов. Было воскресенье — единственный свободный день на неделе. После чудесной воскресной службы и монастырского обеда мы, молодые послушники, лежали, блаженно растянувшись на кроватях, в нашей большой и солнечной послушнической келье. Вдруг дверь распахнулась, и на пороге появился высокий парень, наш ровесник, лет двадцати двух, в фирменных джинсах и дорогущей куртке.

—А мне здесь нравится!— заявил он нам, даже не поздоровавшись. — Я здесь останусь!

«Вот поставят тебя завтра на коровник или канализацию выгребать, тогда посмотрим, останешься ты или нет», — позевывая, подумал я. Наверное, примерно то же пришло в голову всем, кто вместе со мной разглядывал эту столичную штучку, залетевшую в древний монастырь.

Саша оказался сыном торгпредского работника, жил с родителями в Пекине, Лондоне и Нью-Йорке и только недавно вернулся в Россию — учиться

148

«Несвятые святые» и другие рассказы

в институте. О Боге он узнал с полгода назад — немногое, но самое главное. И, видно, по-настоящему узнал. Потому что с того времени стал мучиться от полной бессмысленности своей жизни и неприкаянности, пока не набрел на монастырь. Сразу оценив, что нашел как раз то, что искал, он даже не стал сообщать о своем новом месте обитания родителям. Когда мы упрекнули Александра в жестокости, он успокоил нас, сказав, что «батя по-всякому скоро меня отыщет».

Так и случилось. Сашин папа приехал в Печоры на черной «Волге» и устроил показательный скандал с участием милиции и КГБ, с привлечением школьных друзей и институтских подруг — со всеми привычными для нас инструментами по вызволению из монастыря. Продолжалось это довольно

долго, пока отец в ужасе не убедился, что все напрасно и Сашка никуда отсюда не уйдет. Казначей, архимандрит Нафанаил, пытаясь хоть как-то утешить московского гостя, ласково сказал ему: «Ну вот, отдадите своего сыночка в жертву Богу. Станет он печерским иеромонахом, еще будете им гордиться...»

Помню, какой дикий вопль огласил тогда монастырь:

— Никогда!!!

Это орал Сашкин папа. Он просто еще не знал, что отец Нафанаил был прозорливым, а то не стал бы так нервничать. Сашка действительно сейчас иеромонах. Причем единственный из всех нас, бывших в день его первого приезда в послушнической келье, кто остался служить в Псково-Печерском монастыре. А Сашин папа, Александр Михайлович, через десять лет стал работать со мной в Москве, в Донском монастыре, а потом и в Сретенском — заведующим книжным складом. На этой церковной должности, став самым искренним молитвенником и искателем Бога, он и отошел ко Господу.

Про наших ровесников
Из «Пролога»

В монастырской библиотеке я как-то нашел огромную, старинную, на церковнославянском языке книгу под названием «Пролог». В ней оказались собраны множество поучений и историй из жизни христиан начиная с евангельских времен и века до восемнадцатого. Составлялась эта книга постепенно, больше тысячи лет, и была предназначена для ежедневного чтения в храме и дома.

В VI веке в Константинополе, громадном городе, лежащем у вод Босфора, с самыми прекрасными на земле храмами, дворцами и домами из белоснежного мрамора, жили в царствование императора Юстиниана два молодых человека и одна девушка. Дети богатых патрициев, образованные, веселые, они дружили с ранних лет. Родители девушки и одного из юношей еще при рождении своих детей уговорились, что их мальчик и девочка в будущем обязательно станут мужем и женой. Настало время, и счастливая пара обвенчалась. Их друг был шафером на свадьбе и тоже ликовал за своих друзей.

Казалось, ничто не предвещало несчастий, но через год после свадьбы молодой муж внезапно умер. Когда миновали сорок дней положенного траура, в дом к юной вдове пришел ее друг. Он преклонил перед ней колено и сказал:

— Госпожа! Теперь, когда дни сугубой скорби позади, я не могу не открыть тебе того, о чем раньше не решался и намекнуть. Я люблю тебя с тех самых пор, как себя помню. День, когда я узнал, что твои родители и родители нашего покойного друга намереваются сочетать вас браком, был самым страшным в моей жизни. С тех пор я даже в мыслях не дерзал мечтать о своем счастье. Ты знаешь, как искренне я любил твоего мужа и моего друга. Но вот произошло то, что произошло... И сейчас я не могу не сказать, что мои чувства стали еще сильнее, и я умоляю тебя стать моей женой!

Молодая женщина задумалась и сказала:

— Что ж... Такие решения надо принимать после долгих молитв и поста. Возвращайся ко мне через десять дней. Но все это время ничего не вкушай, пей только воду. Через десять дней я дам тебе ответ.

Ровно в назначенный срок юноша снова был в доме своей возлюбленной. Только теперь слуги внесли его на носилках, так он ослабел от поста. В просторной зале он увидел с одной стороны накрытый стол, ломящийся от яств, а с другой — роскошное разобранное ложе.

— Ну что ж, господин, — обратилась к нему хозяйка, — с чего мы начнем?

И она вопросительно указала ему на стол, а потом на ложе.

— Госпожа! — вымолвил молодой человек. — Прости, но я должен сначала подкрепиться...

— Вот видишь, — сказала мудрая молодая женщина, — как быстро ты готов променять меня на другую страсть... И в этом весь человек! Я тоже должна признаться, что давно люблю тебя. Но, зная желание родителей, я не нарушила послушания и стала супругой нашего с тобой друга. Его смерть очень многое открыла для меня. Как, оказывается, в нашей жизни все изменчиво и мимолетно!.. Что же мы предпочтем с тобой сегодня? Служить временному миру или вечному Богу?

Они уселись за праздничную трапезу. И здесь же приняли решение раздать свои имения нищим и следовать за Христом каждый в своем монастыре.

Отец Гавриил

Б езраздельным владыкой и хозяином Псково-Печерского монастыря в те годы был наместник архимандрит Гавриил. О его крутом
нраве в церковных кругах до сих пор ходят легенды.
А ведь прошло больше двадцати лет с тех пор, как
он покинул Печоры и стал епископом на Дальнем
Востоке.

Мне рассказывал келарь Псково-Печерского монастыря игумен Анастасий. Однажды, в конце семидесятых годов, на псковском рынке, куда отец Анастасий обычно приезжал закупать продукты, к нему
подошли двое военных. Они сообщили, что присла-
ны препроводить его, гражданина Попова Алексея
Ивановича (так звали отца Анастасия в миру), в городской военкомат.

Там священнику объявили, что приказом военного комиссара его, как военнообязанного, призы-
вают в армию на переподготовку сроком на шесть
месяцев. С сегодняшнего дня. Обескураженного
и расстроенного отца Анастасия посадили в каком-
то кабинете и велели заполнять анкеты.

Вскоре в комнате появился человек в штатском. Он подсел к отцу Анастасию, предъявил ему удостоверение офицера КГБ и без обиняков принялся склонять батюшку к сотрудничеству в обмен на отмену длительной поездки в военные лагеря. Расчет был простой: человек, ошеломленный новостью, что его надолго вырывают из привычной жизни, окажется сговорчивее.

Больше трех часов отец Анастасий как мог отбивался от уговоров и угроз. Беседа могла бы продолжаться и дольше, но неожиданно в коридоре послышались крики, чьи-то решительные шаги, и в кабинет без стука ворвался наместник Псково-Печерского монастыря архимандрит Гавриил. Громадный, в роскошной греческой рясе, с огромной черной бородой, с настоятельским посохом, — он был вне себя от ярости. Офицер было вскочил, но отец наместник так свирепо рыкнул на него, что тот окоченел от ужаса. Схватив отца Анастасия за шиворот, словно Карабас-Барабас какого-нибудь Пьеро, отец наместник потащил его вон из военкомата. При этом он направо и налево грозил всем, кто попадался ему на пути, самыми страшными карами.

Как наместник узнал, что его келарь находится в военкомате, осталось неизвестным. Хотя за этим и последовал такой скандал, что отцу наместнику пришлось даже ездить улаживать дело в Москву, но в результате отец Анастасий ни на какие военные сборы отправлен не был и впредь его чекисты не беспокоили.

С наместником отцом Гавриилом, так же как и с его предшественником — Великим Наместником архимандритом Алипием, псковские, а уж тем более районные печорские власти считались всерьез.

Такое отношение само по себе было уникальным в советские годы. Архимандрит Гавриил вел себя с власть предержащими, конечно, не вызывающе, но в особых случаях не слишком церемонился. Он сумел поставить дело так, что один в монастыре отвечал за лояльность к власти. И не допускал даже попыток со стороны сотрудников органов безопасности установить с кем-то еще свои специфические контакты. Как ему удавалось прикрывать собой всю остальную братию — его дело. Во всяком случае, мы и сегодня, спустя много лет, благодарны ему за это.

Мы, послушники, боялись отца наместника пуще смерти. Да и осуждали его крепко, грешным делом! И немало удивлялись, как благодушно относятся к нему старцы.

К отцу Иоанну (Крестьянкину) год от года приезжало все больше людей со всей страны. Порой они

жили в Печорах по нескольку дней, дожидаясь приема у старца. Очередь к батюшке у братского корпуса выстраивалась с раннего утра до позднего вечера. Это не могло не встревожить соответствующие органы, надзиравшие за монастырем. Давление на наместника, по всей видимости, было оказано нешуточное.

Однажды к мирно стоящей у братского корпуса толпе паломников вдруг подлетел отец Гавриил. Он наорал на несчастных, перепуганных людей и как коршун разогнал всех. Да еще вызвал плотника и велел заколотить дверь в комнату, где отец Иоанн принимал народ.

Несколько дней в Печорах только и говорили о том, что наместник заодно с властями не пускает народ Божий к старцам. Лишь сам отец Иоанн (которому от наместника досталось больше всех) был безмятежен. Да еще и нас успокаивал:

— Ничего, ничего! Я делаю свое дело, а отец наместник — свое.

И действительно, дня через три тот же монах-плотник, который по приказу наместника заколачивал дверь, вновь явился со своим ящиком, аккуратно выдернул гвозди, и отец Иоанн продолжил принимать народ, как и прежде.

Или вспомнить, например, самое прискорбное на моей памяти событие в монастыре, когда из обители ушли сразу десять монахов. Они написали патриарху письмо, в котором заявили, что покидают монастырь в знак протеста против грубого, деспотичного поведения наместника, и требовали незамедлительно удалить архимандрита Гавриила из обители. Все эти монахи были в основном замечательные молодые люди. Они поселились в Печорах в домах прихожан и стали ждать ответа на свое послание.

Для наместника уход братии стал настоящим потрясением. Думаю, он понял, что сильно переборщил с властным и жестким управлением. Во всяком случае, неприступный печерский наместник отправился в город на поиски монахов. Не без труда он разыскал их. Просил у них прощения. Уговаривал вернуться в обитель. Но монахи оставались непреклонны. Они требовали лишь одного: наместник должен быть удален из монастыря.

Вскоре в Печоры прибыла высокая комиссия из Патриархии с указом о снятии архимандрита Гавриила с должности. Престарелый псковский Владыка, митрополит Иоанн, созвал монастырский собор. Вся братия собралась в трапезной, и архиерей, приехавший из Москвы, поставил вопрос об отношении к наместнику. Повисло тягостное молчание. И тогда первым слова попросил казначей архимандрит Нафанаил. Он зачитал написанное им обращение к патриарху — с просьбой оставить наместника в обители.

Московский архиерей удивился, но спросил, не хочет ли кто-нибудь еще подписать это послание. Снова повисло молчание. И вдруг с места поднялся самый почитаемый в обители старец, архимандрит Серафим.

—Где подписывать? — как всегда кратко спросил он.

Подошел и поставил свою подпись. За ним подписали духовники и остальные монахи. Несколько монахов воздержались.

Эту историю о так называемой «десятке» — ушедшей братии — еще долго с горечью вспоминали в обители. Особенно тяжело было в первые дни после их ухода, когда на братской трапезе за столом зияли пустующие места.

Через много лет один из членов этой «десятки», иеромонах Антоний, сам ставший наместником Герасимо-Болдинского монастыря, так говорил, обращаясь к своей не всегда усердной братии (монолог этот был напечатан в одной православной газете): «Нет на вас наместника Гавриила! Надо бы вам Гавриила хотя бы на месяц! Вы бы узнали, что такое монастырь. Владыка Гавриил — не жадный, добрейший человек, любил дарить подарки, принимать гостей, но характер у него жесткий. И еще: Владыка Гавриил — человек глубоко верующий. Я вспоминаю, как он молился: службы были всегда насыщенные, торжественные, продолжительные. А характер у него был, конечно, не мед. Впрочем, я считаю, что, если бы я попал в его шкуру, то поступал бы так же, как и он. Потому что по-другому нельзя было тогда поступать».

Можно ли было на самом деле поступать так или нет, это, конечно, особый вопрос. Как говорил один мой знакомый врач, «характер не лечится». И вслед за коротким относительным затишьем, наступившим после ухода «десятки», всем в монастыре стало ясно, что наместник ничуть не изменился.

Для отца Гавриила, выбравшего монашеский путь в шестнадцать лет, храм и вообще Церковь были самым что ни на есть родным домом. И он абсолютно естественно ощущал себя в монастыре безраздельным хозяином и всевластным домоправителем, поставленным на послушание наместника Самой Царицей Небесной, Покровительницей обители. Он очень по-своему, но остро и живо чувствовал ответственность перед Господом за монастырь и за вверенную ему братию. А что думают о нем другие, его совершенно не интересовало. За тринадцать лет наместничества он ни разу не брал ни дня отпуска или выходных и держал всех в суровой узде. Хотя сегодня многие в Печорах вспоминают, что за этой его жесткостью и даже грубостью скрывалось по-настоящему отзывчивое сердце. Отец Гавриил, как впоследствии выяснилось, тайно помогал многим людям, без преувеличения, сотням печорян. Это теперь мы, тогдашние послушники, понимаем, что наместнику не было никакого интереса да и времени зловредно придираться к нам, как тогда казалось. Попросту отец Гавриил не терпел расхлябанности, а еще больше — безответственности и небрежности в Божьем деле. Но все-таки характер у него и правда был, мягко говоря, не сахар.

В те дни, когда я усердно постигал премудрости ухода за коровами и телятами и совершенствовал технику уборки навоза, меня вызвал отец благочинный и объявил, что с завтрашнего дня я становлюсь еще и иподьяконом у наместника архимандрита Гавриила.

Это прозвучало как гром среди ясного неба. Быть иподьяконом у наместника считалось самым страшным послушанием в монастыре. Хотя обязанности иподьякона были совсем не сложными: во время богослужений помогать наместнику облачаться в священнические одежды, держать пред ним Служебник с молитвами да подавать настоятельский посох. Но, зная грозную натуру отца Гавриила, все очень меня жалели. Отец Иоанн отправлял меня на первую службу, как провожают на войну. И действительно, ни один мой самый незначительный просчет не проходил даром.

Итак, после ночной смены на скотном дворе я должен был привести себя в порядок перед литургией и идти на послушание в алтарь. Но как я ни отмывался под душем, въевшийся запах коровника до конца отбить не удавалось.

— Фу, Георгий, ну почему от тебя все время несет этим навозом?! — всякий раз морщился отец наместник, как будто не знал, что именно по его благословению я ночь напролет убирал за тридцатью коровами, быком и десятком телят.

Он даже специально завел в алтаре бутыль с французским одеколоном и обильно окроплял меня, прежде чем я приступал к своим обязанностям.

Так что если иподьяконствовать я приходил, распространяя вокруг себя сугубо сельские запахи, то в коровник после службы возвращался, напротив, источая тончайшие французские ароматы, к большому неудовольствию моих коров.

Служба на Успение

* * *

В одной древней монашеской книге рассказывается:

«Однажды старец взял сухое дерево, воткнул его на горе и приказал Иоанну ежедневно поливать это сухое дерево ведром воды до того времени, как дерево принесет плод. Вода была далеко от них. Утром надо было идти за нею, чтоб принести к вечеру. По истечении третьего года дерево прозябло и принесло плод. Старец взял плод, принес в церковь к братии и сказал им: "Приступите, вкусите от плода послушания"».

Эта история произошла полторы тысячи лет назад в египетском монастыре во времена первого и великого христианского монашества. Но и в последующие столетия, вплоть до наших дней, подобных примеров силы искреннего послушания — великое множество. Только сегодня духовники если и будут требовать беспрекословного послушания, то в самых что ни на есть исключительных случаях. И не столько потому, что теперь меньше истинных подвижников-старцев, а оттого, что нет истинных послушников.

Вообще, подлинный, а не притворный, разыгрывающий роль старца духовник всегда будет советовать, убеждать, порой настаивать, но никогда не станет подавлять волю христианина. А от священника, который настырно требует беспрекословного послушания во всем, и вовсе надо бежать, как от беса.

В Церкви различают то, что называется благодатным духовным послушанием старцам и духовникам (если, конечно, это истинные старцы и духовники), и дисциплинарное, административное послушание церковному священноначалию. Помню, как в некоторых случаях отец Иоанн и другие старцы посылали за ответом на какие-то вопросы к отцу наместнику, говоря, что через него, как через игумена монастыря, Господь откроет Свою волю.

Но есть ли у монашеского послушания границы? Как говорил отец Иоанн, священноначалия следует слушаться всегда и во всем. Вплоть до того, когда повеление, например игумена, кажется непонятным, нелогичным, даже опасным для жизни. На свете есть только один повод, когда послушник может, и не просто может, а должен, оказать неповиновение, говорил отец Иоанн. Это если приказание противоречит евангельским заповедям. Но такого, слава Богу, на моем веку не случалось.

А в остальном — и правда послушание до смерти. Бывало и такое.

Печоры представляли собой удивительно чистый и уютный городок, с особым укладом, сложившимся за века вокруг древнего монастыря. Здесь счастливым образом сочеталась православная культура церковной Руси и бытовая аккуратность соседней Эстонии. Помимо того что в Печорах, в отличие от большинства советских городов, было необычайно опрятно и красиво, здесь даже в восьмидесятые годы молодые люди, собиравшиеся по вечерам на скамеечках, вставали, когда мимо проходил пожилой человек. Основную часть печорян составляли люди верующие. Сквернословия на улицах нельзя было услышать. Двери в домах, отлучаясь, здесь, как правило, подпирали палочкой, а если и закрывали на ключ, то не таясь клали его под половичок.

Наверное, кому-то из руководящих товарищей все это показалось ненормальным. Чтобы исправить ситуацию, в один прекрасный день в этом заповедном уголке решили разместить «химиков». Так в те годы называли уголовных преступников, которым после тюрем и лагерей надлежало провести еще несколько лет в спецпоселениях.

Эти «новоселы» сразу привнесли в жизнь города свои нравы. Начались драки, матерщина, поножовщина, невиданное здесь ранее воровство. Дошло до того, что грабители принялись кружить вокруг монастыря, обирая паломников.

Однажды несколько бандитов явились в монастырь, к Святым воротам. Приставив нож к горлу сторожа отца Аввакума, они потребовали на следующий день принести им сто рублей. Аввакум со всех ног примчался к отцу наместнику.

— Что хочешь со мной делай, отец наместник, а я больше туда дежурить не пойду! -- вопил дед.

Отец Гавриил лишь грустно взглянул на него и воздел руки к небу.

— Горе мне! — воскликнул он. — До каких дней я дожил! Монах может умереть на святом послушании — и отказывается от этого. Кто умирает на послушании, сразу восходит в Царствие Небесное! Горе мне, до чего я дожил...

Эти слова пронзили старика Аввакума как молния.

— Прости, отец наместник! — вскричал он. — Я все понял! Да я за святое послушание... Благослови!

И, получив от отца наместника благословение, Аввакум решительно зашагал к Святым воротам — умирать.

Когда мы спросили, а что было бы, если бы Аввакума и правда зарезали, отец наместник спокойно ответил:

— Мы бы его отпели.

Слава Богу, до этого не дошло.

И хотя, как стало известно, наместник предпринял все меры для того, чтобы Аввакум остался жив и невредим, старый схимник конечно, не потерял награды своей. Как говорили святые отцы, Господь принимает не только наши дела, но даже искренние намерения и решимость.

Дисциплинарное послушание наместнику в монастыре для всех нас было безусловным и само собой разумеющимся. Именно, подчеркну, безусловным, сколь это ни покажется светским людям странным, глупым и нелепым. Даже у людей церковных такое прямолинейное послушание порой вызывает шок, возмущение, потоки гневных обличений. Целые тома исписаны на тему абсурдности и вреда послушания. Это не вина просвещенных авторов подобных сочинений. Просто они не понимают, что в монастырях своя жизнь, подчиненная особым законам. Цель и смысл этих законов далеко не все могут ощутить.

Рассказывают (это случилось еще до моего прихода в монастырь), как-то в обитель на праздник приехал недавно рукоположенный дьякон из Ленинградской духовной академии. Он был учен, важен и со снисходительностью посматривал на невежественных монахов провинциального монастыря.

У наместника в алтаре было любимое, необычайно красивое кадило, такое огромное, что мы называли его вавилонской печью. В него вмещалось полведерка пылающих углей. Пользовался этим кадилом отец наместник исключительно сам. Да оно и было таким тяжелым — металл, позолота, камни, цепи, — что только мощный отец Гавриил мог с ним справиться. Иногда, впрочем, под особое настроение отец наместник во время всенощной обращался, например, к отцу Иоанну:

— Отец архимандрит, совершите каждение!

Отец Иоанн, которому и поднять-то такое кадило было непросто, смиренно кланялся (это к вопросу о дисциплинарном послушании), брал это кошмарное

Любимое кадило отца Гавриила

орудие и начинал кадить. Но очень скоро настолько уставал, что завершал каждение двумя руками, еле держа цепи.

Отца наместника это весьма веселило. А когда кто-то пытался высказать отцу Иоанну свое сочувствие, тот с удивлением говорил:

— Что вы так возмущаетесь? Кому же меня и смирять, как не отцу наместнику?

Но вернемся к питерскому гостю. Увидев висящее в пономарке чудесное кадило, он возгорелся желанием сейчас же применить его в деле. Пономари со страхом пояснили, что этим кадилом может священнодействовать только отец наместник. Академист поднял на смех глупых провинциалов и решительно приказал подать ему именно это кадило. Послушники-пономари, для которых выпускник духовной академии был почти небожителем, сдались.

И вот питерский дьякон предстал в алтаре, вознося перед отцом наместником пылающую углями, дымящуюся благородным фимиамом драгоценную кадильницу. И торжественно произнес положенное:

— Благослови, Владыко, кадило!

Наместник по привычке занес было руку для благословения и... замер! Он просто не поверил своим глазам! Осознав наконец, что его любимое кадило посмел взять какой-то питерский дьяконишка, отец наместник тихим, леденящим кровь шепотом произнес:

— Тебе кто это дал?!

Дьякон так и застыл с вознесенным кадилом. Лишь рука его затряслась, и на весь алтарь раздался зловещий звон драгоценных цепей.

— Брось его сейчас же! — повелел наместник.

Академист совсем оцепенел от ужаса.

—Брось, кому говорят! — снова скомандовал наместник.

В алтаре на полу были расстелены ворсистые ковры. Кадило пылало добрым ведерком углей. Академист впал в предобморочное состояние. Было очевидно, что в Ленинградской духовной академии они такого не проходили. Отец наместник, не сводя с него глаз, поманил пальцем старого иеродьякона Антония и коротко скомандовал ему:

—Забери у него кадило!

Антоний выхватил кадило из руки питерца.

—Брось его! — велел наместник.

Ни секунды не раздумывая, Антоний разжал пальцы, и кадило с печальным звоном обрушилось на ковер. Пылающие угли тут же рассыпались, ковер заполыхал. Стоящие вокруг бросились ладонями тушить огонь, ползая на коленях у ног наместника. А тот, в дыму и пламени, сверху величественно взирал на эту картину.

Иеродьякон
Антоний

— Вот как надо исполнять послушание! — заключил наместник.

И, оборотившись к питерскому дьякону, бросил:

— А ты — вон из алтаря!

«И в чем здесь смысл? — спросят у меня. — Разве это не пример самого настоящего мракобесия, самодурства и деспотии? Разве о таком послушании говорили святые отцы?»

А мне и возразить-то нечего... Кроме разве того, что мы, монахи, и вправду какие-то ненормальные люди, если воспринимаем подобного рода вещи в целом как должное.

Однажды нечто подобное случилось и со мной. Но тогда уже сам отец наместник чуть не поплатился за им же воспитанное непреложное послушание.

Как-то поздней осенью я неделю проболел и, придя на всенощную в алтарь, увидел на столике, где обычно располагались книги и личные предметы отца наместника, новую для меня и очень красивую вещицу — старинный, в золоте малахитовый подсвечник с восковой свечой. Печоры — это Русский Север, осенью здесь быстро смеркается. Поэтому наместник и принес подсвечник в алтарь — для чтения по книге положенных на всенощной молитв. Но для моих молодых глаз в алтаре было достаточно светло, и потому я сообразил обо всем этом слишком поздно.

В положенное время я, как обычно, взял Служебник и раскрыл его перед отцом наместником. Но он сказал мне:

— Возьми свечу.

Я послушно положил книгу и взял подсвечник, ожидая дальнейших указаний.

—Ну и что? — хмуро спросил наместник, досадуя на мою недогадливость.

—А что мне с ним делать? — наивно поинтересовался я.

Отец наместник еще больше расстроился.

—Что-что... Вышвырни его на улицу!

До сих пор помню, как это восхитило меня тогда. Мгновенно вспомнились древние подвижники, которые по приказанию игумена за послушание годами поливали сухие палки, бросались в море, шли по воде, выбрасывали в пропасть найденные на дороге слитки золота...

Я представил, как выбегу сейчас из храма и изо всех сил запущу этим драгоценным, но конечно же бренным с точки зрения вечности подсвечником о каменную паперть! И малахит зелеными брызгами разлетится в воздухе... Я так стремительно рванулся к двери, что наместник еле успел ухватить меня за подрясник.

—Ты что, сумасшедший? — испуганно спросил он, поспешно отбирая у меня антикварную вещь.

—Но вы же сами сказали! — удивился я.

Наместник оглядел меня действительно как душевнобольного и произнес:

—Георгий, не пугай меня. Зажги свечу. Разве не видишь, что здесь темно?

Наконец-то я понял, что мне следовало сделать. Сожалея, что не смогу исполнить настоящего древнего послушания, а заодно и стать свидетелем такого зрелища, как малахитовый салют, я зажег свечу и, вздохнув, раскрыл перед отцом наместником книгу.

Уже упоминалось, что наместник совершенно не терпел, когда его приказания не выполнялись. Но вот загадка — на самом деле не всякие приказания наместника мы исполняли, и даже напротив, поступали порой совершенно противоположно. А он при этом нисколько не сердился и делал вид, будто ничего не замечает. Да и мы относились к такому ослушничеству совершенно спокойно, без малейших угрызений совести. Скажем, разгневается наместник на какого-нибудь не понравившегося ему паломника или на глупого дерзкого туриста и закричит, грозно указывая перстом:

— Схватить его! Выкинуть вон из монастыря!!!

Мы, разумеется, со всех ног кидаемся исполнять приказание. А подбежав к несчастному, шепотом успокаиваем его и мирно препровождаем к воротам.

Наместник все это прекрасно видел и молчаливо одобрял: и послушание исполнили, и с дурацким усердием не переборщили.

Вообще отец наместник прекрасно понимал, что нужно его монахам. А нужно им было лишь умножение веры и смирения. В древних монашеских патериках рассказывается немало историй, как игумены монастырей доставляли даже совершенным инокам поводы для смирения и незлобия.

Как-то летом я дежурил на Успенской площади. Наместник в этот час, как обычно, вышел из своего дома, чтобы обойти монастырь. И тут к нему приблизился какой-то незнакомый мне крепкий хлопец. Я услышал, что он просит принять его в обитель.

— А ты послушания исполнять готов? — строго спросил наместник.

— А как же, батюшка, любое!

— Неужели любое? — поинтересовался наместник.

— Так точно! Любое! — с жаром отрапортовал хлопец.

«Несвятые святые» и другие рассказы

В это время через Успенскую площадь ковылял старенький монах отец М.

— Ну, если ты и правда готов на любое послушание, то подойди к этому деду и поддай ему так, чтобы он улетел подальше! — велел наместник.

Вмиг хлопец подлетел к старому монаху и отвесил ему такого пинка, что старик рыбкой улетел на несколько шагов. Но тут же неожиданно резво вскочил и бросился хлопцу в ноги.

— Прости меня, грешного, сынок! Прости! — чуть не плакал монах, видимо, помыслив, что невесть чем разгневал молодого человека.

— Да подожди ты! — отмахнулся от него хлопец.

И снова предстал пред наместником, с готовностью ожидая дальнейших приказаний.

Отец наместник с искренним изумлением оглядел хлопца с ног до головы.

— Н-да... — протянул он. — Ну ты, брат, и дурак!

С этими словами наместник достал из кармана двадцать пять рублей:

— Вот тебе на билет. И поезжай-ка ты домой.

А отец М., поклонившись наместнику, снова, прихрамывая, побрел своей дорогой.

Эта история вызвала в монастыре множество негодующих высказываний в адрес отца Гавриила. Но один, очень независимого нрава, уважаемый и образованный монах сказал:

— На самом деле вы ничего не понимаете. Вот сейчас вы принялись осуждать наместника. А я не стану ни одобрять, ни осуждать его поступок. Судить о делах настоятеля — не моя мера. Конечно, у нас все любят и почитают отца М. Вы нередко слышите, как его хвалят, а при случае и ставят в пример. Все это отцом М. вполне заслужено. Но для него, как для монаха, — весьма не полезно.

Мы с интересом ждали, что он скажет дальше.

— С одной стороны, — продолжал наш собеседник, — отец наместник совершил по отношению к отцу М. совершенно дикий поступок. Но с другой, желал наместник этого или нет, он сделал для отца М. самое драгоценное и полезное, что только можно сделать для монаха: подарил ему то, что в монастыре больше никто не дерзнет для него сделать, — возможность для смирения. Он сделал это грубо? Да! Очень грубо? Согласен! Но помните историю про великого авву Арсения — того самого, который до ухода в монастырь был знатным вельможей при императорском дворе в Константинополе и даже воспитателем царских детей? Однажды игумен в присутствии всей братии ни с того ни с сего отогнал почитаемого всеми авву Арсения от братской трапезы и даже не разрешил присесть за стол, а оставил стоять у дверей. И только когда трапеза подходила к концу, бросил ему, как псу, сухарь. Братия монастыря потом спросила авву Арсения, что он чувствовал в этот момент. Старец отвечал: «Я помышлял, что игумен, подобный Ангелу Божию, познал, что я подобен псу и даже хуже пса. И это — правда! Потому он и подал мне хлеб так, как подают псу». Сам же игумен, увидев великое смирение Арсения, сказал: «Из него будет искусный инок».

Наш собеседник помолчал немного и продолжал:

— Вот так, через непонятное, загадочное для мира смирение, и только через него, христианин приближается к одному из двух самых главных открытий в жизни. Первое из этих открытий состоит в том, чтобы узнать правду о самом себе, увидеть себя таким, каков ты есть на самом деле. Познакомиться с самим собой. А это, поверьте, очень важное знакомство. Ведь огромное число людей так и проживает век, не узнав себя. Мы ведь имеем лишь те или иные представления и фантазии о самих себе — в зависимости от наших тщеславия, гордыни, обид, амбиций. А истина, сколь горьким нам это ни покажется, такова, что мы «несчастны, и жалки, и нищи, и слепы, и наги»... Помните эти слова из Апокалипсиса? Это открывается лишь через евангельский, предельно честный взгляд на себя. Если хотите, это и есть истинное смирение. Оно ничуть не унижает человека. Напротив, прошедшие через испытание этой последней и страшной правдой становятся святыми. Теми прозорливыми, пророками и чудотворцами, которыми вы так восхищаетесь.

— А второе открытие? — спросили мы. — Вы сказали о двух главных открытиях в человеческой жизни. Первое — познакомиться с самим собой. А второе, в чем оно?

— Второе открытие? — улыбнулся монах. — На самом деле вы знаете о нем не хуже меня. Эту истину Церковь терпеливо напоминает на каждой без исключения службе: «Христос, истинный Бог наш, молитвами Пречистыя Своея Матери и всех святых, помилует и спасет нас, яко Благ и Человеколюбец».

Мы от души поблагодарили нашего собеседника. Прощаясь с нами, он сказал:

— Но если кто-то из вас станет игуменом, не вздумайте даже помыслить подражать отцу Гавриилу и подобным образом смирять братию! У нашего наместника к этому делу особая харизма, — усмехнувшись, добавил он. — А благодарить надо не меня, а отца М. за тот урок смирения, который он нам всем преподал. Помните, как в древнем патерике один подвижник ответил на вопрос, как можно стать настоящим монахом? Этот великий подвижник взял свою мантию, бросил на землю, истоптал в пыли и сказал: «Если человек не смирится вот таким образом, он не станет монахом».

Архимандрит
Гавриил

* * *

Если человек не смирится, он не станет монахом. Ему не откроется Бог — Такой, какой Он есть, не в книжках и рассказах других людей, а познанный на собственном опыте. И бесцельно пройдут годы и десятилетия. В осуждение будут самые высокие духовные саны — священство, игуменство, архиерейство.

Вскоре после того как митрополит Питирим забрал меня в Москву, мои отношения с архимандритом Гавриилом стали складываться не лучшим образом. Причиной тому послужил фильм, который я несколько лет снимал в Псково-Печерском монастыре.

Митрополит Питирим купил для издательства редкостную в те восьмидесятые годы любительскую видеокамеру. Я брал ее с собой в Печоры, чтобы запечатлеть неумолимо уходящую в вечность жизнь монастыря и в первую очередь старцев. Через много лет из отснятых тогда материалов был сделан фильм о Псково-Печерской обители.

Но однажды (то ли кто-то наговорил отцу наместнику, то ли эта мысль сама пришла ему в голову) архимандрит Гавриил решил, что я, по заданию патриарха, выискиваю в монастыре всякого рода недостатки и передаю Святейшему отснятый материал. Как ни обидно мне было услышать такое, как ни пытался я объяснять, что у меня и в мыслях ничего подобного нет, но мои приезды в обитель — даже просто к отцу Иоанну — стали превращаться в серьезную проблему. Тут-то я и припомнил многочисленные рассказы о жестокости и своенравии наместника, жалобы на его подозрительность.

Мои обиды и угрюмые помыслы, разумеется, не способствовали улаживанию наших отношений. Вскоре архимандрита Гавриила сделали епископом на Дальнем

Востоке, но и это ничего не изменило: дошло до того, что мы с ним еле здоровались, встречаясь на службах в Москве, о чем я со стыдом вспоминаю. Кем был я, а кем он — епископ Церкви Христовой?! Однако, как бы то ни было, из песни слова не выкинешь…

Прошло три года. Я спокойно приезжал в монастырь уже при других наместниках. А вот в судьбе епископа Гавриила произошли изменения.

Священники на Дальнем Востоке были совсем другими людьми, нежели печерские монахи. О беспрекословном послушании, к которому привык Владыка Гавриил в монастыре, здесь говорить было весьма сложно. И вот однажды в храме какой-то священник затеял весьма дерзкую перепалку с Владыкой Гавриилом. Тот, по своему обычаю, грозно пресек его. В Печорах это было в порядке вещей. Но здесь батюшка пришел в ярость и с выражениями, далекими от церковнославянского языка, схватил один из богослужебных предметов, острое копие, — и пошел с ним на своего архиерея. Надо знать Владыку Гавриила: он, как я представляю, хоть и был немало удивлен, но ничуть не испугался. За шиворот выволок дерзкого священника из храма и спустил его с лестницы.

Священник написал жалобу в Патриархию и даже обратился к светским властям. Снова была создана патриархийная судебная комиссия, но на этот раз все обернулось строгим церковным приговором. Владыка Гавриил был отстранен от управления кафедрой и запрещен в священнослужении на три года.

Суд над ним проходил в Москве. В день, когда было объявлено решение, я, сам не зная, чем эта затея обернется, приехал в гостиницу, где остановился Владыка Гавриил. Все-таки он был моим первым наместником, принявшим меня в монастырь, и мне было не по себе от мысли, что в такую тяжелую минуту все, может статься, оставили его — правого или виноватого. Мне вспомнилось то доброе, что было связано с отцом наместником, и я решил хоть как-то (непонятно, правда, как) поддержать его.

Я разыскал его номер в гостиннице и уже собирался постучать, но вдруг услышал из-за дверей громкий разговор, точнее, настоящую перебранку. Я уже было решил сбежать подобру-поздорову, но дверь шумно распахнулась, и из номера вышли два человека, чем-то до крайности недовольные. Вслед за ними появился Владыка Гавриил со словами:

— Вон отсюда, мерзавцы, пока я вас с лестницы не спустил!

«Начинается! — подумал я. — Видно, на Дальнем Востоке у него вошло в привычку спускать с лестницы. В Печорах, помнится, такого не было. Сейчас, чего доброго, и за меня возьмется!»

— А ты что тут делаешь?! — грозно спросил Владыка Гавриил, заметив меня.

— Просто пришел вас навестить, — испуганно пролепетал я.

Владыка мрачно оглядел меня с ног до головы.

— Ну, заходи, — сказал он, пропуская меня в номер.

Мы просидели с ним до позднего вечера. Владыка уже никуда не торопился. Он заказал в номер бутылку коньяка и какую-то еду. Мы вспоминали Печоры, Владыка рассказывал, как он открывал храмы в своей далекой епархии. Рассказал он, что два человека, только что столь неучтиво выставленные им из номера, были представителями какой-то альтернативной «церкви», называющие себя «катакомбниками». Узнав, что епископ Гавриил отстранен от должности, они пришли к осужденному и, естественно, обиженному архиерею с предложением стать епископом в их «церкви». На что Владыка Гавриил им ответил:

— Ну уж нет! Я в нашей Церкви крестился, здесь стал монахом, священником, епископом. Может, конечно, и плохим епископом, если Церковь меня запретила. Но в этой Церкви я родился, в этой Церкви я и умру! Поэтому...

Далее последовала та самая, и, конечно же, совершенно не подходящая для архиерея тирада о мерзавцах и о спуске с лестницы, невольным свидетелем которой я оказался.

* * *

Владыка уехал в Хабаровск. Мы изредка переписывались. В письмах он открылся для меня с совершенно неизвестной стороны. Одно из писем начиналось словами из Псалтири, которыми царь Давид с благодарностью обращался к Богу в момент самого тяжелого испытания в своей жизни: «Благо мне, яко смирил мя еси!» Это было поразительное письмо. Но, кажется, в суете и круговороте дел я так и не ответил на него.

Епископ Гавриил

Спустя три года с Владыки Гавриила было снято запрещение, и его направили епископом в город Благовещенск.

Я к тому времени уже служил в Сретенском монастыре. Приезжая в Москву по делам, Владыка стал останавливаться в нашем монастыре, чему я и братия были искренне рады. Один раз Владыка Гавриил съездил и в Печоры. Рассказывают, на его службу собралось множество людей. Как водится, забыты были все старые обиды. Некоторые монахи и прихожане плакали, подходя к нему под благословение. Растроган был и Владыка. Больше он в Печоры не приезжал.

У нас в Сретенском нередко стали останавливаться и священники из Благовещенской епархии. Как-то я не удержался и спросил у них, каков их архиерей. Добрый или грозный?

— Сам-то он очень добрый... Но — такой грозный!

Дальше последовали рассказы, из которых я окончательно заключил, что характер не лечится.

Много лет спустя я сопровождал Святейшего Патриарха Кирилла в поездке на Дальний Восток. В Южно-Сахалинск на службу к Святейшему приехал и Владыка Гавриил. Ему уже исполнилось семьдесят лет. В мою бытность в монастыре, помнится, ему было чуть больше сорока. После патриарших служб и официальных встреч мы собрались небольшим кружком на ужин. Присутствовали несколько священников и один молодой епископ. Был и Владыка Гавриил.

Атмосфера за столом сложилась теплая и братская. Вспоминая о прошлом, я решился спросить у Владыки Гавриила, как он жил, когда был в запрещении. Все, в том числе и молодой епископ, с интересом ждали, что же расскажет Владыка. Ведь каждый понимал, что жизнь непроста и с любым из нас может случиться всякое. От сумы да от тюрьмы, как говорят, не зарекайся. Владыка не стал уходить от ответа и рассказал свою историю просто и совершенно не красуясь.

После решения Синода о запрещении он вернулся в Хабаровск. За несколько месяцев истощились все его средства, и он пытался устроиться в своей бывшей епархии то пономарем, то сторожем. Но новый архиерей не разрешил священникам брать прежнего епископа на работу в храмы и даже не велел пускать его в алтарь. Все эти годы Владыка Гавриил подходил ко святому причащению, как и его прихожане, вставая в очередь к Чаше. Сложив крестообразно руки, он называл священнику свое имя: «Епископ Гавриил» — и причащался Христовых Таин. В эти годы, как рассказывал Владыка, для него очень важны были любовь и поддержка его паствы, а еще письма, которые он получал от тех, кто знал его прежде, и в первую очередь от архимандрита Иоанна (Крестьянкина).

Работу Владыка тоже нашел у своих прихожан: с весны до поздней осени он полол и охранял их огороды, располагавшиеся на каком-то острове на Амуре, неподалеку от Хабаровска. А зимой жил на заработанные летом деньги.

Потом я спросил:

— Владыка, вы прожили удивительную, интересную жизнь. Были молодым послушником в одесском монастыре, когда там подвизался великий старец схиигумен Кукша. Жили в Святой Земле, трудились секретарем Русской миссии в Иерусалиме. Долгие годы возглавляли Псково-Печерский монастырь, ежедневно общались со старцами, имена которых долго и перечислять. Потом создавали Дальневосточную епархию. Теперь вы епископ в Благовещенске. Какое время для вас было самым счастливым?

Владыка задумался и наконец ответил:

—Самыми счастливыми были годы, которые я жил в запрещении. Никогда в моей жизни Господь не был так близко! Вы, может быть, удивитесь, но поверьте, что это именно так. Конечно, когда меня вернули к священнослужению и направили в Благовещенск, мне было очень радостно и приятно. Но та молитва, а главное, та близость Христа, которые я пережил на моих огородах, несравнимы ни с чем. Это и было лучшее время моей жизни.

Потом он снова помолчал и сказал:

—Братия! Не бойтесь наказания Господня! Ведь Он наказывает нас не как преступников, а как Своих детей.

Больше он ничего не добавил. Но, наверное, не только я, но и все мы, молодые и не очень молодые священники, сидевшие тогда с Владыкой за одним столом, запомнили эти слова на всю жизнь.

Великий Наместник

Говоря о себе, Великий Наместник Псково-Печерского монастыря отец Алипий во всеуслышание провозглашал: «Я — советский архимандрит». И охотно подтверждал это высказывание и словом и делом.

В начале шестидесятых годов в монастырь — с заданием отыскать повод для закрытия обители — прибыли члены областной комиссии. Расхаживая по монастырю, они увидели паломников, обрабатывающих грядки и цветники, и тут же приступили к отцу Алипию:

— А на каком основании эти люди здесь работают?

Советский архимандрит отвечал им:

— Это народ-хозяин трудится на своей земле!

Вопросов больше не последовало.

В другой раз из Пскова с теми же целями была прислана еще одна — теперь уже финансовая — комиссия народного контроля. Наместник осведомился, кем уполномочены прибывшие лица.

— Мы представляем финансовый орган, который...

Отец Алипий перебил их.

— У меня только один начальник — епископ Псковский Иоанн. Поезжайте к нему за разрешением. Без этого я вас к финансовым документам не допущу.

Проверяющие удалились, а через несколько часов Псковский архиерей позвонил отцу Алипию и смущенно попросил допустить контролеров для проверки.

— Звонок к делу не пришьешь, Владыко. Пришлите мне телеграмму, — ответил отец Алипий.

Вскоре поступила и телеграмма. Когда народные контролеры вновь предстали перед отцом наместником, тот, держа телеграмму в руках, спросил:

— Скажите, а вы коммунисты?

— Да, в основном коммунисты...

— И получили благословение у епископа?

Архимандрит Алипий и псковский Владыка Иоанн

У псковского Владыки? Н-да... Пошлю-ка я сейчас эту телеграмму в обком партии...

На этом финансовая проверка монастыря была завершена.

Иван Михайлович Воронов — так звали архимандрита Алипия до пострига — четыре года воевал на фронтах Великой Отечественной и прошел путь от Москвы до Берлина. А потом еще тринадцать лет держал оборону Псково-Печерского монастыря, защищая его от государства, за которое когда-то проливал кровь.

И на той, и на другой войне отцу Алипию пришлось сражаться не на жизнь, а на смерть. Тогдашнему Первому секретарю ЦК КПСС Никите Хрущеву во что бы то ни стало нужна была великая победа. Не меньшая, чем Победа его предшественника, чьей славе он мучительно завидовал. Для своего триумфа в грядущих битвах Хрущев остановил выбор на тысячелетней Русской Церкви и, объявляя ей войну, торжественно пообещал перед всем миром, что скоро покажет по телевидению последнего русского попа.

Вскоре были взорваны, закрыты, переоборудованы под склады и машинно-тракторные станции тысячи соборов и храмов. Упразднена бо́льшая часть высших духовных учебных заведений. Разогнаны почти все монастыри. Множество священников оказались в тюрьмах. На территории России действующими оставались лишь две обители — Троице-Сергиева лавра, вынужденно сохраняемая властями как церковная резервация для показа иностранцам, и провинциальный Псково-Печерский монастырь. Здесь против могущественной силы атеистического государства выступил Великий Наместник. И, что самое прекрасное — он победил!

В те годы вся гонимая Русская Церковь следила за исходом этого неравного поединка. Вести из Печор передавались из уст в уста, а позже участники и очевидцы тех событий записали свои свидетельства.

Вот лишь некоторые хроники этих, давних уже, сражений.

Зимним вечером в кабинет отца Алипия вошли несколько человек в штатском и вручили официальное постановление: Псково-Печерский монастырь объявлялся закрытым. Наместнику предписывалось уведомить об этом братию. Ознакомившись с документом, отец Алипий на глазах у чиновников бросил бумаги в жарко пылающий камин, а остолбеневшим посетителям спокойно пояснил:

— Лучше я приму мученическую смерть, но монастырь не закрою.

К слову сказать, сожженный документ являлся постановлением Правительства СССР и под ним стояла подпись Н. С. Хрущева.

Историю эту описал очевидец — преданный ученик Великого Наместника архимандрит Нафанаил.

Сам я отца Алипия в живых не застал. Но вести речь о Псково-Печерском монастыре, не упомянув о нем, попросту невозможно.

* * *

Мне повезло — я застал многих монахов, живших при Великом Наместнике. А еще — известных художников, писателей, ученых, реставраторов из Москвы, Ленинграда, Риги, собиравшихся в те годы в его гостеприимном доме. Для них он навсегда остался примером бесстрашного духовного монаха-воина, идеалом взыскательного и любящего отца.

Несмотря на всю прагматичность и даже подчеркнутую приземленность отца Алипия, его крепкую практическую сметку, блестящее, часто весьма резкое остроумие, поразительную находчивость, многие современники (в том числе и монахи высокой подвижнической жизни) почитали его как святого. Архимандрит Серафим, обладавший в монастыре безусловным авторитетом, уже после смерти отца Алипия искренне удивлялся монахам, мечтавшим о далеких паломничествах к местам подвигов великих святых: «Что далеко ездить? — недоумевал он. — Идите в пещеры, там мощи отца Алипия».

Господь не любит боязливых. Этот духовный закон как-то открыл мне отец Рафаил. А ему, в свою очередь, поведал о нем отец Алипий. В одной из проповедей он говорил: «Мне приходилось быть очевидцем, как на войне некоторые, боясь голодной смерти, брали с собой на спину мешки с сухарями, чтобы продлить свою жизнь, а не сражаться с врагом; и эти люди погибали со своими сухарями и не видели многих дней. А те, которые снимали гимнастерки и сражались с врагом, оставались живы».

Когда пришли отбирать ключи от монастырских пещер, отец Алипий скомандовал своему келейнику:

— Отец Корнилий, давай сюда топор, головы рубить будем!

Должностные лица обратились в бегство: кто знает, что на уме у этих фанатиков и мракобесов?!

Сам же наместник знал, что отдает подобные приказы не на воздух. Однажды, когда в очередной раз пришли требовать закрытия монастыря, он без обиняков объявил:

— У меня половина братии — фронтовики. Мы вооружены, будем сражаться до последнего патрона. Посмотрите на монастырь — какая здесь дислокация. Танки не пройдут. Вы сможете нас взять только с неба, авиацией. Но едва лишь первый самолет появится над монастырем, через несколько минут об этом будет рассказано всему миру по «Голосу Америки». Так что думайте сами!

Не могу сказать, какие арсеналы хранились в монастыре. Скорее всего, это была военная хитрость Великого Наместника, его очередная грозная шутка. Но, как говорится: «в каждой шутке есть доля шутки». В те годы братия обители, несомненно, представляла собой особое зрелище — больше половины монахов были орденоносцами и ветеранами Великой Отечественной войны. Другая часть — и тоже

Печерские монахи — ветераны войны.
9 мая 1984 года

немалая — прошла
сталинские лагеря.
Третьи испытали
и то и другое.

«Побеждает
тот, кто пере-
ходит в насту-
пление», — го-
ворил отец
Алипий, и
сам в точно-
сти следовал
этой страте-
гии. Именно в
те годы, каждый
день сражаясь за
монастырь, намест-
ник восстановил из
руин могучие крепостные

Иван Воронов.
1944 год

стены, отреставрировал находившиеся в запустении
храмы, с безупречным профессионализмом раскрыл
древние фрески, привел в должный вид настоятельский и братские корпуса. Будучи сам художником,
он спас от продажи за границу произведения русских и зарубежных живописцев. В его огромной
коллекции были Левитан, Поленов. Перед смертью
отец Алипий безвозмездно передал эти шедевры
в Русский музей. Наконец, он насадил по всей обители такие дивные сады, цветники и вертограды,
что монастырь превратился в одно из самых прекрасных мест в России. Для человека, первый раз
оказавшегося в Печорах, — независимо от того,
паломником он был или экскурсантом, — обитель
представала как дивный, восхитительный мир,

что-то совершенно нереальное в окружении неказистой советской действительности.

Но главным подвигом отца Алипия было устроение старчества в Псково-Печерском монастыре.

Старчество — удивительное явление еще и потому, что не пребывает на одном месте, скажем, в каком-то конкретном монастыре. Оно странствует по земле, неожиданно расцветая то в заволжских скитах Северной Фиваиды, то в Белобережской пустыни в брянских лесах, то в Сарове, то в Оптиной. А в середине XX века оно нашло для себя приют в Псково-Печерской обители. И отец Алипий чутко уловил этот загадочный путь. Как самое драгоценное сокровище, он берег и умножал старчество в своем монастыре. Наместник сумел добиться разрешения на переезд в Печоры из Финляндии великих валаамских старцев. Принял после тюрем и ссылок опального иеромонаха Иоанна (Крестьянкина) — его тогда тайно привез в монастырь епископ Питирим (Нечаев). Приютил отца Адриана, вынужденного покинуть Троице-Сергиеву лавру. При отце Алипии возросло целое поколение старцев-духовников, про некоторых рассказывается в этой книге. В то время создать и сохранить такое было настоящим подвигом.

* * *

В те годы остервенелой антирелигиозной пропаганды представления о монастырях у большинства наших сограждан были совершенно дикими. Поэтому отец Алипий не удивлялся, когда ему задавали самые вздорные вопросы. С добродушным юмором, неотразимо доходчиво он приоткрывал перед людьми их простодушие и неразумное доверие грязной лжи и нелепым измышлениям.

Как-то группа экскурсантов, искренних советских людей, остановила отца Алипия на пороге храма. В порыве праведного гнева они потребовали рассказать правду об эксплуатации высшим духовенством простых монахов, о притеснениях и вообще — об ужасах монастырской жизни, вычитанных ими из газет. Вместо ответа отец Алипий загадочно спросил:

— Слышите?

— Что — слышите? — удивились экскурсанты.

— Что-нибудь слышите?

— Слышим, как монахи поют.

— Ну вот! Если б худо жили, то не запели бы.

Коммунист, гость из Финляндии, в присутствии своих советских друзей задал отцу Алипию фирменный вопрос атеистов того времени:

— А не объясните ли вы, почему космонавты в космос летали, а Бога не видели?

Отец архимандрит участливо заметил ему:

— Такая беда может и с вами случиться: в Хельсинки бывали, а президента не видели.

Те, кому довелось в те годы побывать в Печорах, особо вспоминают знаменитые появления Великого Наместника на балконе его настоятельского корпуса. Появления эти могли быть самыми разными. Порой, особенно по весне, галки и вороны так досаждали отцу Алипию своими истошными криками, что он выходил на балкон с пистолетом и палил по птицам, пока те в панике не разлетались. Пистолет был, конечно, не боевой, просто мастерски сделанный пугач. Но вся картина — солнечное утро в монастыре, отец наместник на балконе, хорошо поставленной рукой целящийся из внушительных размеров пистолета, — все это производило на зрителей неизгладимое впечатление.

Знаменитый балкон отца Алипия

Но конечно же не только этим запоминались выходы Великого Наместника на его любимый балкон. Еще более глубокие ощущения возникали у посетителей монастыря, если они становились свидетелями бесед отца Алипия, когда он, свесившись за перила, вел разговоры с собравшимися внизу людьми.

Балкон был обращен на монастырскую площадь. С него отец наместник мог в погожий денек любоваться своим монастырем, общаться с народом, а заодно и присматривать за порядком.

Внизу на площади сразу собиралась толпа паломников, экскурсантов и жителей Печор. Дискуссии о вере или просто общение с отцом Алипием могли длиться часами. Всякий раз при этом наместник не упускал возможности помочь тем, кто обращался к нему с житейскими просьбами. И хотя тогда действовал категорический запрет на то, что называется церковной благотворительностью, отец Алипий поступал в этом вопросе лишь так, как считал необходимым. Вот что вспоминает архимандрит Нафанаил:

«Отец Алипий всегда помогал нуждающимся, раздавал милостыню, много просящих получали от него помощь. За это немало пришлось ему претерпеть. Отец Алипий защищался словами Священного Писания о необходимости оказывать дела милосердия и утверждал, что дела милосердия не могут быть запрещенными, это неотъемлемая часть жизни Святой Православной Церкви».

А вот воспоминания дьякона Георгия Малкова, тогда молодого искусствоведа, часто приезжавшего в Печоры: «Заповедь о любви к ближнему архимандрит Алипий стремился исполнить в своей собственной жизни. Многие больные, неимущие, а также каким-либо образом материально пострадавшие нередко получали от него посильную, а порой и немалую помощь.

Под балконом его наместничьего дома часто видели калек, убогих, самых разных обойденных судьбой людей. И наместник, несмотря на постоянные запреты властей, помогал им чем мог: кого кормил, кого лечил, кому помогал деньгами, а когда под руками их не было, шутил: "Еще не готовы — сохнут! Приходи-ка, раб Божий, завтра!"

В некоторых случаях размеры помощи были весьма значительными: наместник помогал заново отстроиться погорельцу, а при падеже скота давал денег на покупку коровы. Узнав однажды, что неподалеку, в Изборске, у известного местного художника П. Д. Мельникова по несчастной случайности сгорел дом, он отправил ему довольно крупный по тем временам денежный перевод: "Хоть на первое время"».

«Отец Алипий имел удивительный дар слова, — вспоминал отец Нафанаил. — Не раз приходилось слышать от паломников: "Поживем еще недельку, может, услышим проповедь отца Алипия". В своих поучениях он поддерживал унывающих, утешал малодушных: "Братья и сестры, вы слышали призывы об усилении антирелигиозной пропаганды; вы головы не вешайте, не унывайте, это значит — им туго стало"; "Страшное дело — примкнуть к толпе. Сегодня она кричит: "Осанна!" Через четыре дня: "Возьми, возьми, распни Его!" Поэтому там, где неправда, "ура" не кричи, в ладоши не хлопай. А если спросят почему, отвечай: "Потому что у вас неправда". — "А почему?" — "Потому что моя совесть подсказывает". — "Как узнать Иуду?" — "Омочивый руку в солило, тот Меня предаст", — сказал Спаситель на Тайной Вечери. Ученик дерзкий, который хочет сравняться с учителем, с начальником, занять первое место, первым взяться за графин. Старшие еще не завтракали, а малыш уже облизывается, уже наелся. Растет будущий Иуда. На двенадцать — один Иуда. Если старшие не сели за стол, и ты не садись. Сели старшие — садись по молитве и ты. Старшие не взяли ложку — не бери и ты. Старшие взяли ложку — тогда возьми и ты. Старшие начали кушать — тогда начинай и ты"».

Но не все беседы у балкона были столь мирными и умилительными.

Как-то Псковскую область посетила сановная и очень влиятельная дама — министр культуры Фурцева со свитой столичных и областных чиновников. От этой дамы в те годы трепетали многие, и не только деятели культуры. Как водится, ей устроили посещение Псково-Печерского монастыря. Но отец Алипий, зная о ее деятельности от своих друзей-художников и о патологической ненависти министерши к Церкви, даже не вышел ее встречать — экскурсию провел отец Нафанаил.

Высокая делегация уже направлялась к выходу, когда Фурцева увидела наместника, стоявшего на балконе и беседовавшего с собравшимися внизу людьми. Дама решила проучить этого дерзнувшего не выйти ей навстречу монаха. А заодно — и преподать областному руководству наглядный урок, как следует решительно проводить в жизнь политику партии и правительства в области противодействия религиозному дурману. Подойдя поближе, она, перебивая всех, крикнула:

— Иван Михайлович! А можно задать вам вопрос?

Отец Алипий досадливо посмотрел на нее, но все же ответил:

— Ну что ж, спрашивайте.

—Скажите, как вы, образованный человек, художник, могли оказаться здесь, в компании этих мракобесов?

Отец Алипий был весьма терпелив. Но когда при нем начинали оскорблять монахов, он никогда не оставлял этого без ответа.

—Почему я здесь? — переспросил отец Алипий. И взглянул на сановную гостью так, как когда-то всматривался в прицел орудия гвардии рядовой артиллерист Иван Воронов. — Хорошо, я расскажу... Вы слышали, что я на войне был?

—Ну, положим, слышала.

—Слышали, что я до Берлина дошел? — снова спросил отец наместник.

—И об этом мне рассказывали. Хотя не понимаю, какое это имеет отношение к моему вопросу. Тем более удивительно, что вы, советский человек, пройдя войну...

—Так вот, — неспешно продолжал отец наместник. — Дело в том, что мне под Берлином... оторвало... (Здесь Иван Михайлович Воронов высказался до чрезвычайности грубо.) Так что ничего не оставалось, как только уйти в монастырь.

После повисшей страшной тишины раздался женский визг, потом негодующие восклицания, крики, угрозы, и члены делегации во главе с важной дамой понеслись по направлению к монастырским воротам.

Через час наместника уже вызывали в Москву. Дело пахло нешуточными проблемами. Но на все вопросы отец Алипий спокойно и обстоятельно отвечал:

—Мне был задан конкретный вопрос. И я на него так же конкретно и доступно — чтобы наша гостья наверняка поняла — дал ответ.

Так или иначе, но на сей раз все обошлось. Это был единственный случай, когда отец Алипий счел возможным употребить подобное оружие.

Этот знаменитый и, мягко говоря, нетривиальный ответ в дальнейшем стал причиной разного рода сплетен и догадок. Савва Ямщиков, известный реставратор и искусствовед, пользовавшийся добрым расположением отца Алипия, рассказывал:

«Меня спрашивали: почему такой красивый мужчина ушел в монастырь? Вот, говорят, он был тяжело ранен, потерял возможность продолжения рода... Как-то он сам коснулся этой темы и сказал мне: "Савва, это все разговоры пустые. Просто война была такой чудовищной, такой страшной, что я дал слово Богу: если в этой страшной битве выживу, то обязательно уйду в монастырь. Представьте себе: идет жестокий бой, на нашу передовую лезут, сминая все на своем пути, немецкие танки, и вот в этом кромешном аду я вдруг вижу, как наш батальонный комиссар сорвал с головы каску, рухнул на колени и стал... молиться. Да-да, плача, он бормотал полузабытые с детства слова молитвы, прося у Всевышнего, Которого он еще вчера третировал, пощады и спасения. И понял я тогда: у каждого человека в душе Бог, к Которому он когда-нибудь да придет..."»

* * *

Власти изощрялись как могли, пытаясь любыми способами уничтожить монастырь. Однажды решением Печерского Совета у обители в один день были отобраны все сельскохозяйственные земли, включая пастбища. Стояло начало лета. Коров только выгнали на выпас, но теперь несчастную скотину пришлось снова вернуть в стойла.

В те же дни по распоряжению из Москвы обкомовские работники привезли в монастырь большую делегацию представителей братских коммунистических партий. Угостить, что называется, русской стариной. Сначала все шло спокойно. Но когда «дети разных народов», умиляясь тишиной и красотой обители, бродили между клумбами с распустившимися розами, вдруг со скрипом распахнулись хозяйственные ворота и оттуда с ревом вылетели ошалевшие от свободы все тридцать монастырских коров и огромный бык: отец Алипий дал команду к заранее подготовленной операции.

Мычащие, с задранными хвостами, ошалевшие от свободы животные устремились к клумбам, пожирая траву и цветы, а представители международного коммунистического движения, оглашая монастырь воплями на разных языках, забились кто куда. Обкомовские работники бросились к отцу Алипию.

— Не взыщите, — вздохнул отец наместник. — Очень уж скотинку жалко! Теперь других пастбищ у нас нет, вот и приходится пасти их внутри монастыря.

В тот же день монастырю были возвращены все пастбища.

Как об одном из самых тяжких испытаний отец Нафанаил вспоминал день, когда в монастырь был прислан указ, запрещающий служение панихид в пещерах. Это означало прекращение доступа к главной святыне обители, а потом и закрытие самого́ монастыря. Указ был подписан псковским Владыкой. Но, несмотря на это, отец Алипий распорядился служить панихиды по-прежнему.

Здесь однажды пасли коров

Узнав об этом, городские власти примчались в монастырь и осведомились, получил ли отец Алипий указ от своего правящего архиерея. Отец Алипий ответил утвердительно.

— Почему же не выполняете? — возмущенно спросили чиновники.

На это отец Алипий отвечал, что не выполняет указа, потому что он написан под давлением и по слабости духа.

— А я слабых духом не слушаю, — заключил он. — Я слушаю только сильных духом.

Служение панихид в пещерах не прерывалось. Война против монастыря не прекращалась ни на день. Псковский писатель Валентин Курбатов вспоминал: «К приезду очередной государственной комиссии по закрытию монастыря архимандрит Алипий вывесил на Святых вратах извещение, что в монастыре чума и в силу этого он не может пустить комиссию на территорию монастыря. Во главе комиссии была председатель областного Комитета по культуре Анна Ивановна Медведева. Именно к ней и обратился отец Алипий:

— Мне своих-то монахов, дураков, извините, не жалко. Потому что они все равно в Царствии Небесном прописаны. А вас, Анна Ивановна, и ваших начальников пустить не могу. Я ведь за вас на Страшном Суде и слов-то не найду, как отвечать. Так что простите, я вам врата не открою.

А сам — в очередной раз на самолет и в Москву. И опять хлопотать, обивать пороги и в очередной раз побеждать».

Как настоящий воин всегда безошибочно определяет врагов, так и отец Алипий был непримирим к сознательным разрушителям. Но с простыми людьми он вел себя совсем иначе, даже если те, по неразумию, не ведали, что творили.

Это может показаться странным после рассказанных здесь историй, но главным в жизни отца Алипия, по его собственным словам, была любовь. Она-то и являлась его непобедимым и непостижимым для мира оружием.

«Любовь, — говорил Великий Наместник, — есть высшая молитва. Если молитва — царица добродетелей, то христианская любовь — Бог, ибо Бог и есть Любовь... Смотрите на мир только сквозь призму любви, и все ваши проблемы уйдут: внутри себя вы увидите Царствие Божие, в человеке — икону, в земной красоте — тень райской жизни. Вы возразите, что любить врагов невозможно. Вспомните, что Иисус Христос сказал нам: "Все, что сделали вы людям, то сделали Мне". Запишите эти слова золотыми буквами на скрижалях ваших сердец, запишите и повесьте рядом с иконой и читайте их каждый день».

Однажды вечером, когда монастырские ворота были давно закрыты, к отцу наместнику прибежал перепуганный сторож и сообщил, что в монастырь ломятся пьяные военные. Позже выяснилось, что это были выпускники Псковского десантного училища, бурно праздновавшие окончание родного учебного заведения. Несмотря на поздний час, молодые лейтенанты требовали незамедлительно открыть им все храмы монастыря, устроить экскурсию и дать разобраться, где прячут своих монашек окопавшиеся здесь попы. Сторож с ужасом поведал, что пьяные офицеры уже раздобыли огромное бревно и в эти минуты, используя его как таран, выламывают ворота.

Отец Алипий удалился в свои покои и вернулся в накинутом на рясу военном кителе с рядами боевых орденов и медалей. Закутавшись поверх мундира в монашескую мантию так, чтобы регалий не было видно, он направился вместе со сторожем к Святым воротам.

Еще издалека наместник услышал, что монастырь штурмуют не на шутку. Подойдя, он велел сторожу открывать засовы. Через мгновение толпа разгоряченных лейтенантов, человек десять, влетела в обитель. Они угрожающе сгрудились вокруг закутанного в черную мантию старика-монаха, наперебой требуя показать монастырь, не устанавливать на советской земле свои церковные законы и не скрывать от будущих героев общенародное музейное достояние.

Отец Алипий, склонив голову, выслушал их. А потом поднял взор и скинул мантию... Лейтенанты вытянулись и онемели. Отец Алипий грозно оглядел всех и потребовал у близстоящего офицера его фуражку. Тот покорно отдал ее монаху. Отец Алипий убедился, что на внутренней стороне околыша, как и положено, нанесена чернилами фамилия офицера, и, развернувшись, направился к своим покоям.

Протрезвевшие лейтенанты поплелись за ним. Они бормотали извинения и просили вернуть фуражку. Молодые люди уже начинали догадываться, что впереди у них серьезные неприятности. Но отец Алипий не отвечал. Так юные офицеры дошли до дома наместника и в нерешительности остановились. Наместник открыл дверь и жестом велел всем войти.

В тот вечер он допоздна просидел с ними. Угостил так, как мог угощать только Великий Наместник.

Сам провел лейтенантов по монастырю, показывая древние святыни и рассказывая о славном прошлом и удивительном настоящем обители. Напоследок он по-отцовски обнял каждого и щедрой рукой одарил молодых людей. Те смущенно отказывались. Но отец Алипий сказал, что именно эти деньги, собранные их бабками, дедами и матерями, пойдут им на пользу.

Это был, конечно, особый случай, но отнюдь не единичный. Отец Алипий никогда не терял веру в силу Божию, преображающую людей, кем бы они ни были. По своему опыту он знал, как много вчерашних гонителей Церкви становились

тайными, а то и открытыми христианами — может быть, именно благодаря грозным словам правды и обличения, которые им приходилось выслушать от отца наместника. Спустя месяцы, а порой и годы вчерашние враги возвращались к отцу Алипию уже не ради притеснения монастыря, а чтобы увидеть в Великом Наместнике свидетеля иного мира, мудрого пастыря и духовника. Ведь без страха произнесенная правда, какой бы горькой и поначалу непонятной она ни казалась, навсегда остается в памяти человека. И будет обличать его до тех пор, пока он не примет ее или не отвергнет навсегда. То и другое — в полной власти каждого.

* * *

В своих письмах епископу Псковскому Иоанну архимандрит Алипий докладывал: «Газетные статьи переполнены незаслуженными оскорблениями и клеветой в адрес честных, добрых и хороших людей, оскорблениями матерей и вдов погибших воинов. Вот их "идеологическая борьба" — изгнание сотен и тысяч священников и клириков, причем самых хороших. Сколько их приходит к нам со слезами, что нигде не могут устроиться хотя бы на мирскую работу. У них жены и дети не имеют на что жить».

Вот заголовки центральных и местных изданий того времени: «Псково-Печерский монастырь — очаг религиозного мракобесия», «Аллилуйя вприсядку», «Нахлебники в рясах», «Лицемеры в рясах».

А вот еще одно послание к Псковскому епископу. В нем отец Алипий описывает очередное происшествие:

«Во вторник 14 мая сего 1963 года эконом игумен Ириней организовал, как и во все прошлые годы монастырской жизни, поливку и опрыскивание монастырского сада дождевой и снеговой водой, которую мы собираем благодаря нами сделанной запруде около беседки за крепостной стеной. Когда наши люди работали, к ним подошли шесть мужчин, потом еще двое; у одного из них была в руках мерка, которой они разделяли бывшую монастырскую огородную землю. Он стал ругаться на работающих и запрещать

Казначей
отец Нафанаил

качать воду, говорил, что это вода не ваша, приказывал прекратить качать. Наши люди пытались продолжить работать, но он подбежал к ним, схватил шланг и стал его вырывать, другой — с фотоаппаратом — стал фотографировать наших людей...

Эконом сказал этим неизвестным людям, что пришел наместник, идите и объясните все ему. Подошел один из них. Остальные стояли поодаль, фотографируя нас; их осталось трое.

— Кто вы и что от нас требуете? — спросил у них я.

Этот человек в шляпе не назвал своего имени и чина, а сказал мне, что мы не имеем права на эту воду и на эту землю, на которой стоим. Я добавил:

— Не смеете дышать воздухом и не смеете греться на солнце, потому что солнце, и воздух, и вода — все и вся ваше, а где же наше? — И переспросил его: — Кто ты и зачем пришел?

Он не сказал своего имени.

Я ему сказал:

—Я, Воронов Иван Михайлович, гражданин Советского Союза, участник Великой Отечественной войны, и мои товарищи, которые живут за этой стеною, ветераны и инвалиды Отечественной войны, многие — потерявшие руки и ноги, получившие тяжелые ранения и контузии, поливали эту землю своей кровью, очищали этот воздух от фашистской нечисти; а также мои товарищи, живущие здесь, труженики заводов, фабрик и полей, старые инвалиды и пенсионеры, старые отцы, потерявшие своих сыновей в боях за освобождение этой земли и этой воды, и все мы, проливавшие свою кровь и отдававшие свои жизни, не имеем права пользоваться своей землей, водой, воздухом и солнцем — всем тем, что вырвали у фашистов для себя, для своего народа? Кто вы? — снова спросил я. — И от чьего имени вы действуете?

Они стали лепетать, называя райкомы, обкомы и т.д.

Уходя от нас боком, человек в шляпе сказал: "Эх... батюшка!"

Я ответил, что батюшка я — для вон тех людей, а для вас я — русский Иван, который еще имеет силу давить клопов, блох, фашистов и вообще всякую нечисть».

* * *

«В начале 1975 года у отца Алипия был третий инфаркт, — рассказывал на проповеди в годовщину памяти Великого Наместника архимандрит Нафанаил. — Память смертную он имел заранее. Заранее был изготовлен ему гроб, по его благословению, и стоял у него в коридоре. И когда его спрашивали: "Где твоя келья?" — он показывал на гроб и говорил: "Вот моя келья". В последние дни его жизни при нем находился иеромонах отец Феодорит, он ежедневно причащал отца Алипия и как фельдшер оказывал ему медицинскую помощь. 12 марта 1975 года

в два часа ночи отец Алипий сказал: "Матерь Божия пришла, какая Она красивая, давайте краски, рисовать будем". Краски подали, но руки его уже не могли действовать, — сколько тяжелых снарядов он этими руками перетаскал к линии фронта в Великую Отечественную войну. В четыре часа утра архимандрит Алипий тихо и мирно скончался».

В те годы к отцу Алипию, советскому архимандриту, имевшему верных и преданных помощников и в военных кругах, и в высоких властных кабинетах, приезжало множество художников, ученых, политиков, писателей. В жизни некоторых из них он принял самое деятельное участие — и не только лишь материальное, а в первую очередь как священник, духовный пастырь. Но и они — люди самых разных, великих и обычных судеб — тоже духовно укрепляли его. В архиве архимандрита Алипия в Псково-Печерской обители хранится фрагмент рукописи А. И. Солженицына. Это небольшая молитва и принцип жизни, которому всегда следовал и сам Великий Наместник:

Как легко мне жить с Тобой, Господи!
Как легко мне верить в Тебя!
Когда расступается в недоумении
или сникает ум мой,
когда умнейшие люди
не видят дальше сегодняшнего вечера
и не знают, что надо делать завтра, –
Ты ниспосылаешь мне ясную уверенность,
что Ты есть и Ты позаботишься,
чтоб не все пути добра были закрыты.
На хребте славы земной
я с удивлением оглядываюсь на тот путь,
который никогда не смог изобрести сам, –
удивительный путь через безнадежность,
откуда я смог
послать человечеству отблеск лучей Твоих.
И сколько мне надо будет, чтоб я их еще отразил, –
Ты даешь мне.
А сколько не успею – значит,
Ты определил это другим.

Августин

Э та история произошла в 1986 году. Меня буквально месяц назад перевели из Псково-Печерского монастыря в Москву. Архиепископу Питириму, руководителю Издательского отдела Московского Патриархата, рассказали, что в Псково-Печерском монастыре, на коровнике, есть послушник с высшим кинематографическим образованием. Как раз в этот год государственные власти наконец разрешили Церкви подготовку к празднованию Тысячелетия Крещения Руси. Срочно понадобились специалисты: впервые предстояло показывать жизнь Церкви по телевидению, снимать фильмы о Православии. Вот я и попался под руку.

Для меня переезд обратно в город, откуда я несколько лет назад уехал в Псково-Печерский монастырь, был настоящей трагедией, но мой духовник отец Иоанн сказал: «Послушание превыше всего. Будь там, куда тебя поставило священноначалие». И все же, оказавшись в Москве, я пользовался любым случаем, чтобы хотя бы на денек вернуться в любимую обитель.

И вот однажды мне позвонил игумен Зинон, монах-иконописец, живший тогда в Псково-Печерском монастыре, и очень взволнованно, ничего не объясняя по телефону, попросил, чтобы я срочно приехал в монастырь. Не помню уж, под каким предлогом отпросился я у Владыки Питирима, но на следующее утро был в Печорах, в келье отца Зинона.

Что же рассказал отец Зинон? Под большим секретом он поведал мне, что несколько недель назад с гор в Абхазии, из тех мест, где на нелегальном положении вот уже несколько десятилетий тайно жили монахи, вынужден был спуститься в мир один инок. И он находится в серьезной опасности.

Монахи нелегально жили в горах возле Сухуми давно, еще с первых лет советской власти. Они навсегда уходили от мира в труднодоступные горные районы, укрываясь от властей мирских, а иногда и церковных. Среди них было немало настоящих подвижников, искавших уединения ради общения с Богом, непрестанной молитвы и созерцания. Другие уходили, протестуя против государственной и церковной неправды, рвали свои советские паспорта, боролись против экуменизма, соглашательства, словом, против всего того, о чем глухо роптал тогдашний церковный народ.

Года три назад мне довелось побывать в этих горах. По благословению духовника Троице-Сергиевой лавры архимандрита Кирилла и лаврского благочинного архимандрита Онуфрия мы с друзьями тайно перевозили туда на нелегальное положение одного монаха из Троице-Сергиевой лавры. Это особая история, но, во всяком случае, я хорошо знал и дом дьякона Григория в Сухуми на улице Казбеги, с которого начиналось почти всякое путешествие к кавказским вершинам, от легальной жизни в нелегальную, и два-три пристанища, где по дороге в горы христиане укрывали монахов. По крутым горным тропам, от одной кельи к другой, путники продвигались в труднодоступные и необычайно красивые места, где жили подвижники.

Власти, конечно, нещадно монахов преследовали. Их вылавливали, сажали в тюрьмы, но они все же продолжали жить здесь и были для многих одним из образов непокорившейся Церкви.

Так вот, отец Зинон рассказал, что один из этих монахов вынужден был спуститься с гор, а затем оказался в Печорах. Это был совсем еще молодой человек — двадцати двух лет. Звали его Августин. Я слышал о нем от монахов в Сухуми, но сам никогда не видел. Когда ему было четыре года, его мать стала монахиней. Она ушла в горы и взяла ребенка с собой. Мальчик был воспитан среди подвижников и в восемнадцать лет пострижен в монашество. Жил он в келье вместе с матерью, воспитывался под руководством горных старцев и не помышлял о том, чтобы оставить свое пустынное уединение.

Но вот однажды, когда он работал где-то на горных террасах в огороде, а мать хлопотала по хозяйству, на их келью набрели абхазские охотники. Они были пьяны и бесцеремонно потребовали от матери Августина приготовить им еду. Женщина, которая понимала свое бесправное положение (вернувшись в деревню, охотники могли донести о ней и сыне властям), собрала им на стол. Но незваные гости, наевшись и изрядно выпив, стали домогаться этой женщины. Тогда она сказала им, что лучше пусть они ее сожгут, чем надругаются. И обезумевшие от вина и страсти охотники облили ее керосином и подожгли...

Августин издалека услышал страшный крик своей матери. Он бросился к келье и увидел ужасающую картину: его мать, охваченная пламенем, мечется по их убогой хижине, а охотники, протрезвев, в панике гоняются за ней, пытаясь сбить огонь. Увидев вбежавшего в дом человека, охотники еще больше перепугались и бросились прочь. Августин наконец потушил горящую мать. Она была уже при смерти. Августин перенес мать в ближайшую деревню, в дом их друзей, но ей уже ничем нельзя было помочь. Монахиня умерла, причастившись Святых Христовых Таин и завещав сыну не мстить за себя, а молиться за ее несчастных убийц.

Но охотники, придя в себя после всего случившегося, встревожились не на шутку. Монахиней или не монахиней была эта женщина, легально она жила в горах или нет, но они понимали, что в случае огласки им придется по закону отвечать за убийство. И тогда они начали охоту на единственного свидетеля, то есть на Августина. Узнав об этом, старцы, руководившие жизнью молодого человека, сказали ему: «Они тебя все равно найдут. Лучше тебе спуститься с гор. Подвизайся где сможешь, но здесь они тебя убьют».

Августин послушался их совета. Вначале ему помогли добраться до Троице-Сергиевой лавры. Но жить там без паспорта было слишком опасно. И тогда его направили в Псково-Печерский монастырь.

Дело в том, что в Печерском монастыре уже жил один монах, спустившийся с гор. Он был очень стар, провел в горах больше сорока лет, а когда сильно заболел, старцы благословили ему лечиться в миру. Псково-Печерский наместник архимандрит Гавриил, тогдашний грозный и всесильный властитель Печор, сжалился над ним и нашел способ через областные власти, милицию и КГБ добиться разрешения для больного монаха, не имеющего никаких документов, беспрепятственно проживать в монастыре. Даже паспорт ему справили с помощью отца наместника. Так он и жил в богадельне, в Лазаревском корпусе монастыря.

В надежде на такую же помощь отец Зинон, к которому привезли Августина, подвел молодого монаха к отцу наместнику. Но тот, видимо, был в этот день сильно не в духе. Лишь взглянув на Августина, он гневно закричал: «Какой это монах? Водят тут всяких бродяг и жуликов! В милицию его!» Отец Зинон еле успел утащить растерявшегося и испуганного Августина в свою келью.

— У-у, этот Гавриил — чекист! — сокрушался отец Зинон. — И как я додумался повести к нему этого ангела?

А о том, что юный монах — просто равноангельское существо, отец Зинон рассказывал совершенно потрясенно:

— Ты представить не можешь, что это за человек! Он ест в день не больше, чем пятилетний ребенок. Глаза — чистейшие, ангельские. Непрестанно пребывает в молитве!

Отец Зинон даже прибавил:

— Это единственный настоящий монах, которого я встречал за свою жизнь.

Конечно, сказал он это сгоряча, в сильном огорчении от грубого приема отца наместника. Но как бы то ни было, по его словам, все, кто видели Августина, были по-настоящему поражены. Жаль, что в эти дни в монастыре не было братского духовника архимандрита Иоанна (Крестьянкина). Он мог бы как никто другой дать правильный совет, что делать дальше с этим удивительным юношей-монахом.

Я спросил, где сейчас отец Августин. Оказалось, отец Зинон после инцидента с наместником отправил его от греха подальше из Печор в Москву к своим духовным детям — Владимиру Вигилянскому и его жене.

На следующий день, вернувшись в столицу, я познакомился с этой супружеской четой. Сегодня отца Владимира Вигилянского знают многие — он руководит пресс-службой Патриарха. А тогда он был просто Володей, научным сотрудником Института искусствознания, и жил со своей женой Олесей и с тремя маленькими детьми в писательском доме на проспекте Мира. Их соседями были такие знаменитости, как Булат Окуджава, космонавт Леонов, спортивный комментатор Николай Озеров. Именно в квартире

Олеся и Владимир
Вигилянские

Вигилянских на девятом этаже, как особую драгоценность, и укрывали отца Августина. Мне, конечно,
не терпелось его увидеть.

И вот наконец в комнату зашел, словно человек из другого мира, молодой монах с длинными, распущенными по плечам волосами и с огромными синими-синими глазами. Мы поздоровались с ним особым, принятым у горных монахов образом. Олеся и Володя с восхищением смотрели на нас. Мы уселись за стол, и я стал расспрашивать его об общих знакомых, живущих там, у высокогорной реки Псоу, — об отцах Мардарии, Оресте, Паисии, маленьком отце Рафаиле (Берестове). Августин отвечал немногословно и спокойно: он знал этих людей с детства. Закончив разговор, он ушел в свою комнату.

А мы остались под удивительно светлым впечатлением от этой встречи и под тяжестью неразрешимого вопроса: что же сделать, чтобы ему помочь? Напомню, на дворе был тысяча девятьсот восемьдесят шестой год. Если его, человека в подряснике (а в светской одежде он выходить на улицу категорически отказывался), не имеющего документов, остановит для проверки милиция, он будет сразу задержан. Как объяснили Володе Вигилянскому знакомые юристы, отца Августина в первую очередь «пробьют» по всем нераскрытым за последние лет пять уголовным делам от Калининграда до Владивостока. И надо отдавать себе отчет: при желании на него удобно будет списать не одно тяжкое преступление.

При мысли, что этот монах-подвижник, ничего не понимающий в мирской жизни ангел-маугли, воспитанный в горах на книгах святых отцов, окажется в камере предварительного заключения или в нашей армии, куда двадцатидвухлетний здоровый молодой человек попал бы по-всякому, мы приходили в ужас! А если произойдет самое страшное и он окажется в тюрьме — чистый, безгрешный подвижник, всю свою юную жизнь отдавший Богу?..

В течение нескольких дней мы судорожно пытались найти выход из этого положения. Владимир ездил советоваться с лаврскими духовниками. Мы привлекли своих друзей, у которых были знакомые юристы. Кто-то пообещал задействовать даже Аллу Пугачеву — на случай, если надо будет вызволять Августина из милиции...

А отец Августин жил своей жизнью. Молился в своей комнате, которую мы сразу стали называть кельей, и ждал нашего решения. Наблюдая за ним, я заметил, насколько порой разные традиции существуют в обычных монастырях и в горных кельях. Например, я вдруг случайно увидел, что отец Августин носит под подрясником священнический крест с украшениями.

—Откуда он у тебя? Или ты тайный священник? — спросил я, зная, что и такое иногда бывает.

—Нет, я не священник, — отвечал Августин. — Это мой старец, умирая, благословил мне свой крест. И велел, когда я буду священником, носить его уже открыто. А до этого времени его крест будет меня хранить.

Или у него было красивое кадило, и он каждый день кадил свою келью, для чего просил нас достать уголь и ладан. Такого в наших монастырях я не видел. Или — как-то я предложил ему вместе почитать кафизмы* и был очень удивлен, что отец Августин делает немало ошибок. Я даже чуть было не осудил его — монаха, так плохо знающего Псалтирь. Но поспешно одумался, догадавшись, что в абхазских горах его попросту некому было учить правильному церковнославянскому языку.

* *Кафизма — раздел Псалтири.*

Так проходили дни. И вот постепенно мы стали замечать, что отец Августин меняется. Точнее, называя вещи своими именами, портится в нашей компании! Мы-то ведь, в отличие от него, были далеко не ангелами. А как написано в Псалтири: «С преподобным преподобен будеши, с мужем неповинным неповинен будеши, со избранным избран будеши, а со строптивым развратишися». Последнее было как раз про нас: мы каждый день наблюдали плоды нашего пагубного влияния. Скажем, как-то после долгого обсуждения всевозможных планов по спасению отца Августина, так ни к чему и не придя, мы решили хотя бы полакомиться мороженым. Ореховое мороженое за двадцать восемь копеек неожиданно так понравилось нашему монаху, что он съел подряд пять порций, а потом стал каждый день посылать Володиного сынишку Нику в ближайший киоск. Отказать ему было неудобно, и мы с ужасом наблюдали, как самым настоящим образом соблазнили отца Августина: он мог есть это проклятое мороженое двадцать четыре часа в сутки!

Мальчик Ника теперь вырос, окончил институт и служит дьяконом, но очень хорошо помнит, как со слезами каялся, что скармливал горному подвижнику немереное количество мороженого.

Или, например, у Олесиного брата был магнитофон. И вдруг мы видим, как Августин подсаживается к нему и они вместе слушают «Битлз»!.. Это повергло нас в тягчайший шок. Мрачные и беспомощные, мы вновь и вновь собирались на совет в квартире Вигилянских. К тому времени к нашей компании присоединились мои друзья супруги Чавчавадзе, Елена и Зураб, и игумен Димитрий из Троице-Сергиевой лавры (теперь он архиепископ Витебский).

Последним ударом лично для меня стал случай, когда отец Августин вдруг радостно закричал с балкона:

— Смотрите, Николай Озеров!

Я был потрясен. На балконе соседской квартиры этажом ниже действительно стоял легендарный спортивный комментатор и, добродушно посмеиваясь, кивал узнавшему его монаху. Но дело было не в этом.

— Какой Николай Озеров? Ты-то откуда знаешь? Какие тебе — николаи озеровы?! — заорал я, утаскивая его с балкона.

Тут же все объяснилось: отец Августин нашел подшивки «Огонька» и часами, в одиночестве коротая время, по многу раз просматривал журналы в своей келье.

Я понял, что надо безотлагательно, как можно скорее избавить непорочного монаха от нашего общества. Иначе нам прощения не будет.

Среди всех этих невеселых событий вдруг пришло и решение. Его нашел Зураб Чавчавадзе. (Он и его супруга Елена и сегодня прихожане нашего Сретенского монастыря.) Зураб предложил отвезти отца Августина в Тбилиси к Грузинскому патриарху Илие.

Это была действительно прекрасная идея. Те, кто жил в Советском Союзе, помнят, что Грузия оставалась во многом особой территорией внутри нашей огромной страны. Там возможно было многое, о чем нельзя было даже помыслить, скажем, где-нибудь в Псковской области, в Сибири или на Дальнем Востоке. Например, «натурализовать» человека, выправить ему документы. Тем более что отец Августин всю свою сознательную жизнь прожил на канонической территории Грузинского Патриархата. Сам Зураб несколько лет служил у Святейшего Илии иподьяконом. Патриарх уважал древний род князей Чавчавадзе, и Зураб был уверен, что патриарх Илия захочет и сможет помочь нам и сделает то, что было практически невозможно в Москве.

* * *

Итак, отвергнув сомнительный вариант с покупкой фальшивого паспорта, а также другой, связанный с надеждой на понимание и милость со стороны государственных органов, и третий, по которому мы и дальше бы без конца прятали отца Августина по квартирам, решено было остановиться на поездке в Грузию. Отец Августин, помолившись, согласился. Оставалась только одна загвоздка: чтобы поехать на неделю в Грузию, мне требовался веский довод. Рассказывать моему руководителю Владыке Питириму историю о подпольном монахе Августине я не считал возможным, чтобы не ставить ответственного церковного иерарха, постоянно находившегося под наблюдением спецслужб, в затруднительное положение.

И тут мне пришла на ум мысль — в рамках программы подготовки к Тысячелетию Крещения Руси снять фильм о единстве Церквей Грузии и России. Надо сказать, что чиновники из Совета по делам религий — надсмотрщика над церковной жизнью — несколько раз настойчиво просили меня сделать экуменическую ленту. Воспитанный в Печорах на монашеском решительном антиэкуменизме, я категорически отказывался от всех их предложений. Но сейчас у меня созрел план представить фильм о церковном единстве Грузии и России как экуменический и получить поддержку Совета и в поездке, и в съемках.

Сценарий я написал за ночь. Образы в фильме были такие: символы России — пшеница и хлеб, символы Грузии — виноград и вино. Русский крестьянин вспахивает землю, сеет зерно, жнет, собирает снопы, молотит, мелет муку... В Грузии — крестьянин виноградную косточку в теплую землю зарывает, вырастает лоза, потом собирают гроздья, мнут виноград ногами в огромных чанах... Все это очень красиво и, чувствуется, ведет к какой-то очень важной цели. И наконец она проясняется: высшая цель этого древнего и великого труда — литургия, Хлеб и Вино, святое возношение Евхаристии! Вот — истинное наше единство!

Владыке Питириму сценарий очень понравился, и он, при своем умении, быстро убедил чиновника Совета по делам религий, что наконец-то будет сниматься долгожданный экуменический фильм. Хотя будь чиновник пообразованнее, он бы понял, что никакого отношения к экуменизму этот сценарий

не имеет, ведь Русская и Грузинская Церкви — Православные, а экуменизм подразумевает общение с инославными.

Но главное — вопрос с поездкой в Грузию мгновенно уладился. Хотя тут же возник другой: прежде чем ехать в Грузию, надо было срочно снять уборку хлеба в России. Иначе пришлось бы ждать целый год, до будущего урожая. Здесь-то и была проблема. На дворе — начало сентября, и в Центральной полосе, не говоря уже о юге страны, весь хлеб давно собрали. Я позвонил в Министерство сельского хозяйства, чтобы узнать, где сейчас еще убирают пшеницу. Но там, на беду, меня приняли за проверяющего и отрапортовали: зерновые на всей территории Советского Союза успешно собраны и засыпаны в закрома. Как я ни упрашивал открыть хоть один захудалый, нерадивый колхоз, где сейчас можно снять уборку пшеницы, сотрудники министерства стояли насмерть и клялись, что такого безобразия они никогда бы не допустили. Наконец мне повезло: в редакции газеты «Сельская жизнь» надо мной сжалились и сообщили, что, по их данным, единственное место в СССР, где еще убирают хлеб, это Сибирь, а точнее, один из районов Омской области. И если вылететь туда буквально сегодня, то можно успеть.

В тот же вечер мы с оператором (которого звали, как сейчас помню, Валерий Шайтанов) примчались в Домодедово и там сумели сесть на ближайший самолет в Омск. А Зураб Чавчавадзе тем временем должен был купить билеты на экспресс до Тбилиси, который отправлялся через два дня. Тогда при покупке железнодорожных билетов, в отличие от авиационных, не требовали паспортов, и мы могли не бояться за Августина.

В Омске, предупрежденные Советом по делам религий, нас уже ждали с известием, что в трехстах километрах от города есть хозяйство, где еще день или два будут убирать пшеницу. В этот дальний колхоз на архиерейской «Волге» нас повез водитель Омского архиепископа Максима дьякон Иоанн. Самого архиерея в городе не было. Недавно решением Синода его перевели в одну из белорусских епархий. А в Омск был назначен архиепископ Феодосий из Берлина. Как говорили тогда, «в Сибирь на покраснение». Но он, видимо, «на покраснение» не торопился и в город пока не прибыл. Так что всю церковную власть для нас в Омской епархии представлял дьякон Иоанн, он же наш водитель.

Мы с Шайтановым отлично все сняли — и необозримое пшеничное поле на закате, и налитые колосья, и дружную уборку комбайнами, и ток, и золотистые зерна, и радостные, красивые лица крестьян...

К вечеру мы, довольные и усталые, мчались на архиерейской машине в Омск, чтобы ночью вылететь в Москву. Завтра вечером предстояла поездка в Тбилиси. Шайтанов дремал на заднем сиденье, а мы с дьяконом болтали обо всем на свете. Когда все темы были исчерпаны, дьякон попросил:

— Пожалуйста, поговори со мной еще о чем-нибудь, а то я усну за рулем.

Я понял, что ему просто хочется послушать какие-то столичные истории, и не стал отказывать отцу дьякону в этом удовольствии. Я рассказывал подряд все, что вспоминалось из московской церковной жизни, пока наконец не поведал о том, что недавно вокруг Владыки Питирима крутился жулик, который выдавал себя за сына последнего императора. Дьякон оживился:

— И у нас такое тоже бывает — жулики! С год назад в одном храме объявился парнишка-сирота. Бабки его приютили. Он стал помогать — дрова колол, подсвечники чистил, научился пономарить, читать на клиросе. В такое доверие вошел к настоятелю и старосте, что они ему даже передали деньги — заплатить взнос на Фонд мира. Это было как раз в их престольный праздник. Мы с Владыкой в тот день отслужили там всенощную, а наутро приезжаем к литургии — а церковь ограблена! Этот парнишка и деньги церковные украл, и крест взял с престола, и еще много чего...

— Неужели даже с престола взял? — поразился я.

— А главное, — тут дьякон совсем разволновался, — подрясник мой украл! Я, дурак, его в храме после всенощной оставил. А какой подрясник был! Пуговицы к нему мне Владыка из-за границы привез. Какие были пуговицы! Никогда больше таких у меня не будет. Если с одной стороны на них посмотреть, они зеленым переливаются, если с другой — красным...

«Да, любят некоторые представители нашего духовенства такие щегольские штучки, — размышлял я, уже не слушая дьякона. — То пояс расшитый в пол-живота, то вот теперь пуговички... Пуговички...»

Мне вдруг припомнилось, что совсем недавно я где-то видел подрясник как раз с такими забавными пуговичками... Но где, на ком? И вдруг я совершенно отчетливо вспомнил: такие пуговицы были на подряснике... отца Августина. Я тогда еще очень удивился: горный монах — и в таком «модном» подряснике. Но на мой недоуменный вопрос отец Августин ответил тогда очень просто:

—Какой подрясник благодетели пожертвовали, такой и ношу. В горах магазинов нет.

Я тогда еще каялся про себя: «Вот — опять осудил!.. Пуговицы, видишь ли, не те!»

Но все же — не для чего-нибудь, а так, чтобы развеять мимолетно нашедшую глупую мысль, я спросил у дьякона, как выглядел этот парнишка-сирота, унесший из храма и крест с престола, и подрясник. И по мере того как отец Иоанн охотно его описывал, я медленно сползал с сиденья. Он описывал Августина!..

Я не верил своим ушам. Перебив дьякона, я почти закричал:

—А мороженое он любит?!

Водитель с удивлением взглянул на меня и ответил:

—Любит? Да дай ты ему сто порций, он все их слопает! Бабки над ним смеялись, что он за мороженое мать родную продаст.

Поверить в это было совершенно невозможно!

— Подожди, — сказал я, — а что он еще украл в храме?

— Что еще украл? — переспросил дьякон. — Сейчас припомню, нас по этому делу месяца два в милицию таскали. Взял он кадило — золотое, архиерейское...

— С бубенчиками? — прошептал я.

— С бубенчиками. Орден князя Владимира второй степени — настоятель получил в прошлом году. Так... еще что?.. Деньги, три тысячи, — собирали на Фонд мира. И крест с украшениями.

— А как выглядел крест? Были у него какие-то повреждения?

— Насчет креста — не знаю. А тебе это зачем?

— А затем, что, кажется, этот сирота в твоем подряснике сейчас сидит у меня в Москве!

Теперь пришел черед удивляться дьякону. Я как мог рассказал ему всю историю и попросил как можно быстрее доставить меня к тому настоятелю, чей храм был обворован. У священнического креста, по словам Августина, благословленного ему старцем, была одна особенность: подвеска из зеленого камня наполовину отколота.

Священник сначала даже не хотел говорить с нами: так он был запуган во время следствия. Ведь его подозревали в воровстве из собственного храма. Но в конце концов он описал украденный крест. Камень на подвеске был отколот...

Ночью я возвращался самолетом домой. Но спать, конечно, не мог. Единственное место во всем Советском Союзе, где до вчерашнего дня убирали пшеницу, была Омская область. Единственным человеком, который с охотой рассказывал об этом воре, был мой водитель-дьякон. Да и то оттого, что никак не мог забыть свои драгоценные пуговички. И потому еще я имел возможность все это от него услышать, что старый Омский архиерей уехал в другую епархию, а новый еще не прибыл — иначе возил бы отец дьякон не московского мальчишку-послушника, а своего Владыку. Да и как мне вообще пришел в голову этот сценарий с вином и хлебом? Неужели только для того, чтобы прилететь сюда и все узнать?..

Но что я вообще знаю? И в чем уверен? Кто такой Августин? Злодей, за которым могут быть убийства, кровь, насилия? Или все это — бесовская прелесть?! И наш Августин — настоящий монах и подвижник, человек, который знает моих знакомых и любимых горных монахов: отца Паисия, отца Рафаила?..

Чем дольше я размышлял обо всем этом в ту бессонную ночь, глядя в черное звездное небо за иллюминатором, тем яснее для меня становилось: в далекий сибирский город из Москвы меня привела всесильная рука Промысла Божия! И ничто, ничто не было случайным!

Теперь яркими всполохами для меня становились понятны странности Августина: его плохое чтение на церковнославянском, его священнический крест, архиерейское кадило, любовь к мороженому, восторг по поводу встречи со знаменитым спортивным комментатором Николаем Озеровым и многое другое. А мы изо всех сил во всем этом странном и непонятном его оправдывали! Да еще и боялись — как бы не осудить! А может быть, именно за боязнь осуждения Господь так чудесно открывает нам правду? И может быть, еще потому, что было бы слишком ужасно, если бы мы с Зурабом Чавчавадзе все же отвезли его к патриарху Илие и тот поручился бы за него и помог оформить документы. Как бы мы подвели патриарха, страшно даже представить!..

И вновь, опять и опять, я возвращался к навязчивой мысли: что же это за человек? Почему он скрывается? Почему все время около Церкви? Какие на самом деле за ним тянутся преступления? И хотя разум подсказывал: все, что я узнал в Омске, где был впервые в жизни и провел всего лишь сутки, — правда, сердце отказывалось в это верить. Слишком чудовищными и невозможными были бы и наше разочарование, и его, Августина, коварство.

Необходимо было еще раз спокойно и до конца во всем разобраться. Я припомнил, что Августин рассказывал, как жил перед приездом в Печоры в Троице-Сергиевой лавре. Сразу по прилете в Москву я распрощался со своим кинооператором и из аэропорта на такси помчался в Загорск.

Я хорошо знал тогдашнего благочинного лавры архимандрита Онуфрия, замечательного монаха и духовника, который несет сегодня послушание митрополита Черновицкого и Буковинского. Когда я расска-

Митрополит Онуфрий

зал ему всю историю, он сразу припомнил, что какой-то довольно странный молодой иеродьякон из Омской епархии, по описаниям похожий на Августина, действительно жил в лавре месяца три назад. Отец Онуфрий пригласил своего помощника иеромонаха Даниила (он сейчас архиепископ в Архангельске), и мы подробно расспросили его. Он-то как раз и опекал тогда омского гостя.

Отец Даниил рассказал, что в начале лета в лавру приехал никому не известный, совсем молоденький иеродьякон из Омской епархии. Он назвался отцом Владимиром. По дороге его обокрали, поэтому у него не было ни документов, ни денег, а из облачения — лишь подрясник. Сердобольные лаврские монахи сжалились над собратом. Его отвели в монастырскую рухольную*, где быстро подобрали подходящие клобук, рясу и мантию. Так что спустя полчаса гость предстал перед наместником лавры уже в полном монашеском облачении. Ему благословили пожить в лавре, пока он будет восстанавливать документы.

Отец Даниил говорил, что это был обычный молодой монах, но с некоторыми странностями. Впрочем, как многие молодые провинциалы, которых архиереи рукополагают в столь юном возрасте. У него, к примеру, был орден князя Владимира — очень высокая награда, которой не часто удостаиваются и маститые протоиереи. На недоуменный вопрос по этому поводу он ответил, что его наградили орденом за восстановление храма в Омской епархии. «Совсем молодой, а уже успел такое большое дело сделать!» — восхищались монахи. Но более всего удивляло отца Даниила то, что иеродьякон совсем не участвовал в богослужениях, а скромно

* Рухольная — вещевой склад.

стоял где-то в уголочке. А когда предлагали послужить, отказывался, ссылаясь на недомогание или на свое недостоинство предстоять перед престолом. В конце концов лаврские монахи, заботясь о духовной жизни юного собрата, решительно настояли, чтобы он служил воскресную литургию.

— И он служил?! — в один голос спросили мы с отцом благочинным.

— Служил, — отвечал отец Даниил, — правда, не у нас в лавре, а в соседнем приходском храме. Но что это была за служба?.. Вот уж действительно архиереи в епархиях рукополагают совсем необученных кандидатов. Ну ничегошеньки не знал! Ни как облачение надеть, ни как на ектенью выйти. Все пришлось делать вместе с ним. У нас в семинарии с такой подготовкой не то что до рукоположения, до экзаменов бы не допустили!

Тут уж мне стало совсем не по себе. Служить, причащаться священническим чином, не будучи рукоположенным... Это просто не вмещалось в сознании.

— А куда он потом делся? — спросил отец Онуфрий.

— С документами у него как-то не получалось. Жаловался, что затягивают омские бюрократы. Спрашивал, нельзя ли как-то сделать документы здесь, в Загорске, и даже кого-то нашел. Но ничего в конце концов не вышло. Прожил он в городе около месяца, снимал угол у каких-то бабушек. Я подружился с ним, помогал чем мог. А потом он уехал в Абхазию, в горы. Очень он интересовался жизнью пустынников, все время о них расспрашивал. Кстати, около месяца назад я получил от него открытку. Он сообщает, что благополучно добрался до Сухуми, но в конце довольно странная приписка: «А теперь у меня новая кличка — Августин».

* * *

Итак, ситуация, с помощью Божией, становилась все более понятной. Некий человек, предысторию которого мы не знаем, появляется в Омске. Там выдает себя за сироту и восемь месяцев живет при храме. Затем совершает ограбление, после чего приезжает в Троице-Сергиеву лавру, где представляется иеродьяконом Владимиром. Пытается как-то добыть себе документы, а когда это не получается, отправляется в Сухуми. Жизнь горных монахов, вне советского официоза и, что особо важно, безо всяких документов, по-видимому, очень заинтересовывает его. Но, побывав среди отшельников, он быстро понимает, что долго в таких аскетических условиях (да еще и при полном отсутствии мороженого) не выдержит. И тогда, услышав о действительно произошедшей трагической истории монаха Августина, он решает выдать себя за него. А еще ему становится известно, что наместник Псково-Печерского монастыря архимандрит Гавриил, несмотря на свою репутацию жестокого деспота, не только с любовью принял спустившегося с гор больного монаха-старика, но и, обойдя все препоны, выхлопотал для него паспорт.

Он выезжает в Печоры. Там вначале все идет как по маслу — монахи верят в его легенду и горячо берутся ему помогать. Но тут происходит осечка: единственным человеком, который сразу же его раскусил, — «Какой это монах? Это жулик! В милицию его!» — оказывается тот самый «недуховный», «зверь» и «деспот» архимандрит Гавриил. Как потом объяснил мне отец Иоанн (Крестьянкин), Матерь Божия, Небесная Покровительница Псково-Печерской обители, духовно открыла отцу Гавриилу, как Своему наместнику, что это за человек. Между тем добрые иноки, возмущенные жестокостью мракобеса-наместника, спасают Августина из его когтей и спешно отправляют в Москву. А дальше мы всё уже знаем.

Но конечно же далеко не всё! Нам неизвестно главное — кто такой Августин на самом деле? Что он делал до того, как оказался в Омске? И на что решится, когда поймет, что нам открыта правда о нем? А вдруг у него есть оружие? А что если, когда мы разоблачим его, он схватит ребенка — например, четырехлетнюю Настю, дочку Володи, — приставит

Слева направо: Саша, Настя и Ника

пистолет или нож и скажет: «Ну, ребята, поиграли, а теперь будете делать то, что я скажу!»

Но, несмотря на неопровержимые доводы, я до конца так и не верил, что наш отец Августин — лжец и преступник! Отец Августин, которого мы успели полюбить, с которым вместе молились, пили чай, спорили, обсуждали духовные вопросы? Быть может, это какое-то страшное наваждение? Всего лишь череда поразительных совпадений, и я, грешник, осуждаю чистого, неповинного человека? Эти сомнения ни на мгновение не оставляли мою несчастную голову. Наконец я пришел к твердому решению, что не могу обвинять его ни в чем до тех пор, пока сам полностью не буду во всем убежден. Как это случится? Но, если уж Господь открыл то, что стало известно за последние два дня, Он откроет и остальное!

Вечером нас ждал поезд в Тбилиси, а в Издательском отделе лежало письмо от Владыки Питирима патриарху Илие, где архиепископ просил оказать мне помощь в съемках фильма «Евхаристия».

Я обзвонил своих друзей, которые принимали участие в судьбе отца Августина, и попросил их собраться у Володи Вигилянского сегодня вечером, чтобы в последний раз все обсудить перед поездкой.

Я уже знал, что буду делать. Когда мы, вместе с Августином, соберемся и рассядемся за столом, я сообщу, что только что прибыл из Омска. А сам буду внимательно следить за реакцией отца Августина. Потом предложу послушать историю о том, как в Омске десять месяцев назад появился молодой человек, как он пришел в церковь и назвался сиротой. Расскажу, как над ним сжалились, помогли с жильем и работой, как он вошел в доверие к настоятелю и старосте и как потом безжалостно обокрал храм, унес утварь, собранные прихожанами деньги и даже взял крест, и не откуда-нибудь, а со святого престола! Все начнут охать и ахать, выражать негодование по поводу такого кощунственного поступка. А я продолжу.

— Вот еще одна история, — скажу я. — Один человек приезжает в Троице-Сергиеву лавру и выдает себя за иеродьякона, не будучи рукоположенным. Больше того, он дерзает служить литургию!

Здесь, конечно, все будут просто потрясены! А я снова продолжу, по-прежнему наблюдая за Августином:

— А вот еще история. Один человек приехал в горы, туда же, где и ты подвизался, отец Августин. И, узнав немало подробностей о жизни иноков, стал выдавать себя за горного монаха, чтобы замести следы своей прошлой жизни и попытаться получить документы на чужое имя. И представьте, героем всех этих историй является один и тот же человек!

Кто-то обязательно воскликнет, скорее всего Олеся или Лена Чавчавадзе:

— Так кто же это?

А я обращусь к Августину:

— Отец Августин, как ты думаешь, кто же это? Здесь уж не выдать себя будет невозможно!

— Кто?.. — еле шевеля губами, переспросит Августин.

И тут я отвечу, как следователь Порфирий Петрович в «Преступлении и наказании» у моего любимого Достоевского:

— Как кто? Да это ты, отец Августин! Больше и некому!

Здесь уж, по его реакции, все сразу должно стать понятным, скрыть свои чувства будет просто невозможно!

До сбора приглашенных друзей оставалось два часа. Войдя в квартиру Вигилянских, я сразу предложил отцу Августину съездить со мной на такси в Издательский отдел за письмом к патриарху Илие. Тот с радостью согласился прокатиться на машине и заодно посмотреть издательство.

Тут мне пришла в голову мысль, что после разоблачения ему, возможно, удастся сбежать и он снова будет совершать преступления в Церкви. Поэтому я предложил:

—Отец Августин, давай сфотографируемся! И Олесе с Володей оставим фотографию на память.

Он, подумав, нехотя согласился. А я взял и зачем-то брякнул:

—Да и если милиция нас задержит, не надо будет пленку тратить — сразу снимемся в профиль и анфас.

Сказал и тут же пожалел об этом. Августин взглянул так недобро, что мне стало не по себе. Как мог, я перевел слова своего глупого тщеславия на шутку. К счастью, это удалось. Августин разрешил нам сфотографироваться с ним, хотя время от времени недоверчиво поглядывал на меня. Он явно начинал тревожиться.

Улучив минуту, пока он собирался, я отвел Володю на кухню и, закрыв за собой дверь, шепотом сказал:

—Августин, скорее всего, не тот человек, за кого себя выдает! Вполне возможно, он какой-то страшный преступник! Я не шучу. Мы с ним сейчас уедем, а ты срочно обыщи его вещи, вдруг там оружие или что-то такое.

Володя вытаращил на меня глаза и с минуту не мог произнести ни слова. Потом он открыл рот:

— Ты соображаешь, что говоришь?! Ты сумасшедший? Как ты вообще представляешь, чтобы я — и обыскивал чужие вещи?

— Слушай! — сказал я. — Брось свои интеллигентские заморочки! Все слишком серьезно. Речь может идти о жизни твоих детей.

Наконец Володя начал что-то понимать. Не говоря больше ни слова, я прихватил отца Августина и уехал с ним на такси в Издательский отдел.

По дороге мы о чем-то болтали, потом поели мороженого — я хотел дать Володе побольше времени. А когда вернулись, хозяин квартиры предстал перед нами белый как мел. Я быстрее поволок его на кухню, а Августину крикнул, чтобы он встречал гостей.

На кухне Володя еле прошептал:

— Там документы на имя какого-то Сергея (Володя назвал фамилию), крест напрестольный,

Зураб
и Елена
Чавчавадзе

деньги — две с половиной тысячи рублей, орден князя Владимира... Что вообще происходит?!

— Оружие есть? — спросил я.

— Оружия нет.

В прихожей раздался звонок. Это приехал игумен Димитрий из Троице-Сергиевой лавры. Мы слышали, как его встретил Августин и как они прошли в гостиную.

Но даже несмотря на новые разоблачающие находки, мне все равно до конца не верилось в реальность происходящего! Я поделился своими ощущениями с Володей. Он, который своими глазами только что видел и документы, и крупную сумму денег, тоже не в состоянии был поверить, что Августин не тот человек, за которого себя выдает.

Приехали Зураб и Лена Чавчавадзе.

Когда мы с Володей вошли в гостиную, все были в сборе. Детей мы отправили гулять.

— Ну и что ты нас собрал? — недовольно спросил игумен Димитрий. Ему пришлось ехать дольше всех, из лавры.

Я взглянул на отца Августина. И сразу понял: он обо всем догадался и все — на самом деле правда! И еще я понял, что если сейчас начну свою историю со следователем Порфирием Петровичем, то ситуация будет разворачиваться именно так, как я и намечал, вплоть до «Да это ты, отец Августин! Больше и некому!» С соответствующей реакцией и Августина, и остальных присутствующих. И вдруг мне стало его по-настоящему жалко. Хотя, признаться, было и еще одно чувство — торжество. Торжество охотника, который видит, что еще мгновение — и добыча у него в руках. Но это чувство было явно не христианским.

Поэтому я, отбросив все задуманное и так тщательно отрепетированное, обратился к нему с одним лишь словом:

— Сережа!

Он смертельно побледнел.

Что тут началось!.. Все вскочили на ноги и все кричали:

— Какой Сережа?! Что тут происходит?! Вы, оба — немедленно всё объясните!!!

Только мы с ним сидели и молча смотрели друг на друга. Когда наконец все немного успокоились, я обратился к нему:

— Сегодня утром я вернулся из Омска. Там я получил последние, недостающие факты из твоей истории. Самое правильное, что я должен сейчас сделать, это набрать номер 02 — и через пять минут здесь будет милиция. Но все же мы даем тебе последний шанс. Ты видел, как искренно мы старались тебе помочь. Если ты сейчас расскажешь всю правду — с самого начала и до конца, — мы, может быть, решим снова выручить тебя. Но если ты солжешь хоть одним словом, я тут же снимаю трубку и звоню в милицию. Мне не надо объяснять, что в этом случае тебя ждет. Сейчас все зависит только от тебя.

Сергей молчал долго. Мои друзья тоже молчали и изумленно смотрели на него, своего любимого «горного монаха», «ангела-маугли»... А я с замиранием сердца в этой полной тишине ждал его решения.

Потом он сказал:

— Хорошо, я все расскажу. Но с одним условием: если вы гарантируете, что не сдадите меня в милицию.

— Гарантия у тебя, Сергей, теперь только одна — твоя абсолютная честность. Как только я увижу, что ты врешь, сюда приедет милиция.

Он опять надолго задумался. Видно было, что он лихорадочно высчитывает, можно ли ему как-то выкрутиться или хоть что-то выиграть. Наблюдать за этим было настолько неприятно, что улетучивались последние остатки жалости к нему.

— С чего начать? — наконец спросил он, вопросительно взглянув на меня.

В вопросе был явный подвох. Он хотел прощупать, что я действительно знаю.

— С чего хочешь. Можешь — с того же Омска. Можешь — с Сухуми. А можешь — и с твоих похождений в лавре. Но лучше давай с самого-самого начала!

По тому, как он с досадой опустил голову, я с облегчением понял, что попал в цель. Хотя и последними патронами — больше ведь у меня в запасе ничего не было.

И Сергей стал рассказывать.

Он был преступником, мошенником, вором. Воровал с детства, а в восемнадцать лет укрылся от неминуемой тюрьмы, попав под призыв в армию. Но там его сразу заприметил бойкий начальник полкового склада, и они вместе стали с усердием распродавать армейское имущество. Среди их клиентов был, между прочим, и соседний батюшка, занимавшийся ремонтом полуразвалившегося храма. В те годы купить на нужды церкви стройматериалы без особой санкции уполномоченного Совета по делам религий было невозможно, и батюшка по обыденным советским привычкам закупал у Сергея и кирпич, и цемент, и доски. Сергей иногда приходил к священнику домой и был по-настоящему тронут его искренней добротой и участием, отцовской заботой о «солдатике». А еще его удивляло,

Троице-Сергиева лавра

что батюшка трудится не для себя — жил он бедно, — а для храма, для веры.

Но однажды в полк нагрянула ревизия. Очень быстро Сергей сообразил, что друг-начальник, чтобы уцелеть, сдаст его с потрохами. И, недолго думая, он прихватил выручку, сел на первый попавшийся поезд и поехал куда подальше. Поезд привез его в Омск. Идти было некуда, и вдруг беглец вспомнил о добром батюшке. Сергей разыскал храм и, назвавшись сиротой, обрел сытое и надежное пристанище на долгие месяцы. Бабушки нарадоваться на него не могли. А сам Сергей понемногу входил в церковный быт, узнавал новые для него слова и выражения, удивлялся неведомым ему добрым и доверчивым отношениям между людьми.

Но все же по весне, истомившийся среди омского пожилого церковного люда, Сергей замечтал о воле. А тут еще старуха-староста, которая называла его внучко́м, в знак полного доверия поручила оплатить ежегодный взнос... Он украл деньги, хотя уже знал, что это с огромным трудом, по копеечке, собранная дань для Советского фонда мира. Захватил из храма все, что ему понравилось. И пустился на свободу.

Погуляв от души несколько дней, он чуть не угодил в милицию. И со страху снова бросился к верующим, к этим чудакам, доверчивым и странным людям, которых ничего не стоило обвести вокруг пальца.

Он приехал в древнюю Троице-Сергиеву лавру, назвался иеродьяконом Владимиром и сам удивился, как быстро оказался в полном монашеском облачении, да еще окруженный приятной, хотя и несколько утомительной, дружеской заботой. Однако его надежды достать здесь новый паспорт не оправдывались. Более того, жить в просматриваемом насквозь милицией и КГБ Загорске становилось все опаснее.

—Но как же ты дерзнул служить литургию? — спросил я.

Мне это действительно хотелось понять. И к тому же полезно было показать ему, что я знаю даже такие детали.

—Ну а что мне было делать? — уныло проговорил Сергей. — Монахи всё настаивали: «Как же так, ты иеродьякон, и не служишь?» Ну и я...

—Ужас! — воскликнула Олеся.

Сергей вздохнул и продолжил свой рассказ.

Узнав, что в нашей стране есть место, где живут безо всяких документов, где тепло и вольно, он поехал в Сухуми. За полтора месяца пребывания на Кавказе он обошел немало горных келий и скитов. Его, назвавшегося иеродьяконом Владимиром и привезшего весточки и поклоны от лаврских монахов, провели туда, куда не допускали многих, рассказали о том, о чем мало кому рассказывали. Но оставаться в горах Сергей, конечно, даже и не думал. Зато здесь он узнал о том, что печерский наместник помог одному из монахов, спустившемуся по болезни с гор, оформить документы. Узнал он и о трагедии монаха Августина...

Все остальное нам было известно.

Когда Сергей закончил свою историю, я отправил его в «келью». А мы остались. И вновь перед нами встал вопрос, тот же, над которым мы мучились последние две недели: что нам с ним делать? Только теперь уже исходя из совершенно новых обстоятельств.

Когда в начале сегодняшней беседы я сказал Сергею, что в любой момент могу вызвать милицию, я говорил неправду. Сдавать его в милицию было нельзя ни в коем случае! И не только потому, что Сергей в дальнейшем мог рассказать следователю, как мы более чем серьезно решали вопрос о покупке для него фальшивого паспорта. Это мелочь. Главная опасность заключалась в том, что этот человек, побывав в горах, узнал все основные пути перехода от легального положения в Церкви к нелегальному. Он был знаком с матушкой Ольгой и дьяконом Григорием из Сухуми и знал об их связях почти со всеми тайными кельями. Побывал в горных приютах, разузнал пути к старцам, прожившим в горах многие десятилетия. Правоохранительные органы немало бы посулили ему за такую информацию. Но и отпустить его сейчас просто так, с глаз долой — из сердца вон, было тоже невозможно: он наверняка снова отправится промышлять по храмам-монастырям.

На следующий день мы поехали в лавру просить совета у самых авторитетных духовников. Отцы приходили в ужас от нашего рассказа, поражались путям Промысла Божия, но конкретного решения так и не предлагали.

Положение становилось все более тупиковым. А тут еще и наш герой, почувствовав, что мы находимся в нерешительности, понемногу освоился, почувствовал себя увереннее, снова стал посылать детей за мороженым... Тем более что для них и при них он по-прежнему был отцом Августином.

И вот через некоторое время для нас стало очевидным, что из всей этой истории все же есть выход. Причем один-единственный. Заключался он в том, что Сергей должен был сам измениться. Принести перед Богом покаяние и прийти в милицию с повинной. И шансы, что все может произойти именно так, были, как это ни странно, немалые.

Сергея глубоко поразил Промысл Божий в истории с его разоблачением. Он понял, что на пути жизни перед ним предстала всемогущая, непостижимая сила Божия. И в ней ему явился любящий и спасающий Христос. Мы видели, что, несмотря на все свои проблемы, Сергей переживал настоящее духовное потрясение. Да и почти год жизни в православной среде, подчас очень наивной и доверчивой, но все же ни с чем не сравнимой, тоже оказал на него влияние.

Он всерьез задумался. И вот, после долгих бесед, после исповеди в лавре у архимандрита Наума, чему мы были несказанно рады, он решил принять наказание за свои грехи.

Но и решив, он, помнится, все тянул. Мы с Зурабом уехали снимать наш злополучный фильм

в Грузию, потом вернулись, а он все так и жил у Вигилянских. Когда все же собрался с духом, долго
и совсем уж трогательно прощался с детьми и в конце концов уехал, прихватив, не спрашивая разумеется, пару духовных книг и старинный молитвослов.
По новопечатным книгам, как он говорил, ему тяжело молиться. Еще через неделю позвонил и сказал,
что идет сдаваться.

Спустя месяц в Москву приехал следователь военной прокуратуры. Поскольку все украденное Августином хранилось у меня, следователь и жил в моей
квартире, чтобы не тратиться на гостиницу. Это был
старший лейтенант примерно моего возраста. По его
просьбе я провел его по всем главным московским
магазинам, где он накупил на свою лейтенантскую
зарплату подарков для жены, набил две авоськи коп-
ченой колбасой, растворимым кофе и блоками сигарет «Мальборо». Конечно же, он рассказал про Августина, то есть про Сергея. Оказалось, что тот ведет
себя в следственном изоляторе «чудно́»: не матери-
тся, не играет в карты. Молится. Поэтому уголовники
дали ему кличку Святой. Она так и сохранялась за ним
все годы заключения. Со следствием Сергей сотруд-
ничал и вины своей не скрывал.

Вскоре состоялся суд, и его по совокупности соде-
янного осудили на восемь лет общего режима. Все годы
заключения Олеся и Володя помогали Сергею. Посылали деньги, книги, продукты. Даже, по его просьбе,
выпуски «Журнала Московской Патриархии».

* * *

А через восемь лет Сергей снова появился в Москве. Мы с радостью приняли его и долго вспоминали о прошедшем.

Перед нами был другой человек — как гадаринский бесноватый, когда Господь изгнал из него легион бесов. Бесы вошли в свиней, свиньи ринулись со скалы в море, и все прежнее — обманы, преступления, коварство — все было потоплено в глубокой пучине, все забыто...

Он снова жил у Вигилянских. Дети — Николай, Александра и Настя — подросли и уже знали истинную историю своего чудесного друга, «горного монаха» отца Августина. Хотя горькая правда и вызвала у детей настоящее потрясение — они долго плакали, — но случившееся в конце концов только укрепило их веру. Они сказали, что любят Сережу так же, как любили когда-то отца Августина.

Через год Сергей неожиданно сообщил, что принял монашеский постриг с именем Владимир в архиерейском доме одной из провинциальных епархий. Вскоре его рукоположили во иеродьякона, затем во иеромонаха и поручили восстанавливать приход.

Признаться, мы воспринимали происходящее с ним не без тревоги. С одной стороны, мы, конечно, были рады за него, а с другой — иногда к этой радости примешивался настоящий страх. Я к тому времени был уже иеромонахом Донского монастыря. Как-то недавно рукоположенный отец Владимир, приехав в Москву, зашел ко мне в гости. В столицу он прибыл на дорогой по тем временам иностранной машине, как сам пояснил, «по делу к спонсору».

Я решился серьезно поговорить с ним. Разговор был непростой и долгий, но мне показалось, что он меня услышал. Я напомнил ему о том, как Сам Господь Иисус Христос Своим особым Промыслом открыл ему новое познание мира. Как заботливо вел ко спасению, учил живой, некнижной вере. Говорил, что сейчас, когда он стал настоящим монахом и священником, есть огромная опасность ложной успокоенности, пагубного самодовольства, когда внешнее благополучие может стать причиной большой беды и даже гибели. «Когда скажут вам: "мир и безопасность", тогда внезапно придет на вас пагуба», — предупреждает всех нас Христос.

Ведь с принятием монашества и священного сана в нашей жизни изменяется очень многое, но не все. Гнездящееся внутри древнее зло всегда будет преследовать нас и никогда не оставит попыток снова вкрасться и овладеть своей главной целью — нашей душой. И лишь мужественная борьба со злом ради удивительной и для многих непонятной цели — чистоты нашего сердца — оправдывает нас перед Богом. Но если этой борьбы Христос не видит, то Он отходит от такого священника, монаха, мирянина и оставляет его наедине с тем, что тот сам упорно избирает для себя. А выбор этот всегда один и тот же — никогда не насыщаемая гордыня и стремление к удовольствиям мира сего. Проходит время, и рано или поздно эти страсти оборачиваются к оставившему Бога человеку своей истинной, ужасающей стороной.

Тогда вздымается Геннисаретское озеро, и из пучины на берег начинают вылезать давно утонувшие, полные ярости свиньи и кидаются на несчастного, который сам сделал выбор между ними и Богом. *Когда нечистый дух выйдет из человека, то ходит по безводным местам, ища покоя, и не находит; тогда говорит: возвращусь в дом мой, откуда я вышел. И, придя, находит его незанятым, выметенным и убранным; тогда идет и берет с собою семь других духов, злейших себя, и, войдя, живут там; и бывает для человека того последнее хуже первого* (Евангелие от Матфея, глава 12).

Так, к несчастью, произошло и с Августином-Сергеем-Владимиром. В 2001 году мы прочитали в газетах, что иеромонах Владимир, который служил в одном из провинциальных городов и был тесно связан с местной преступной, разгульной, совершенно невозможной для монаха компанией, найден зверски убитым в своем доме.

Упокой, Господи, душу усопшего раба Твоего убиенного иеромонаха Владимира!

Галилейское озеро

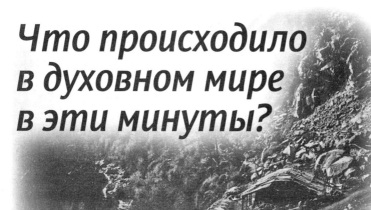

Что происходило в духовном мире в эти минуты?

Что то такое случайность? Почему кирпич падает на голову именно этому прохожему — одному из тысяч? Подобного рода глубокомысленные размышления волнуют человечество тысячелетиями.

Однажды троице-сергиевский благочинный архимандрит Онуфрий и духовник лавры архимандрит Кирилл поручили мне помочь перевезти на Кавказ в горы, туда, где уже многие годы на нелегальном положении подвизаются монахи-отшельники, одного из иноков лавры, иеродьякона Рафаила (Берестова). Это был монах совсем маленького, детского росточка, без бороды, с тоненьким голосом и простодушный воистину как ребенок.

Заговорщическим шепотом отец Рафаильчик поведал мне, что по благословению отца Кирилла вынужден бежать в горы, потому что в одиночку борется с экуменизмом. На косяке дверей своей кельи в лавре он прибил листок из школьной тетради с надписью:

«ПОЗОР ЭКУМЕНИСТАМ!!!»

Я тоже никакого расположения к экуменизму не испытывал и потому взялся ему помочь, хотя и сильно сомневался в реальности нависшей над отцом иеродьяконом чрезвычайной угрозы. Да еще такой, что надо было бежать из монастыря.

— За мной наверняка устроят отчаянную погоню, чтобы заточить в каземат! — страшным шепотом поведал мне Рафаил. Он изъяснялся горячо, образно и весьма высоким стилем.

В «каземат» я, честно говоря, тоже не очень поверил. Кому нужен маленький иеродьякон?

Отец Рафаил был еще и художником. Кроме личных вещей он собирался взять с собой в горы принадлежности для иконописи, мольберт, краски, а также запас иконных досок. Я понял, что одному мне не справиться, и решил позвать с собой друга, печерского послушника Сашу Швецова, который в это время был на побывке у родителей в Москве. По благословению архимандрита Кирилла к нам присоединился еще один молодой человек — выпускник Московской духовной академии Константин. Теперь его зовут игумен Никита и служит он в Брянской епархии.

На железнодорожном вокзале в Сухуми нас встретили дьякон Григорий — угрюмого вида лохматый человек, и его супруга матушка Ольга — полная ему противоположность, очень заботливая и приветливая. Мы остановились в их доме на улице Казбеге. Как оказалось, здесь всегда находили приют те, кто тайком направлялся в горы к монахам.

Отцу Рафаилу не терпелось побыстрее добраться до горных келий, но все оказалось не так просто. Матушке Ольге позвонили из Загорска и предупредили, что по городу уже ходят слухи, что иеродьякон Рафаил отбыл в Сухуми и готовится уйти в горы, где живут вольно от советской власти, без всяких паспортов, прописок и регистраций. А если об этом говорили в Загорске, то, значит, скоро станет известно и местным властям. Так оно и случилось. Православные в Сухуми трудились на разных постах, поэтому на следующий же день мы узнали, что в сухумскую милицию поступила установка задержать опасного преступника иеродьякона Рафаила (Берестова), который намеревается перейти на нелегальное положение, может заниматься антисоветской деятельностью и ведет образ жизни тунеядца.

Я весьма удивился, что тревожные предчувствия маленького отца Рафаила оправдывались. А сам он, хотя вроде и готовился к такому повороту событий, узнав об открытой на него охоте, так перепугался, что уж совсем как ребенок в страхе забился под кровать и никак не хотел вылезать. Мы со смехом пытались его оттуда вытащить. В общем, роль грозного злодея и страшного государственного преступника, на которого объявлена целая милицейская облава, отцу Рафаильчику совершенно не подходила.

Но, как бы то ни было, поход в горы пришлось отложить. Мы посоветовались с гостившим в Сухуми у духовных детей печерским игуменом Адрианом, и тот наказал ждать, пока бдительность милиции ослабеет. Нашей молодой троице — послушнику Саше Швецову, академисту Константину и мне — это было лишь на руку. Целую неделю мы только и делали, что купались в море да загорали, пока наконец эта вопиющая праздность не ввела в самое мрачное раздражение хозяина дома отца Григория.

Как-то, подняв нас спозаранку, он торжествующе объявил, что для бездельников сладкое время кончилось. Наконец-то и для нас нашлась работа. День был на редкость солнечным и жарким. Ласковое море плескалось неподалеку. Чего-чего, а работать совсем не хотелось. Но делать было нечего, и после завтрака мы поплелись за отцом Григорием через весь город к месту, которое он определил нам для трудовых подвигов.

Это оказалась самая окраина Сухуми. Дьякон привел нас к полуразрушенному кирпичному дому, который накануне купил за бесценок, и велел аккуратно разбирать эти руины, чтобы из кирпичей можно было сложить пристройку для летней кухни. Работа предстояла долгая, тяжелая и, в буквальном смысле, пыльная.

Мы отбивали часть стены, потом откалывали кирпич за кирпичом, очищали их от старого ссохшегося цемента и аккуратно складывали для погрузки в машину. Задав нам работу, отец Григорий сразу повеселел. Он повязал голову большим белым платком, отчего окончательно стал похож на бородатого разбойника, оседлал свой мотоцикл и уехал за грузовиком, посулив, что вернется через пять часов.

Все пять часов мы уныло разбирали высокую стену и сложили целую гору очищенного кирпича. Было невыносимо жарко. Мы обливались потом, цементная пыль разъедала кожу с головы до ног. Наконец в третьем часу дня появился на грузовике отец Григорий. К нашему счастью, он все же решил позаботиться о нас и привез десятилитровый бидон воды, чтобы мы успели заготовить его кирпичи прежде чем умрем от жажды.

Напившись, я поспешил усесться в единственное место, где была тень, — под полуразобранную стену.

Тени хватало ровно на одного человека, и я как раз уместился в ней. Но счастье продолжалось недолго. Дьякон окликнул меня, и пришлось нехотя оставить прохладное место. Уже не помню, что велел мне сделать отец Григорий, какую-то мелочь, но когда я снова направился в тенек, там уже блаженствовал академист Константин. Я потоптался-потоптался, но даже пристроиться рядом было негде. И отошел в сторонку.

В это время Константин заметил, что Саша Швецов тянет уже четвертую или пятую кружку воды.

— Эй, да ты так все выпьешь! — закричал академист. — Оставь хоть немножко!

Но тот, не обращая на него внимания, демонстративно наливал следующую порцию. Константин бросился к нему, вырвал кружку, а хитрый Саша, уступив посуду без боя, подлетел к заветной стене и плюхнулся в тень.

Мы с завистью смотрели на него. Но и Саше не пришлось долго наслаждаться. Дьякон Григорий, увидев, что мы опять бездельничаем, зарычал:

— Да вы там прохлаждаетесь?! Быстро грузить кирпич! Я водителю заплатил только за час. И не буду из-за вас отдавать еще три рубля!

Мы послушно поплелись исполнять указание. А отец Григорий сам подошел к заветной тени и, довольный, уселся под стеной.

Дальше все произошло в одно мгновение. Мы таскали кирпичи в грузовичок, когда раздался оглушительный грохот. Обернувшись, мы увидели, что над местом, где только что сидел отец Григорий, поднимается плотная туча пыли. Стена неожиданно обрушилась. Когда мы подбежали, то сквозь мутную завесу разглядели несчастного дьякона, засыпанного грудой битого кирпича. Меня тогда поразила повязка на его голове: на наших глазах она из белой превращалась в алую. Это было как в фильмах про красных командиров, и первое, что пришло в голову: «Кто же успел его так быстро перевязать?» И тут же сообразив, что это набухал кровью платок, которым были перехвачены волосы отца Григория, я вместе со всеми бросились к нему.

Отец дьякон был без сознания. Мы принялись освобождать его от кирпичей. Водитель грузовичка умчался за «скорой помощью». Врачи приехали через полчаса. Осмотрев отца Григория, они хмуро буркнули, что все очень плохо, и сразу повезли его на операцию. После случившегося отец Григорий восемь месяцев пролежал в разных больницах, перенес несколько операций, но долго еще не мог ни служить, ни просто вернуться в свое прежнее состояние.

В тот же вечер мы — Константин, Александр и я — задались вопросом: почему именно отец Григорий оказался под стеной в тот момент, когда она обрушилась? Ведь каждый из нас хотя бы самое короткое время, но сидел под ней. Почему же она рухнула именно на дьякона? И что же такое происходило в духовном мире, что наши Ангелы Хранители под любыми предлогами оттаскивали нас от этого проклятого места? Или все произошедшее — просто случайность?

Эти вопросы так перебудоражили нас, что мы пошли за ответом к отцу Адриану. Батюшка задумался и произнес:

— Я не смогу ответить на ваш вопрос. Скажу только (это не тайна исповеди и не секрет), что отец Григорий уже несколько лет служит литургию не исповедуясь. И я сам, и священники его храма много раз говорили ему, что это плохо закончится. Но

grudoy...

отец Григорий лишь махал рукой: «Не обязательно. Потом поисповедуюсь». И все откладывал да откладывал исповедь. А я ждал, что с ним беда случится. Такими вещами шутить нельзя.

Через несколько дней мы, получив наконец благословение отца Адриана, вышли в горы, таща на себе тяжеленные рюкзаки с вещами отца Рафаила. Провести нас вызвалась местная монахиня лет сорока, удивительно сильная, взвалившая на свои плечи самую тяжелую поклажу.

Шли мы только ночью, в лунном свете карабкаясь по крутым горным тропинкам, цепляясь за камни и ветви рододендрона. А днем останавливались в монашеских кельях, чтобы не попасться на глаза охотникам.

Мы видели медвежьи следы и следы оленей. Ели вкусный горный мед. Мы познакомились с горными монахами. Некоторые из них были настоящими подвижниками. Мы беседовали с ними, помогали в ремонте келий, построенных из расщепленных топором стволов деревьев.

У одной очень доброй старой схимницы нам пришлось прожить пару дней: в округе бродили охотники. За эти два дня мы слопали весь запас продуктов, принесенных монахиней на зиму. Мы не хотели ее объедать, но от горного воздуха на нас, молодых людей, напал такой зверский аппетит, что мы ничего не смогли с собой поделать и как заведенные метали консервы, жареную картошку и какие-то каши. Кроткая монахиня только успевала для нас готовить. Она ни слова не сказала, но после нашего ухода (как мы со стыдом потом узнали) вынуждена была спуститься с гор и снова заготавливать провизию на зиму.

Наконец, на шестой день пути, у горного ручья мы встретили иеромонаха Паисия, друга отца Рафаила, молодого, веселого и ученого монаха, уже несколько лет жившего здесь.

— Паисий!!! — пронзительно за-

Отец Рафаил

кричал маленький Рафаильчик и бросился к нему вброд через ручей.

Так закончилась эта история. Мы перенесли через стремительный поток вещи отца Рафаила и, простившись, отправились в обратный путь, дорогой рассуждая, отчего и зачем в нашей жизни вдруг появились эти горы, новые люди и все эти необычные приключения.

Тот самый генерал

Богословы

К ак-то к отцу Иоанну подошел молодой человек, выпускник духовной академии, и, представляясь, между прочим заявил: «Я богослов».

Отец Иоанн очень удивился и спросил:

— Как — четвертый?

— Что — «четвертый»? — не понял академист.

Отец Иоанн пояснил:

— Мы в Церкви знаем трех богословов: первый — Иоанн Богослов, апостол и любимый ученик Спасителя. Второй — Григорий Богослов. И третий — Симеон Новый Богослов. Только им Святая Церковь за всю свою двухтысячелетнюю историю решилась усвоить имя «Богослов». А вы, значит, четвертый?

Но все же кому и как Господь посылает духовную мудрость? На самом деле, чтобы быть богословом, совершенно не обязательно носить рясу и оканчивать духовные академии. «Дух дышит, где хочет!» — пораженно повторяет слова Христа апостол Иоанн.

Однажды мы с хором нашего Сретенского монастыря были на Дальнем Востоке, на военной базе стратегической авиации. После службы и концерта офицеры пригласили нас на ужин. Эта православная служба была в далеком военном городке первой за многие годы. Понятно, что люди смотрели на нас с интересом, как на что-то диковинное. Перед трапезой мы, как обычно для христиан, прочли молитву «Отче наш». С нами молился и крестился всеми уважаемый генерал. Часа через два, ближе к концу застолья, офицеры обратились к нему:

— Товарищ генерал, вот мы видели, что вы крестились. Мы вас уважаем. Но не понимаем. Наверное, вы успели подумать о многом, о чем мы еще не думали. Скажите, за прожитые годы вы поняли, что самое главное в жизни, в чем ее смысл?

Ясно, что такие вопросы задаются только после того, как люди хорошенько, по-русски, посидели за столом и прониклись взаимным доверием и доброжелательностью.

И генерал, настоящий армейский генерал, немного подумал и сказал:

— Главное в жизни — содержать сердце чистым перед Богом!

Я был потрясен: по глубине и богословской точности такое мог сказать только настоящий незаурядный богослов — мыслитель и практик. Но, думаю, армейский генерал об этом не догадывался.

Вообще нашего брата священника многому могут научить, а то и пристыдить далекие, казалось бы, от богословских наук люди.

Во время переговоров о воссоединении с Русской Зарубежной Церковью архиепископ Германский и Великобританский Марк признался мне, что в России с ним произошел один случай, который заста-

Владыку Марка встречают в России

вил его поверить, что духовные изменения в нашей стране — это не пропаганда, а реальность.

Как-то он ехал с одним священником на автомобиле по Подмосковью. Владыка Марк — немец, и для него было непривычно, что при наличии на трассе знаков, ограничивающих скорость до девяноста километров в час, машина неслась со скоростью сто сорок. Владыка долго терпел и наконец деликатно указал водителю-священнику на это несоответствие. Но тот лишь усмехнулся наивному простодушию иностранца и заверил его, что все в полном порядке.

— А если остановит полиция? — недоумевал Владыка.

— С ней тоже все в порядке! — уверенно ответил пораженному гостю священник.

Через какое-то время их и правда остановил сотрудник ГАИ. Опустив стекло, священник уверенно и добродушно обратился к молодому милиционеру:

Милиционер.
Может, тот самый,
а может, другой

— Добрый день, начальник! Прости, торопимся.

Но милиционер никак не отреагировал на его приветствие.

— Ваши документы! — потребовал он.

— Да ладно, брось, начальник! — заволновался батюшка. — Ты что, не видишь?.. Ну, в общем, торопимся мы!

— Ваши документы! — повторил милиционер.

Священнику было и обидно, и стыдно перед гостем, однако ничего не оставалось делать. Он протянул милиционеру права и техпаспорт, но при этом не удержался и едко добавил:

— Ладно, бери! Ваше дело — наказывать. Это наше дело — миловать!

На что милиционер, окинув его холодным взглядом, проговорил:

— Ну, во-первых, наказываем не мы, а закон. А милуете не вы, а Господь Бог!

И вот тогда-то, как говорил Владыка Марк, он понял, что если даже милиционеры на российских дорогах теперь мыслят подобными категориями, то в этой непостижимой умом стране все снова изменилось.

Образъ Божіей Матери Владимірской

Проповедь в воскресенье 23-е по Пятидесятнице

6/19 ноября 1995 года

В о имя Отца и Сына и Святаго Духа! Сегодня за литургией Церковь приводит нам на память рассказ евангелиста Луки о событии, свидетелем которого апостол стал в маленьком рыбацком городишке, — об исцелении Господом Иисусом Христом женщины, почти двадцать лет страдавшей от неизлечимой болезни.

Произошло это исцеление как-то странно: Иисуса Христа теснило множество народа, все чего-то хотели от Него — кто избавления от хвори, кто какого-нибудь чуда, кто сам не знал чего. Среди этой неимоверной толчеи Господь, обернувшись, вдруг задал Своим ученикам странный вопрос:

— Кто только что прикоснулся ко Мне?

Ученики удивились:

— Народ со всех сторон нещадно теснит Тебя, все норовят хоть на мгновение завладеть Твоим вниманием. А Ты говоришь: кто прикоснулся ко Мне?

Христос отвечал, что все это так, но среди давки и толкотни Он почувствовал, что Его Божественная сила вдруг изошла к одному из людей.

И тогда женщина, стоявшая поблизости, со стыдом призналась, что это она дотронулась до одежд Учителя. Со стыдом — потому, что, по иудейским законам она считалась нечистой по причине своей женской болезни и не должна была дотрагиваться до людей, дабы не осквернить их. А призналась — потому, что с того мгновения безошибочно почувствовала: болезни в ней больше нет! В ответ на это Христос обратил к женщине слова, которых было достаточно, чтобы объяснить случившееся чудо и ей, и ученикам, и нам с вами:

— Велика вера твоя! Иди с миром!

Так во все времена переплетаются смиренная и всесильная вера в Бога и гроша ломаного не стоящие временные человеческие законы, ложный стыд и боязнь людского осуждения.

Все вы, братья и сестры, конечно, помните, как два месяца назад мы праздновали шестисотлетие события, в честь которого основан наш монастырь, — Сретения Владимирской иконы Божией Матери — избавления Москвы от нашествия хана Тамерлана. Какой это был праздник! Тогда из Третьяковской галереи к нам в монастырь на один день была принесена древняя чудотворная Владимирская икона Пресвятой Богородицы, главная святыня Руси.

В крестном ходе, начавшемся в Кремле и завершившемся здесь, в Сретенском монастыре, участвовали более тридцати тысяч человек. Лил сентябрьский дождь. Святейший Патриарх и сонм духовенства в насквозь мокрых облачениях медленно шли вслед за иконой, а люди стояли вдоль улиц и, когда великую святыню проносили мимо них, опускались на колени — в лужи, на мокрый асфальт — никто не глядел куда.

Крестный ход. 8 сентября 1995 года

Был уже третий час ночи, когда наконец последний человек из огромной очереди вошел в наш храм и поклонился святыне. В опустевшей церкви перед возвышающейся на постаменте чудотворной иконой остались лишь те, кто обеспечивал ее доставку

и сохранность: ученые-искусствоведы из Третьяков-ской галереи, сотрудники администрации города, высокие милицейские чины. Все стояли в молча-нии. Раскрывшаяся за эти часы картина народной веры была для них ошеломляющей.

Мы с братией в последний раз сделали перед ико-ной земные поклоны. Потом приложились к свя-тыне, и я сказал чиновникам:

— Вот сейчас — единственный шанс в вашей жизни, когда в такой день и в таком месте вы можете подойти к великой иконе и помолиться Царице Небесной. Через несколько минут икону увезут в музей. Я все понимаю: вы люди сановные, но не упустите этой возможности.

Чиновники поглядывали друг на друга, переминались с ноги на ногу, смущенно улыбались, но не сходили с места. Думаю, каждый из них, будь он здесь один, с радостью поклонился бы этой древней великой святыне, попросил бы у Матери Божией о самом сокровенном. Но теперь, как говорится в Евангелии, «страха ради иудейска», все стояли словно деревянные.

И вдруг один высокий милицейский чин, с лицом, мгновенно покрасневшим, как советский флаг, неожиданно выступил вперед. Он сердито крякнул, сунул свою фуражку какому-то майору и, поднявшись по ступеням к иконе, неумело положил перед ней три поклона. Громко чмокнул в бронированное стекло и стал что-то усердно шептать Матери Божией. Еще раз грузно поклонился до земли и, пятясь, спустился вниз. Выдернул фуражку из рук разинувшего от изумления рот милиционера и, мрачно оглядев всех, отошел в сторону.

— Молодец, товарищ генерал! — сказал я. — За такое Матерь Божия вас никогда не оставит. — И обернулся к музейным работникам: — Все, увозите икону.

Прошла неделя. Мы собрали на праздничную трапезу тех, кто принимал участие в подготовке нашего праздника — братию, многочисленных сотрудников монастыря, искусствоведов из Третьяковки, городских чиновников, наш хор. Просто чтобы всех поблагодарить. На трапезу пришел и тот самый генерал.

— А вы знаете, со мной ведь тогда чудо случилось! — сказал он, поднимая тост.

И поделился тем, что с ним произошло.

Когда ночью в храме генерал услышал предложение подойти к чудотворной иконе, он, как и все, поначалу просто испугался. Рядом стояли люди его положения и даже те, от кого он зависел. Но как раз в те дни генерала посетила беда: его старшая сестра, жившая во Владимире, попала в автомобильную катастрофу, у нее раздробило обе ноги. Там же, во Владимире, ей сделали многочасовую операцию, одну ногу собрали и уложили в гипс. Предстояла новая операция — на второй ноге, с длительным наркозом. Но сестра генерала была уже очень пожилой женщиной, и врачи боялись, что больное сердце может не выдержать этого испытания.

В ту ночь генерал, решившись, подошел к иконе Божией Матери и прошептал Ей:

—Матерь Божия, мне ничего не надо, у меня все есть. А вот сестра... У нее завтра операция. Я боюсь, она не выдержит... Помоги ей!

На следующее утро генерал позвонил в больницу, чтобы узнать, как проходит операция. Однако ему сказали, что никакой операции не было. На его недоумение врачи ответили, что утром, перед тем как везти женщину в операционную, ей сделали последний рентгеновский снимок, на котором вдруг обнаружилось, что раздробленные кости ноги расположены именно так, как им и следует, чтобы правильно срастись. По-видимому, ночью больная как-то счастливо повернулась, кости выстроились самым удачным образом, и медикам оставалось только, не теряя времени, наложить гипс.

То, что мы слышали сегодня в евангельском чтении об исцеленной женщине, произошло две тысячи лет назад на окраине Римской империи, в захолустном галилейском городке Капернауме. А история с милицейским генералом и его сестрой — два месяца назад, у нас в Москве.

Евангельские события представляются многим чудесной, но несбыточной сказкой. Возвышенной, красивой, делающей человека, да что там человека — человечество! — лучше. Но все же — сказкой...

Но это не так! Апостол Павел сделал когда-то великое открытие — такое важное, что его надо крепко помнить каждому из нас. Ведь это только кажется, что открытия происходят лишь в физике или медицине. Так вот, апостол Павел обнаружил важнейший, основополагающий закон нашего мира. И сформулировал его так: «Господь Иисус Христос вчера и сегодня и вовеки — Тот же!»

Что можно к этому добавить? Только одно, древнее и радостное: аминь!

Египетская
пустыня

Про молитву и лисичку
Из «Пролога»

В Египте, где в глубокой христианской древности было много великих монастырей, один монах дружил с неученым бесхитростным крестьянином-феллахом. Однажды крестьянин сказал монаху:

— Я тоже почитаю Бога, сотворившего этот мир! Каждый вечер я наливаю в миску козьего молока и ставлю его под пальмой. Ночью Бог приходит и выпивает мое молочко. Оно Ему очень нравится! Ни разу не было, чтобы в миске хоть что-нибудь осталось.

Услышав эти слова, монах не мог не рассмеяться. Он добродушно и доходчиво объяснил своему приятелю, что Бог не нуждается в козьем молоке. Однако крестьянин упрямо настаивал на своем. И тогда монах предложил в следующую ночь тайком проследить, что происходит после того, как миска с молоком остается под пальмой.

Сказано — сделано: ночью монах и крестьянин затаились неподалеку и при лунном свете скоро увидели, как к миске подкралась лисичка и вылакала все молоко дочиста.

Пустынная лисичка

Крестьянин как громом был сражен этим открытием.

— Да, — сокрушенно признал он, — теперь я вижу — это был не Бог!

Монах попытался утешить крестьянина и стал объяснять, что Бог — это Дух, что Он совершенно иной по отношению к нашему миру, что люди познают Его особым образом... Но крестьянин лишь стоял перед ним понурив голову. А потом заплакал и пошел в свою лачугу.

Монах тоже направился в келью. Но, подойдя к ней, он с изумлением увидел у двери Ангела, преграждающего ему путь. Монах в страхе упал на колени, а Ангел сказал:

— У этого простого человека не было ни воспитания, ни книжности, ни мудрости, чтобы почитать

Бога иначе, чем он это делал. А ты со своей мудростью и книжностью отнял у него эту возможность. Ты скажешь, что, без сомнения, рассудил правильно? Но одного ты не ведаешь, о мудрец: Бог, взирая на искреннее сердце этого крестьянина, каждую ночь посылал к пальме лисичку, чтобы утешить его и принять его жертву.

Шестикрылый Серафим

Про Ангела Хранителя

Ангелы Хранители не только внушают нам благие помыслы к вечному спасению, они действительно охраняют нас в житейских обстоятельствах. Слово «Хранитель» — совсем не аллегория, это драгоценный опыт многих поколений христиан. Недаром, например, в молитвах о путешествующих Церковь призывает нас просить у Господа особого попечения Ангела Хранителя. Да и правда, где, как не в путешествиях, исполненных порой непредвиденных опасностей, нам необходимо особое попечение Божие?

Лет, наверное, тринадцать назад мы с нашим прихожанином Николаем Сергеевичем Леоновым, профессором-историком, генерал-лейтенантом разведки, с которым мы на протяжении многих лет участвовали в телевизионной передаче «Русский дом», были в Псково-Печерском монастыре. Там Николай Сергеевич впервые познакомился с отцом Иоанном (Крестьянкиным), который не просто произвел на него огромное впечатление, но, как сам Леонов рассказывал, своими молитвами очень ему помог.

Николай Сергеевич в те годы только входил в жизнь Церкви, и у него возникало много вопросов. В частности, он просил меня разъяснить учение Церкви об ангельском мире, об Ангелах Хранителях. Я очень старался, но, несмотря на всю деликатность Николая Сергеевича, чувствовал, что он разочарован моими неумелыми объяснениями. Мне было досадно, но оставалось только положиться на помощь Божию.

В Москву из Псково-Печерского монастыря мы выехали ранним летним утром, напутствованные отцом Иоанном. Дорога предстояла длинная, и перед отъездом я попросил механиков из монастырского гаража осмотреть машину и долить масло в мотор.

Мы быстро мчались по пустой дороге. Сидя за рулем, я не отрываясь слушал рассказ Николая Сергеевича об одной из его дальних командировок. Эту историю Николай Сергеевич давно обещал мне поведать. В жизни я не встречал более интересного рассказчика, чем Николай Сергеевич. Его всегда слушаешь затаив дыхание. Так было и на этот раз.

Но вдруг я поймал себя на странной мысли, что вот сейчас, сию минуту, с нами происходит что-то особенное. Машина шла обычным ходом. Ничто — ни приборы, ни ровное движение автомобиля, ни запахи в салоне — не вызывали тревоги. Тем не менее мне все больше становилось не по себе.

— Николай Сергеевич, кажется, что-то творится с машиной, — сказал я, решившись перебить своего спутника.

Леонов — очень опытный водитель с многолетним стажем. Внимательно оценив обстановку, он заверил меня, что все в порядке. Но моя необъяснимая тревога от этого не прошла, а, напротив, с каждой секундой только усиливалась.

—Наверное, нам надо остановиться, — наконец сказал я.

Николай Сергеевич снова внимательно посмотрел на приборы. Прислушался к работе двигателя и, удивленно взглянув на меня, снова повторил, что, с его точки зрения, беспокоиться не о чем. Однако когда я и в третий раз,

Николай Сергеевич в Печорах

в полном смятении, стал твердить, что нам необходимо остановиться, Николай Сергеевич согласился.

Едва мы затормозили, из-под капота машины клубами повалил черный дым.

Мы выскочили на дорогу. Я открыл капот, и из мотора вырвалось масляное пламя. Николай Сергеевич схватил с заднего сиденья свой пиджак и забил им огонь. Когда дым развеялся, мы разобрались, в чем дело. Механики в монастыре залили в двигатель масло, но забыли закрыть крышку. Она так и лежала рядом с аккумулятором. Из открытого отверстия масло всю дорогу лилось на раскаленный мотор, но по причине большой скорости дым и запах проносились под колесами машины, и мы в закрытой кабине ничего не чувствовали. Еще километр-два пути — и все могло бы закончиться трагически.

Когда, приведя машину в относительный порядок, мы медленно возвращались в монастырь, я спросил Николая Сергеевича, нужны ли ему дополнительные разъяснения по поводу Ангелов Хранителей и их участия в нашей судьбе. Николай Сергеевич ответил, что на сегодня вполне достаточно и этот догматический вопрос им вполне усвоен.

Об одной святой обители
История, которая может войти в будущий «Пролог»

Где-то в глубине России перед революцией был монастырь, о котором по округе ходила скверная молва, что монахи здесь — сплошь лентяи да пьяницы. В Гражданскую войну в городок, рядом с которым находился монастырь, пришли большевики. Они собрали жителей на рыночной площади и туда же под конвоем пригнали монахов.

Комиссар громко обратился к народу, указывая на чернецов:

— Граждане, жители города! Вы все лучше меня знаете этих пьяниц, обжор и бездельников! Теперь их власти пришел конец. Но чтобы вы до конца поняли, как эти тунеядцы столетиями дурачили трудовых людей, мы кладем на землю перед ними их Крест и их Евангелие. Сейчас, на ваших глазах, пусть каждый из них растопчет эти орудия обмана и порабощения народа. И тогда мы отпустим их, пусть убираются на все четыре стороны.

В толпе захохотали.

И вот, под улюлюканье народа, вперед вышел игумен — грузный мужик с мясистым испитым лицом и красным носом — и сказал, обращаясь к своим монахам:

— Ну что ж, братия... Жили как свиньи, так хоть умрем как христиане!

И ни один из монахов не сдвинулся с места. Всех их в тот же день зарубили шашками.

Дивеевский монастырь
в восьмидесятые годы

О самой прекрасной службе в моей жизни

Вид на Дивеевскую обитель от дома матушки Фроси

В советское время не было, пожалуй, более ужасающего символа разорения Русской Церкви, чем Дивеевский монастырь.

Эта обитель, основанная преподобным Серафимом Саровским, была превращена в страшные руины. Они возвышались над убогим советским райцентром, в который превратили некогда славный и радостный город Дивеево. Власти не стали уничтожать монастырь до конца. Они оставили развалины как мемориал своей победы, памятник вечного порабощения Церкви. У Святых врат обители был водружен монумент вождю революции, который грозно встречал каждого приходящего в разоренный монастырь.

Все здесь говорило о том, что к прошлому возврата нет. Столь любимые по всей православной России пророчества преподобного Серафима о великой судьбе Дивеевского монастыря, казалось, были навсегда попраны и осмеяны. Нигде, ни в ближних, ни в дальних окрестностях Дивеева, действующих храмов не осталось и в помине — все были разорены.

А в некогда прославленном Саровском монастыре и в городе вокруг него располагался один из самых секретных и охраняемых объектов Советского Союза под названием «Арзамас-16». Здесь создавалось ядерное оружие.

Священники если и приезжали на тайное паломничество в Дивеево, то скрытно, одевшись в светское платье. Но их все равно выслеживали. В тот год, когда мне довелось в первый раз побывать в разрушенном монастыре, двух иеромонахов, приехавших поклониться дивеевским святыням, арестовали, жестоко избили в милиции и пятнадцать суток продержали в камере на обледенелом полу.

В ту зиму замечательный, очень добрый монах из Троице-Сергиевой лавры, архимандрит Вонифатий, попросил меня сопроводить его в поездке в Дивеево. По церковным уставам, священник, отправляясь в дальний путь со Святыми Дарами — Телом и Кровью Христовыми, должен непременно брать с собой провожатого, чтобы в непредвиденных обстоятельствах вместе защищать и хранить великую святыню. А отец Вонифатий как раз и собирался в Дивеево, чтобы причастить обретавшихся в окрестностях монастыря старых монахинь — последних доживших до наших дней со времен еще той, дореволюционной обители.

Путь нам предстоял поездом через Нижний Новгород, тогдашний Горький, а оттуда на машине в Дивеево. В поезде батюшка всю ночь так и не ложился: ведь у него на груди на шелковом шнурке висела маленькая дарохранительница со Святыми Дарами. Я спал на соседней полке и, время от времени просыпаясь под стук колес, видел, как отец Вонифатий, сидя за столиком, читает Евангелие при слабом свете вагонного ночника.

Мы доехали до Нижнего Новгорода — родины отца Вонифатия — и остановились в его родительском доме. Отец Вонифатий дал мне почитать дореволюционную книгу — первый том творений святителя Игнатия (Брянчанинова), и я до рассвета не сомкнул глаз, открывая для себя этого удивительного христианского писателя.

Наутро мы отправились в Дивеево. Путь нам предстоял около восьмидесяти километров. Отец Вонифатий постарался одеться так, чтобы в нем не могли узнать священника: тщательно подобрал полы подрясника под пальто, а свою предлинную бороду спрятал в шарф и воротник.

Уже смеркалось, когда мы приближались к цели нашей поездки. За окном автомобиля в вихрях февральской вьюги я с волнением различал высокую колокольню без купола и остовы разрушенных храмов. Несмотря на столь скорбную картину, я был поражен необыкновенной мощью и тайной силой этой великой обители. А еще — мыслью о том, что Дивеевский монастырь не погиб, но живет своей непостижимой для мира сокровенной жизнью.

Так и оказалось! В захудалой избенке на окраине Дивеева я встретил такое, о чем не мог вообразить даже в самых светлых мечтах. Я увидел Церковь, всегда побеждающую и несломленную, юную и радующуюся о своем Боге — Промыслителе и Спасителе. Именно здесь я начал понимать великую силу дерзновенных слов апостола Павла: «Все могу в укрепляющем меня Иисусе Христе!»

И еще: на самой прекрасной и незабываемой церковной службе в моей жизни я побывал не где-нибудь в великолепном кафедральном соборе, не в прославленном седой древностью храме, а в райцентре

Дивееве, в покосившемся домишке № 16 по улице Лесной.

Точнее, это был даже не дом, а старая банька, приспособленная под жилье.

Впервые очутившись здесь с отцом Вонифатием, я увидел комнатенку с чрезвычайно низким потолком, а в ней десять старух, ужасно древних. Самым младшим было, по крайней мере, далеко за восемьдесят. А старшим, совершенно определенно, больше ста лет. Все они были в простых старушечьих одеждах, в обычных платочках. Никаких ряс, монашеских апостольников и клобуков. Ну какие они монахини? «Так, простые бабки», — подумалось бы мне, если бы я не знал, что эти старухи — одни из самых мужественных наших современников, истинные подвижницы, проведшие в тюрьмах и лагерях долгие годы и десятилетия. И, несмотря на все испытания, лишь умножившие в душе веру и верность Богу.

Я был потрясен, когда на моих глазах отец Вонифатий, этот почтенный архимандрит, настоятель храмов в патриарших покоях Троице-Сергиевой лавры, заслуженный и известный в Москве духовник, прежде чем благословить этих старух, встал перед ними на колени и сделал им земной поклон! Я, честно говоря, не верил своим глазам. А священник, поднявшись, принялся благословлять старух, которые, неуклюже ковыляя, по очереди подходили к нему. Видно было, как искренне они радуются его приезду.

Пока отец Вонифатий и старухи обменивались приветствиями, я огляделся. По стенам комнатушки у икон в древних кивотах тускло горели лампады. Один образ сразу обращал на себя особое внимание. Это была большая, прекрасного письма икона преподобного Серафима Саровского. Лик старца

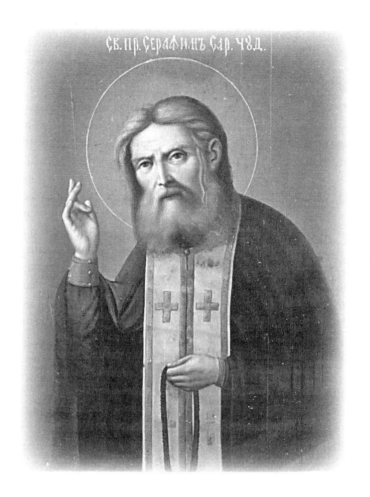

светился такой добротой и теплом, что не хотелось отрывать взгляда. Образ этот, как я узнал после, был написан перед самой революцией для нового дивеевского собора, который так и не успели освятить. Икону чудом спасли от поругания.

Тем временем стали готовиться ко всенощной. У меня дух захватило, когда монахини стали выкладывать из своих тайных хранилищ на грубо сколоченный деревянный стол подлинные вещи преподобного Серафима Саровского. Здесь были келейная епитрахиль преподобного, его вериги — тяжелый железный крест на цепях, кожаная рукавица, старинный чугунок, в котором саровский старец готовил себе еду. Эти святыни после разорения монастыря десятки лет передавались из рук в руки, от одних дивеевских сестер другим.

Облачившись, отец Вонифатий дал возглас к началу всенощного бдения. Монахини как-то сразу воспрянули и запели.

Какой же дивный, поразительный это был хор!

«Глас шестый! Господи, воззвах к Тебе, услыши мя!» — возгласила грубым и хриплым старческим голосом монахиня-канонарх. Ей было сто два года. Около двадцати лет она провела в тюрьмах и ссылках.

И все великие старухи запели вместе с ней:

— «Господи, воззвах к Тебе, услыши мя! Услыши мя, Господи!»

Это была непередаваемая словами служба. Горели свечи. Преподобный Серафим смотрел с иконы своим бесконечно добрым и мудрым взглядом. Удивительные монахини пели почти всю службу наизусть. Лишь иногда кто-то из них заглядывал в толстые книги, вооружившись даже не очками, а огромными увеличительными стеклами на деревянных ручках. Так же они служили и в лагерях, в ссылках и после заключения, возвратившись сюда, в Дивеево, и обосновавшись в убогих лачугах на краю города. Все было для них привычно, а я действительно не понимал, на небе нахожусь или на земле.

Эти старухи-монахини несли в себе такую духовную силу, такую молитву, такие мужество, кротость, доброту и любовь, такую веру, что именно тогда, на этой службе, я понял, что они одолеют все. И безбожную власть со всей ее мощью, и неверие мира, и самую смерть, которой они совершенно не боятся.

Матушка Фрося

Дом матушки Фроси на Лесной улице

Х озяйкой домика на Лесной улице в Дивееве, где хранились вещи преподобного Серафима, была схимонахиня Маргарита. Только долгие годы никто не знал, что она тайная монахиня и схимница. Все звали ее матушкой Фросей или просто Фросей, хотя она была ровесницей века: в 1983 году, когда я впервые приехал в Дивеево, матушке как раз исполнилось восемьдесят три года.

Тайное монашество возникло во времена последних гонений на Церковь в XX веке. Монах или монахиня, принимавшие тайный постриг, оставались в миру, носили обычную одежду, часто работали в светских учреждениях, но строго исполняли все монашеские обеты. О постриге, так же как и о новом имени, должен был знать только духовник. Даже причащаясь в обычных храмах, эти подвижники называли свое мирское имя.

Тайным монахом был, например, знаменитый русский философ академик Алексей Федорович Лосев. В постриге его звали монах Андроник. Обычно на всех фотографиях академик Лосев запечатлен

Монах Андроник,
академик А. Ф. Лосев

в какой-то странной черной шапочке и в очках
с огромными линзами. Такие очки Алексей Федорович носил, потому что после нескольких лет лагерей на Беломорско-Балтийском канале почти ослеп.
А странную черную шапочку надевал не оттого, что,
как все думали, опасался простуды. Это была ску-
фья — единственный предмет из монашеского облачения, который монах Андроник позволял себе
носить всегда.

После войны наступил иной период церковной жизни: начали открывать храмы, монастыри. Смысл новых постригов в тайное монашество стал утрачиваться. И вот тогда-то в полной мере проявился известный закон, гласящий, что история повторяется сначала как трагедия, а затем как фарс.

В церковной среде ходят истории, как на литургии какая-нибудь женщина, вся в черном, решительно расталкивает смиренную толпу прихожан, чтобы быть первой к причащению, и, называя свое имя, громко объявляет: «Тайная монахиня Лукерия!»

Митрополит Питирим рассказывал анекдот, который появился в церковных кругах в пятидесятые годы. Московская дама приходит в гости к знакомой. Та за столом раскладывает пасьянс. Взволнованная гостья шепчет: «Марья Петровна! Марья Петровна! Я никому не должна говорить, это такой секрет, такой секрет! Но вам скажу... Вчера я приняла тайный постриг с именем Конкордия!» Хозяйка невозмутимо кладет карту и отвечает: «Ну и что ж из этого? Я уже второй год, как в великой схиме!»

А о матушке Фросе все думали, что она просто бывшая монастырская послушница. И если любопытствующие задавали вопросы на тему монашества, матушка отвечала, причем совершенно честно, что когда-то сподобилась быть послушницей в Дивеевском монастыре.

Она вынуждена была открыть свое монашеское имя только в начале девяностых годов, по благословению игумении Сергии, настоятельницы возрожденного Дивеевского монастыря, куда матушка Фрося перебралась за три года до кончины.

А до этого она оставалась просто Фросей. Причем относилась матушка сама к себе весьма скептически и даже порой пренебрежительно.

Как-то в Издательском отделе мы выпустили очень красивый иллюстрированный журнал, посвященный преподобному Серафиму и истории Дивеевского монастыря. Это было первое подобное издание в советское время. При ближайшей оказии я привез показать этот журнал матушке Фросе. Он был такой глянцевый, современный, сверкающий яркими красками, что казался чем-то инопланетным в убогой избенке на Лесной улице.

Но матушке журнал очень понравился. Она принялась рассматривать картинки и с любопытством перелистывать страницы.

— Ох, батюшка Серафим! — всплеснула она руками, увидев красивую икону преподобного.

— Матушка Александра, кормилица! — Это она узнала портрет первой начальницы дивеевской общины Агафьи Семеновны Мельгуновой. Матушка Фрося прекрасно знала всю без малого двухсотлетнюю историю Дивеева.

— А это?! Николай Александрович! Мотовилов!

Наконец матушка открыла последнюю страницу, и перед ней предстала ее собственная фотография. На секунду она лишилась дара речи. А потом, всплеснув руками от искреннего возмущения, воскликнула:

— Фроська! И ты здесь?! У, глаза бесстыжие!

Еще в ту, первую мою поездку в Дивеево с отцом Вонифатием матушка Фрося, прощаясь, совершенно по-простому обратилась ко мне с просьбой приехать, чтобы подремонтировать крышу и сарай. Я обещал непременно это исполнить и летом вер-

нулся в Дивеево, прихватив с собой двух друзей. Мы поселились в сарае на сеновале и днем занимались ремонтом, а по вечерам бродили по разрушенному монастырю, молились с этими удивительными монахинями и слушали ни с чем для меня не сравнимые рассказы матушки Фроси.

Она поведала нам истории о старом Дивееве, о том, как все долгие десятилетия советской власти Дивеевский монастырь жил под руководством батюшки Серафима — то в тюрьмах, то в лагерях, то в ссылках. Или вот как сейчас — вокруг разрушенной обители. Видно было, что она хотела передать все хранившееся в ее памяти, чтобы это не умерло вместе с ней.

Подлинный рассказ матушки Фроси,

записанный мною на магнитофон и тщательно перепечатанный лишь с самыми небольшими исправлениями

Когда была я еще маленькая, зародилось у меня желание такое: не хочу я замуж идти!

Отец частенько выпивал. Бывало, как не вернется засветло, знай — ночью придет со скандалом. И вот мы с мамой ждем, дрожим...

Слышим, батюшки, — хлоп! — калитка... Отец идет пьяный.

Приходит.

— Давай ужин! — когда бы ни пришел.

Мама дает ужин...

Понравилось, не понравилось — бросит тарелкой в маму!

Я поглядела-поглядела на все это и говорю:

— Царица Небесная, сохрани Ты меня от этого замужа!

Была у нас соседка, Улита. У нее два пальца где-то оторвало. Я и думаю: «Господи, хоть бы мне что-нибудь оторвало, чтоб не брали замуж! А то ведь хочешь не хочешь — отдадут!»

Я все только Царицу Небесную просила: «Матерь Божия, Ты меня устрой». Но никому ничего не говорила. Только маме.

Потом пришло время: мой двоюродный брат Гриша да тетя, отцова сестра Марья, собрались уходить в монастырь. В Саров и в Дивеево. Они постарше меня были. А я молодая еще.

Я к ним:

— Возьмите и меня!

Они не хотят меня брать.

А я: «Царица Небесная, Матерь Божия! Уж если они меня не возьмут сейчас — все равно убегу!»

Такое у меня было настроение. Не хочу жить в миру.

Те уж собираются, а я вся дрожу: «Батюшка Серафим, помоги!»

В одно время мама и отец отдыхали — какой-то небольшой праздник был. И вот мама хоть и боится сказать, а все-таки говорит:

— Ты знаешь, отец, ведь Маша едет в монастырь и Гриша...

— Ну и что?

— А давай мы и Фросю с ними проводим...

Отец говорит:

— Ты что, с ума сошла?!

И — замолчали...

А мама тоже боится много сказать. Отец строгий такой был.

Молчат.

Отец молчал, молчал, да вдруг и говорит:

— Фрось, ты слыхала, что мать сказала?

— Слыхала...

— А ты как же?

Я говорю:

— Я не против. Согласна...

Ну и все. И молчок.

Я только вся дрожу: «Царица Небесная, решается моя судьба! Батюшка Серафим, помоги!»

Но отец задумался. Все же страх Божий в нем был. И, никому ничего не говоря, решил он вот что.

У нас было три телочки. Отец их берег. В семье три девки на выданье — всем надо по корове. Раньше так было — отдают девку замуж, а с ней и корову в приданое.

И вот отец взял корову, которую наметил на мою долю, и повез ее на ярмарку. Продавать. А после рассказывал:

— Загадал я, — говорит, — просить за твою телку двойную цену. Дадут — отпущу тебя в Дивеево. А на смех поднимут — сидеть тебе дома.

Приезжает. Глядит — на ярмарке скотины полны ряды.

Ну и встал он крайним.

— Огляделся, — рассказывает. — Чего там наша телочка! Здесь и не такие есть. Но только я огляделся, вдруг гляжу, бежит какой-то старик — в зипунке, шапка набекрень. Ни к кому, ни к чему не присматривается, не спрашивает — сразу ко мне. «Хороша у тебя телочка! — говорит. — Сколько стоит?» Я сразу ничего и не сообразил, да так двойную цену и выпалил — двадцать четыре рубля! Двадцать четыре! А красная цена той телочке была — двенадцать рубликов. А старичок, тот даже обрадовался. Никакого слова не сказал, что там дорого или как. «Давай!» — говорит. И хлоп-хлоп по рукам!

Увел старичок телочку.

Ошеломлен отец был. Стоит, держит в руках деньги.

Вернулся домой. Молчит. Ужинать стал. Мама подает ему, а отец спрашивает маму:

— Ну как, Маша в Дивеево едет?

Мама ему:

—Едет...

—А Гриша в Саров?

—Едет...

—А Фрося?

Мама вся задрожала.

—Это уж как ты...

Отец посмотрел на маму и говорит:

—Собирай!

И поехали мы втроем. Пятого мая. Год — пятнадцатый.

* * *

Ну, приехали мы в Дивеево... Так мне это место понравилось! Чистота везде, порядок. Никто зря ничего не делал. Из келий прямо в церковь мосточки были устроены. Хорошо было, да! А петь-то — уж это как Ангелы пели! Певчих много было. Хватало из кого выбрать — целая тысяча сестер! Послушание мне дали на хуторе, на речке Сатис — за телушками ходить. Там и жили.

Тетя моя, Маша, правда, скоро домой уехала. Не осталась здесь жить. Ведь наш монастырь-то какой был? Никакой рубашоночки, никакого лохмота казенного не давали, а что из родительского дома взяла, то и носи. Да и брат Гриша из Сарова года через полтора ушел.

Как-то разочек, правда, Гриша на Сатис ко мне заехал. Да и то не ко мне, а куда-то они проезжали насчет сена. Увидал Гриша меня при телках, в лапотках, и усмехается:

—В лаптях? А я бы их не надел!

Так и сказал! Монахов-то во все казенное одевали, даже в сапоги. Он и загордился. А как же, интересно, он богачом себя показал? Дал мне один гривенничек!

Монашки потом смеялись: вот, говорят, богач сестре гривенничек дал. Ох, Господь с ним... Ну, гордость его обуяла! Не было ему, наверное, судьбы... Да и тоска на него напала — не стал жить в монастыре, уехал и даже мне не сказался. А меня — Господь укрепил. Да...

Только вот, когда Гриша-то приехал домой да родителям рассказал, как я в лаптях да как мне трудно там жить, мама-то и расплакалась. Сели они за стол, а Гриша взял хлеб в руки и говорит:

— Вот где Царство Небесное! А там его нет!

Это вроде как ситный хлеб — Царство Небесное!

А мама еще шибче расплакалась.

А он, Гриша, ведь еще и монашеской жизни не видал. Послушанье нес он нетрудное: в калашной хлеб пек. А как, бывало, архиерей приезжает, так он все с посохом стоял. Волосы у него эдакие были длинные, волной до плеч! А враг-то и смутил. Но не понимал Гриша этого. Да...

А потом вот что, ребята, я вам скажу, уж простите меня Христа ради! Вы собираетесь в монастырь? А? Собираетесь... Тогда вот — первое вам: не судите ни монахов, ни начальников. Только будешь судить — не вживешься. Сразу вылетишь!

Приезжал недавно к нам из Загорска, из лавры, такой Василий, иеродьякон. Я от него услыхала — он судит монахов: неправильно они живут. Это не так да другое. Я говорю:

—Ух ты, погоди-ка! Ты сам, — говорю, — не будешь в монастыре жить.

Так и случилось! Ушел он из лавры. Да... Вот заповедь какая: видишь грех какой за каким там монахом или иеромонахом или начальник неправильно что делает, твое дело — внимания не обращай! Отвернись и не гляди ни на кого! Пусть они себе грешат. Как батюшка Серафим говорил: «Пусть живут до времени, едят наш хлеб. А придет время, Господь Сам их выкинет». Вот этого — осуждения — бойтесь. Не судите! Дело не наше — Господь Сам их исправит.

А то ну мало ли у кого какая слабость? Дело не твое. Не гляди на него. Не судья ему никто. Вот так! А Гриша был такой — всех судил: «Это неправильно! Другое — не то! Третье — не се! Вот как бы надо!» А это что за монах? А Господь его — ширк! И выкинул из монастыря. А ты — хочешь жить по-Божьему, живи сам.

Только, как блаженная старица Агаша, бывало, скажет: «На каждом шагу молись: Царица Небесная, сохрани мое девство, не лиши Царства Небесного, не лиши меня святой Твоей обители!» Тогда утвердишься — и жив будешь. Врагов-то ведь много со всех сторон.

Где-то я видела картинку: преподобный Сергий — а вокруг такие страшные звери, всякие крокодилы около него. А он стоит и молится. Видели такую? А что это за крокодилы? Знаете? Это — бесы да человеческие страсти! Но молитва всех спасает. А судить будешь — нигде не уживешься, это — Богу мерзко. Сам за собой гляди!

А теперь я уже вот как молюсь: «Царица Небесная, подходит и смерть... Не оставь!» Только Она, Владычица, помогает и сохраняет всех, где бы ты ни был. В тюрьме была, в ссылке. И только все повторяла: «Взбранной Воеводе победительная!»* Только так молилась, и Господь сохранил.

* * *

Жили мы тогда на Сатисском хуторе. Земли у нас было много, кто-то пожертвовал. И скотины было много. Я там телят и пасла.

Однажды взяли к нам одну телочку из Сарова. Хотели у нас завести таких коров. Там они были седые, здоровые такие! А у нас — какие-то красненькие, небольшие. Эту телочку саровскую очень берегли. Два года нельзя, значит, ее было пускать в большое стадо. Только на третий год.

И вот, когда этой телочке года два еще только было, услыхала она большое стадо за рекой — коровы ревели. Моя-то телочка и разбушевалась. Всполохнулась вся — и туда, к ним, к большому стаду. А это запрещено!

Я за ней бросилась! Бежала, бежала, а она — бух в речку, в Сатис, и поплыла. А он глубокий, Сатис-то. Телка переплыла на ту сторону и бежит к большому стаду.

А я на берегу! Упала на коленки и кричу:

— Батюшка Серафим! Ты что, не видишь, что ли?! Телка-то убежала!

* *Древняя молитва к Божией Матери.*

Вот таким тоном заругалась я на преподобного! «Не видишь, что ли?!»

И что ж вы думаете? Телка сразу — раз, и стала. Как вкопанная. Потом попятилась, и мало-помалу повернулась, и побрела обратно. Как будто кто ее тащил. Вошла в реку и поплыла сюда потихонечку.

На берегу я ее на веревку взяла. «Эх ты, охальница, замучила меня!»

Только я воображаю, что это батюшка Серафим ее остановил.

Потом она больше не поднималась. А уж после от нее такая телочка хорошая была. Ну а вскорости уж нас оттуда выгнали, с Сатиса...

Да... То было страшное время. Тогда война большая была, а потом царя свергли. Революция. Вы этого не захватили, не знаете.

Сам монастырь вначале не трогали, а хутора грабили. Пришли и нас грабить. Привелось и нам пострадать. И кто же грабил? Свои села поднялись. Свои села! Ломасово, это в шести километрах от Сатиса. Мы мужиков и баб из этого села так и звали — ломасы. Что же они захотели? Нас разграбить и все забрать!

Но нам раньше стало известно, что это будет. Предупредили. Из монастыря к нам на Сатис прислали рабочих, чтобы ночью гнать коров в монастырь. А то назавтра их не будет — заберут. Вот мы всю ночь — ой, батюшки, всю ночь! — стадо вели. А с коровами намучились! А с телятишками-то!.. Какие маленькие — были там и по пяти дней, — тех на телегу положили. Коров много, и телят было много.

Потом потеряли дорогу, идучи по лесу. А лес непроходимый. Эх и намучились! Думали, что недолго, а тут километров, пожалуй, двадцать было. А мы еще объезжали усадьбу, в ней Лажкин, барин, жил. Там у него был винный завод. Его уже начали грабить. Со всех округ полезли, пьют все! Потопились несколько, залезли в чаны. Погорели многие. Безвластие стало, вот и лезли все кто куда.

Да... Коровы-то едва бредут, а маленькие телишки устали, попадали. Что было — я не могу позабыть! Но все же пришли к Дивееву кое-как. В семь часов. У нас обедня поздняя, а мы — с коровами сюды. Все стадо вогнали на конный двор. Все-таки всех в целости привели. Ну а потом нам матушка игуменья приказала вернуться. Чайку мы попили и пошли.

Мы с подругой моей, с Пашей, всю ночь и день не спамши, шли-шли... И так устали — больше сил нет! Давай посидим... Сели мы, значит, прямо на дороге и враз задремали. Сколько мы спали, не знаю. Потому что очень усталые были. И вот подъезжает, значит, до нас мужичок на телеге. Он нам кричал, кричал, чтоб мы с дороги сошли, а мы и не слыхали, хоть раздави нас! Спим. Что же он сделал? Как хлестнет нас кнутом! Мы испугались: «Господи Иисусе Христе, да где ж мы?!» Кругом лес, и мы ничего не понимаем — испугались.

— Дяденька, скажи Христа ради, где мы? Куда мы попали?

Он ругается, проехал... Ну и Бог с тобой!

Мы посидели. Насилу опомнились. Откуда мы идем? Куда?.. Потом глядим, а мы как раз уж недалеко от усадьбы, где ломасы Лажкина-то грабят и винный завод. Видно, и мужичок туда на телеге ехал. Смотрим: и жаровни тащат, и скалки, и все, что у Лажкина было в дому. Мы уж той дорогой не пошли — убьют нас. Как же — монашки... Слышим, кричат: «Сейчас пойдем к черничкам!»

Мы скорее к своим. Сестры нас уже ждут.

— Как же вы так долго?

Мы все рассказали: как плутали, как задремали, как дошли. И что к нам грабить сейчас придут.

Только рассказали, слышим, сестры кричат:

— Ломасы пришли! С красным флагом!

Ворвались. Много их. У нас там была житница — они к этой житнице.

— Давай ключи!

Пришла к ним старшая наша.

— Хорошо, сейчас дам. Чего вам нужно?

— Все нам нужно! Все! Весь хлеб заберем! Давай все что есть!

Она, матушка, думала — отстоит... Какой тебе...

Отперли. А там у нас — и пшено, и крупа была, и мука... Стали им по мере насыпать. Да разве они

Костер из икон

будут ждать — по мере? Вытолкали они нас да сами стали сыпать. Отняли все.

Один дяденька влез прямо в сусек, в муку. Вот страсть-то! И смех и грех! Весь белый! Насыпают мешки.

А потом слышим: бах-бах — стрельба идет! Что ж такое? Глядим туды, а там, значит, вертянские мужики поднялись, пошли на защиту монастыря, отгонять этих ломасов.

Мы кричим:

— Караул! Убивать нас будут!

А вертянские нам:

— Что вы, дуры, кричите? Не вас будут убивать, а вон тех!

Да никого не убили, слава Богу. Только кверху постреляли. Но разогнали все-таки этих ломасов. А уж утащили они сколько всего... Такая была грабеж... Прости, Господи...

Осень стояла. Октябрь. В семнадцатом году. Да, холодно уже было...

Уж у нас были запасены грибочки, капуста — все для зимы.

Вот как сейчас вижу: один мужичок залез в погреб, вытащил кадушечку так ведерочка на два. Очень уж мужичку кадушечка понравилась. Были в ней только самые хорошенькие грибочки отобраны. Так что ж он? Вывалил грибы и, лапти не жалея, топ-топ, потоптал их, грибы эти! Чтоб никому не достались. Да грибы ему и не нужны, ему кадушечка нужна.

А еще какой-то татарин там был. Ему тоже кадушечка приглянулась, только другая, а в ней помидоры.

— Это что такое? — спрашивает.

А у нас одна сестра, мордовочка, была, смешливая:

— Это, — говорит, — у нас лекарство!

— Какое?

— А когда корова завшивеет, мы этим лекарством корову моем.

Вот так и сказала! А он поверил. Не понимал, что такое помидоры.

Было у нас много посуды для молока — стеклянная, хорошая. О Господи! Один паренек залез на чердак, видит там эти бутыли. Наклал в мешок. По лесенке — стук-стук — одна об одну побил. На дворе высыпал. «Еще знаю, где взять». Еще пошел.

И пьяные были все! Понабрали вина на заводе у Лажкина. Что творили — нельзя рассказать! Прямо у нас на дворе один такой мужчина — валяется без памяти. Си-иний! Опился!.. Господи, прости нас, грешных!

А потом явилась какая-то... это... власть.

Власть явилась, человек четырнадцать вроде. Они у нас на большой кухне заседание сделали. Решали, как со спиртом быть. «Если, — говорят, — все как есть оставить, люди не знаем что натворят!» Думали, думали и решили: давайте мы этот спирт выпустим. Просто как воду, в землю. А другие говорят: «Так нельзя! Спирт — он везде нужен, он — лекарство». А другие в ответ: «Нет, в это время нам его рядом с людьми держать нет возможности! Потому как народ много беды натворит пьяный»...

Но все же они порешили — и выпустили весь этот спирт. Из картошки его делали. На завод туды картошку возили и делали вино. Водку, белую такую. Только перед тем как вино в землю выпустить, пришла эта власть к нам и говорят:

— Бутылки у вас есть?

У нас были бутылки, большие, со святой водой. Мы показали.

— Что это в них у вас? — спрашивают.

— Святая вода.

Они и забрали бутылки. И вылили! На пол! Да им что, жалко, святую-то воду? А спирта себе понабрали. А что осталось спирту — тот выпустили прямо в землю. В песок.

После того со всех сел ближние и дальние мужички да бабы съезжались и этот песок промывали. И пили, ребята!.. А на заводе сколько тогда мужичков потопилось!.. Один какой-то с ногами в чан упал, прямо как уголь сгорел в спирту! Много всего было...

Сатис-то весь разграбили, а нас выгнали. Да... Это когда было?.. Ну да, семнадцатый год, как раз начало революции.

Дивеевские сестры

А монастырь закрыли в двадцать седьмом... Тут такого страха-то уже не было. Потому что власть сделалась.

Все окрестные монастыри прежде разогнали, а нас пока не трогали. В Москве кто-то помог. Нам потихоньку сообщили: «Вы пока никуда не уходите, держитесь». Устроили мы артель. И стали называться не монастырем, а артелью. А уж в двадцать седьмом власти начали требовать с матушки игуменьи сестринские списки, документы на всех.

А мы говорим:

— У нас нет никаких документов!

И правда, в монастырь-то нас принимали без документов. Хотя, конечно, считали нас, счет был. До революции сестер было больше тысячи. Я вот приехала уже в пятнадцатом году. «Чья ты, откудова?» А в монастыре из нашего села была Агаша, постарше меня.

— Я с одного села с Агашей...

— О, Агашина землячка!

Вот и все. Такой вот документ был: «Агашина землячка».

Старушки рассказывали: «Когда сестры жили еще с преподобным Серафимом, значит лет сто пятьдесят назад, батюшка Серафим сестрам говорил: "Придет время, мои сиротки в Рождественские ворота как горох посыплются!" Мы, бывало, гадали: "Какие же это ворота будут? В монастыре таких ворот нет"».

И вот в двадцать седьмом году подходит наш престольный праздник — Рождество Богородицы. В два часа — малая вечерня. Я тогда в звонарях была. Побежали мы звонить к колокольне. Только я берусь за замок — цап меня кто-то за руку сзади. Ах, батюшки — «красна шапка»! Милиционер!.. И не видела, откуда он взялся. Схватился за замок и не дает, не пускает нас на колокольню.

— Стой! — говорит.

Я говорю:

— Как стой?! Уж нам время звонить!

— Вам, — говорит, — время. А нам — нет.

Певчие бегут, спрашивают:

— И чтой-то это вы не звоните?

А мы головушки повесили:

— Вон, «красна шапка» не дает!

Звонить на праздник не дали, а дали — семь дней на сборы.

В двадцать седьмом году это было. В сентябре. По старому стилю восьмого. А по-новому — я не знаю. Рождество Богородицы, праздник, 8 сентября. Тут сестры и вспомнили:

— Батюшка Серафим говорил: «Сиротки мои в Рождественские ворота как горох посыплются!» Вот вам и Рождественские ворота.

Вспомнили слова преподобного!

Сестры потом попросили:

— Вы эти семь дней разрешите нам все докончить. Значит, чтоб и службу служить, и звон.

— Ну, делайте как знаете.

Не отказали.

Через неделю мы ко всенощной отзвонили во все звоны. В последний раз! Отзвонили, отслужили... И как птички — кто куда. Вот так... А дождик лил! В дорогу... Господи, люди на нас, и Господь на нас! Царица Небесная!.. Да что ж поделаешь? Ведь невозможно, что они, власти эти, предложили — чтоб, значит, не надевать монашескую одежку! Ходите как мирские. И чтобы икон не было, а поставить Ленина. На это никто не согласился!

В Тихвинской церкви хранилось все для нового собора. Что там было, при нас еще стали вывозить. Ризы, кресты, ну всё-всё вывезли. А мужички, что пригнали с телегами, не радостны были: «Сюды мы везли с радостью, для нового собора, а сейчас невесело нам». Вот тут-то из мужичков некоторые, голову нагнувши, прямо плакали. Ну жалко было! Они — только что поплакали, а что они могут сделать против власти?

Матушку игуменью на второй день в тюрьму забрали. И пошли мы кто куда...

Архиерей один был при нас, тайно. Он нам сказал:

— Из монастыря вас выгнали, но монашества мы с вас не снимаем.

Я не знаю, как люди, а монашки так рассуждали: «Все это — Божье наказание. Господь попустил для нас такую власть».

* * *

Тридцать седьмой год. Мы с монашками вокруг монастыря жили. Я — вот тут, на Калгановке. И на той стороне улицы еще были домики, там тоже жили монашки. А некоторые побоялись тюрьмы — замуж вышли... Помоги им, Господи!

Пришло время — в тюрьмы нас давай брать. В тридцать седьмом. Какая-то явилась «тройка» — судьи такие. Помню, небольшая такая была комната. Они сидят — такие большие мужчины. А нас двадцать человек сразу одних монашек милиционер привел.

— Ох, брат, как ты много привел!

— А я еще знаю, где взять.

— Ну что — девушки?

— Девушки...

— Как вас судить-то? Ну, в церкву ходили?

— Ходили.

— Пиши — «бродяги».

Такая наша вина была — «бродяги».

Повезли нас в Ташкент. Вагоны телячьи, сквозняки везде. Вот в вагоне-то я и заболела. Я все плакала: «Господи, — думаю, — за что в тюрьму-то? Тюремщица!» Как-то мне было обидно, что я в тюрьме. Ну и плакала. Да и все плакали, наверное. Лицо от слез у меня было сырое. А потом, как пошел поезд, стал ветер, и у меня сразу голова простыла. И — «рожа»! Все у меня опухло. Привезли в Ташкент, а я уж ничего не понимаю. В больницу положили. Но не померла, жива осталась...

Привезли нас в Ташкент, в чистое поле, а как стали освобождаться — целый город построили. Бесплатные работники.

Такая была еще — генеральная проверка. Темный-темный коридор. По обе стороны стража с пиками стоит. Страх-то там какой был! Сколько охраны, собаки лают! Господи, и чего они берегли такого добра-то, монашков? И вот этакой тропкой, через стражников, — проходи. Пройдешь, а в конце — обыск. Кресты снимают. Господи, прости их! Матерь Божия... Милиционер крест содрал — ногами растоптал: «Зачем носишь?!»

И вот, когда сняли наши крестики, такое было чувствие — как все равно перед тобой стоит Сам Господь распятый! Как будто Сам Господь на Кресте терпит. Крестики сняли — такая обида!

А потом что же — как же без креста? В то время мы пряли узбекскую пряжу, вату. И были там такие вилочки — их маленько срезать, и будет крестик. Поделали мы крестики. Пошли в баню, с крестами. А там такие есть, начальству сразу докладывают:

— А монашки опять все в крестах!

Но тут уж не отбирали. Да и возьмете — мы себе что-нибудь другое найдем.

Но и Господь нас укреплял! Одна сестра дивеевская, она еще до нас в тюрьме была, видит во сне батюшку Серафима. Батюшка сюда, в тюрьму, целый этап монашков гонит. И весело так говорит: «Открывайте двери! Сестер вам веду!» Это — нас-то!

А до этого, на свободе еще, в Дивееве, была у нас блаженная, Марья Ивановна. Она при мне помирала, вскоре как нас из монастыря выгнали. Мы все тогда у нее спрашивали:

— Мамашенька, когда ж мы в монастырь? Мы монастырь ждем!

А она:

— Будет, будет вам монастырь. Мы с покойницей матерью казначеей скоро вас в этот монастырь вызывать начнем!

И вы знаете, что она мне еще сказала?

— Только в монастыре этом вас будут звать не по именам, а по номерам. Вот тебя, Фрося, мы позовем с казначеей: триста тридцать восемь!

Триста тридцать восемь... Подивилась я, но запомнила. А когда в тюрьму взяли, такой номер у меня и был! Я помню этот свой номер — триста тридцать восемь. Да, она мне это сказала, Марья Ивановна, блаженная! Вот тебе и монастырь!

Что ж, такое было время... По-всякому приходилось. Поста больно уж не соблюдали. Господи, прости! Когда из костей что наварят... Но большой пост все-таки терпели. Водичка там или чего постное — берем. А скоромное не брали.

Но все-таки было хорошо, что нас много там было, монашков. Сорок человек. Какой праздник, мы на нарах сидим и чувствуем — Благовещение! Господи, помилуй, а теснота везде! Внизу — шпаны! Они там царствуют. А мы наверху. Нам еще лучше! Бог с ними! Были среди нас и певчие. Вот так, соберемся наверху и тихонько запоем — «Архангельский глас».

Были такие, что и на память знали всё — и службу, и акафисты. Книги нам держать не пропускали. Книги забирали, да...

А вот в одно время ехали на пересылку. Долго ехали. А в соседнем вагоне — шпаны. И больно уж разодрались! Монашков отдельно везли. Эти шпаны все нары попереломали. И вот одну к нам сунули. Она вся была... ну... голая почти! Ничего на ней не было, так, чуток приодетая. Ни сумки у нее, ничего. А монашки все были с сумками. И рубашечка-сменочка, и сухарик, и что надо — все у нас было. А у шпанов — нет ничего. Жалко ее стало. У кого был какой кусочек, покормили. Кто юбку, кто какой платочек — и одели ее во все. Ну ладно... Едем. Вот на одной остановке дверь открыл военный. Нас провожали не большевики, а военные, солдаты.

— Ну, сестры, как живете? — спрашивает.

— Все хорошо. Слава Богу!

— Может, кому чего нужно? Может, кто больной?

— Да ничего. Всё терпим!

А эта шпана и говорит:

— Гражданин начальник, а монашки Богу молятся. Поют!

Он и говорит:

— Вот и хорошо! И ты с ними пой. Они за то и сидят. Пусть себе молятся.

Едем. На каждом вагоне — солдат. Караулит. Мы-то в вагоне, а охранник наверху. Там холодно. Он все ходит, притоптывает. Мы его так жалели! «Господи, мы в тепле, а ему там холодно, караулит нас!»

А как поезд тронется, солдат стучит нам:

— Эй, сестры! Запевайте «Барыню»!

А мы пели «Благослови, душе моя, Господа». Или там — обедню. Он всегда, как тронемся, хоть и не знает, как назвать, но стучал нам:

— Пойте «Барыню», не бойтесь!

Да... Господи, были и добрые. Всякие были...

Потом перевели нас, монашков, в приют к дитям. Там при тюрьме приют был. Мамки их сидели в лагере. А шпане нельзя было детей доверять. Они как разойдутся — убьют ребенка. Вот и брали туда монашков.

А нам там хорошо было! На Пасху, как уложим детишков, в двенадцать часов соберемся в этом... как его... забыла... не назову... В павильоне! Детки в этом павильоне днем играют. Мы там соберемся и запеваем тихонько: «Воскресение Твое, Христе Спасе...» и «Христос воскресе». Тихонечко так...

А медсестра и директор однажды услыхали. «Где же это такое пение? Как Ангелы поют!» Пошли и наткнулись на нас.

— Так это вы тут поете?

Мы испугались! А директор была еврейка. Но ничего никому не сказала.

— Ну ладно, только тихонько пойте.

А ведь приходилось и детей крестить! Ох, Господи, прости, надо было это батюшкам рассказать... Когда купали, тогда их и крестили. Читали «Верую», еще другие молитвы, я уж забыла. По четыре ребенка сразу крестили. А которые сильно больные, то по одному, а то зараза какая.

Вот так. А сколько там детей погибло!.. Много... Оттуда мы и освободились.

Ох, Господи Боже мой, чего только не делали! Каких в жизни не было делов! И пряли, и ткали, и детей воспитывали! Монашки!..

Эх, тюрьма, никого не щадит! Говорят, «кто не был — побудет, а кто был — тот не забудет». Теперь вот еще бы мытарства пройти... Господи, помоги! Царица Небесная!.. Много я вам тут наболтала!..

* * *

Прощаясь и провожая нас, матушка остановилась, развязала платок и достала из-под ворота подрясника маленький деревянный крестик.

— А я его берегу! Он как-то у меня не потерялся. Крестик — заслуга из тюрьмы... Вот — простая деревяшечка. Я уж по-простому вам скажу... Если плохо скажу, не обессудьте!.. Вы все — семьдесят лет в плену пробыли! Понимаете вы это, нет? Мы же в плену жили у советской власти. Это же плен! А дальше не знаю, что будет... Куда пойдет? Я только слыхала от одного человека, не скажу его имени, а только он сказал: «Кончилось царство Хамово!»

Возрожденное Дивеево

Как-то в гостях у матушки...

Прошло несколько лет. Как-то зимой мне, недавно рукоположенному иеромонаху, надо было приехать в начинавшую тогда возрождаться Дивеевскую обитель. Закончив дела в монастыре, я сразу поспешил к матушке на Лесную улицу. Но калитка у знакомого домика была заперта на большой замок. Это показалось мне странным. Ведь матушка никуда не выходила: ей к тому времени исполнилось уже девяносто два года.

Подобрав полы подрясника, я перемахнул через забор. На стук в дверь отозвался голос матушки, она сообщила, что ее теперь запирают в доме и даже ключа не дают: посетителей так много, что идут они беспрерывно — с утра до вечера.

Но повидаться нам хотелось. Матушка открыла окошко, и я, как Ромео, проник в дом.

— Тихон! Я знаю, что ты уже поп! — это было первое, что сказала мне матушка. — Быстренько поисповедуй меня, а то я не могу у этих мирских попов исповедоваться.

После исповеди матушка усадила меня за стол и начала хлопотать. Поджарила яичницу, разогрела картошку. И вдруг вынула из-под стола бутылку со спиртом. Мы дружили почти десять лет, и я даже представить не мог, что она способна прикоснуться к вину. А тут — чистый спирт!

— Ну как? — спросила она, заметив мое изумление. — Я тебя раньше не смущала, боялась, соблазнишься. А теперь ты уж большой, священник — не осудишь. Это нам, старикам, иногда понемногу надо, чтоб кровь ходила.

Она налила себе в стопочку граммов тридцать, предложила и мне и с удовольствием выпила неразбавленный спирт. Это было для меня совершенно удивительно, но приоткрыло еще одну грань жизни великой монахини — жизни, простыми, «арифметическими» законами не постигаемой.

Свеча

В заветном сундуке, среди прочих вещей преподобного Серафима, у монахинь бережно хранилась маленькая свечка. Когда матушка Фрося доставала святыни, чтобы паломники могли им поклониться, свечка обычно оказывалась где-то в стороне и ее никто не замечал. Как-то раз я спросил у матушки, что это за особенная свеча. И она рассказала такую историю.

Свеча эта хранится у сестер со времен преподобного Серафима. Он дал им ее перед своей смертью и сказал: «Одна из вас с этой свечой будет встречать мое тело — его перенесут и упокоят в Дивееве. Ведь я мощами своими не буду лежать в Сарове, а перейду к вам, в Дивеево».

После кончины в 1833 году преподобный был похоронен в Саровском монастыре. Там началось его почитание, туда устремлялись тысячи паломников со всей России. В 1903 году прошло прославление святого Серафима в лике преподобных, и его мощи положили в Сарове в Троицком соборе в великолепной раке. Православные люди слышали, конечно,

Нынешнее
Дивеево

Перенесение мощей

о пророчестве преподобного Серафима, о том, что он перейдет своими мощами в Дивеево, но это казалось настолько непонятным, особенно после революции, когда мощи считались уничтоженными, что пророчество удобнее было считать чисто символическим.

И еще матушка Фрося рассказала, что в 1927 году, накануне закрытия Дивеевского монастыря, жившая здесь блаженная Марья Ивановна собрала в последний раз дивеевских сестер и, взяв заветную свечу, оставленную преподобным, зажгла ее перед всеми. А потом предрекла, что последняя из собравшихся здесь сестер, которая останется в живых, от лица всех монахинь — почивших, замученных, убитых, но оставшихся верными Господу Богу, — будет встречать в Дивееве мощи преподобного Серафима вот с этой самой свечой.

Когда матушка Фрося рассказывала мне эту историю, в живых оставалось, наверное, десять дивеевских монахинь. Год за годом их становилось все меньше. Но остающиеся свято верили в исполнение пророчества. Наконец из почти тысячи живших до революции в Дивееве сестер матушка Фрося осталась одна.

В 1990 году в Ленинграде были найдены, казалось бы, навсегда потерянные мощи преподобного Серафима Саровского. А через год с величайшим торжеством, крестным ходом через всю Россию, святые мощи были перенесены в Дивеево, поскольку в Сарове не было тогда ни одного действующего храма, а Дивеевский монастырь уже возрождался.

Когда архиереи во главе с патриархом Алексием при стечении тысяч и тысяч людей под пение хоров вносили мощи преподобного Серафима в дивеевский храм, в дверях стояла послушница Фрося — схимонахиня Маргарита и держала в руках зажженную свечу.

Скончалась матушка 9 февраля 1997 года, в день церковной памяти новомучеников и исповедников Российских. Она и сама была исповедницей и новомученицей. Как и отец Иоанн (Крестьянкин), который тоже умер в этот праздник через девять лет.

Соловецкий
монастырь

В праздник Крещения вода во всем мире становится святой

История, которая может войти в будущий «Пролог»

У одного известного в России духовника спросили, как он, проведя долгие годы в заключении, совершал там Божественную литургию. Старец отвечал:

— Многие священники знали текст литургии наизусть. Хлеб, хотя и не пшеничный, можно было найти без труда. Вино приходилось заменять клюквенным соком. А вместо престола, на котором служится литургия и в который, по церковным правилам, должна быть вложена частица мощей христианского мученика, мы брали самого широкоплечего из наших собратьев — заключенных священников. Он раздевался по пояс, ложился, и на его груди мы совершали литургию. В лагере все были мучениками и исповедниками и в любой момент могли принять смерть за Христа.

— А как же, батюшка, вы освящали воду в день Крещения? Ведь если литургию служат часто и ее

Великое освящение воды

можно знать наизусть, то молитвы на Крещение читаются однажды в год и они очень длинные.

— А нам и не нужно было помнить эти молитвы. Ведь если хотя бы в одном месте Вселенной в православном храме совершается чин великого освящения воды, то по молитвам Святой Церкви освящается и «всех вод естество» — вся вода в мире делается крещенской и святой. В этот день мы брали воду из любого источника, и она была нетленной, благодатной, крещенской. И, как всякая крещенская вода, не портилась по многу лет.

Специалисты по антирелигиозной пропаганде совсем недавно утверждали, что крещенская вода годами не портится потому, что священники тайно опускают в чаши серебряные слитки, монеты, кресты. По этому поводу церковные острословы придумали такую загадку: «Сколько ионов серебра содержится в литре крещенской воды, если освящение проводилось в проруби, вырубленной на середине Волги, в месте, где ширина реки достигает километра, глубина — семи метров, скорость течения — пяти километров в час, а крест, которым деревенский батюшка освящал воду, за бедностью храма, деревянный?»

У ворот Псково-Печерского монастыря

Отец Аввакум и псковский уполномоченный

Как-то летом один из древних печерских стариков, сторож монах Аввакум, заявил в трапезной после вечерних молитв, что больше не будет пускать в монастырь неправославных. Хватит! Ходят по обители то размалеванные дамочки-туристки под ручку с мужиками-безбожниками, от которых за версту разит табачищем, то коммунисты с баптистами, то новоявленные экуменисты, то мусульмане в обнимку с нехристями-жидами. Надо этому положить конец!

Братия не придала стариковскому ворчанию значения, но кто-то все же спросил:

— А как же ты отличишь, православный идет человек или нет?

Аввакум крепко задумался. Но ненадолго.

— А вот кто прочтет Символ веры, того я и пущу! А нет — гуляй за воротами, нечего тебе и делать в монастыре!

Все посмеялись над его словами, да и забыли. Но на следующее утро, когда монахи расходились после службы по послушаниям, они с удивлением заметили, что в обители непривычно безлюдно. ~~Бродят и крестятся на храмы~~ благочестивые паломники. Знакомые бабки подходят под благословение. Странники с узелками отдыхают после литургии. Юродивый бегает вокруг колодца. А вот обычные докучливые толпы туристов куда-то исчезли. Просто Святая Русь! Видно, правда отец Аввакум чудит, держит свое слово.

Так оно и было. С раннего утра, заступив на дежурство у Святых ворот, отец Аввакум от каждого входящего требовал прочесть Никео-Цареградский Символ веры, составленный отцами двух первых Вселенских Соборов в IV веке. Расчет был гениально прост: любой воцерковленный православный уж точно знает этот текст наизусть.

С полшестого до десяти часов утра ни у одного из пришедших в монастырь с Символом веры проблем не возникало. А вот после десяти из Пскова подъехал первый туристический автобус. Само собой, никто из советских туристов экзамен Аввакума выдержать не смог. Все только ругались да угрожали, стоя перед наглухо закрытыми воротами. Но для старого солдата отца Аввакума, закончившего войну под Будапештом, эти угрозы были просто смешны.

Подъехал еще автобус. Следом подоспели интуристы... К полудню у ворот обители собралась огромная разгоряченная толпа. Ее-то и увидел из окна своей черной «Волги» приехавший в монастырь на обед к отцу наместнику главный псковский надзиратель над всей церковной жизнью — уполномоченный по делам религий по Псковской области Николай Александрович Юдин.

В монастыре фамилию уполномоченного все подчеркнуто произносили как «Иудин». И не потому,

«Несвятые святые» и другие рассказы

что этот уполномоченный был хуже других. Просто любой надзиратель за церковной жизнью сам по себе являлся символом внешнего порабощения Церкви. Справедливости ради надо сказать, что Николай Александрович был довольно добродушным человеком, много лет проработавшим в органах, но не ожесточившимся от избытка власти. Тем не менее он был полноправным хозяином и вершителем судеб всех проходящих по его ведомству священнослужителей. Любого священника он мог по личному усмотрению лишить так называемой «регистрации», и тот уже не имел права служить в храме. И это лишь самое малое. Неприязнь уполномоченного совершенно спокойно могла кончиться для батюшки набором всех тех неприятностей, которые имел возможность обеспечить этот кадровый сотрудник КГБ тому, кого бы посчитал опасным для советского строя. Поэтому все настоятели, не говоря уже о простых батюшках, являлись в кабинет уполномоченного по первому зову.

Все, кроме наместника архимандрита Гавриила. Он был единственным, к кому, если надо было решить какой-то вопрос, Юдин приезжал сам. Почему так происходило? Думаю, наместник смог себя так поставить. И еще, отец Гавриил был сильный и независимый наместник. И очень жесткий: если уж чего-то решал, то всегда этого добивался.

Правда, некоторые ядовито предполагали, что уполномоченный Юдин ездит в монастырь «на ковер», потому как у наместника звание выше. Но это были просто злые языки. Хотя понятно, что в те времена наместники и настоятели не могли не иметь взаимоотношений с представителями государственной власти.

Увидев вопиющий непорядок в своем «хозяй-стве», Николай Александрович Юдин сразу вышел из машины. Быстро во всем разобравшись, он реши-тельно пробрался сквозь толпу к воротам и грозно забарабанил кулаком по старинным, окованным же-лезом дубовым доскам.

— Кто там?! Ну-ка открывай сейчас же!

— Читай Символ веры! — раздался из-за ворот грозный глас монаха Аввакума.

— Что?! — не поверил своим ушам уполномочен-ный. — Какой еще Символ веры? Открывай, тебе говорят!

— Читай Символ веры! — все так же непреклонно донеслось с той стороны.

У Николая Александровича от возмущения пере-хватило дыхание:

— Да ты кто такой?! Ты что себе позволяешь? Я уполномоченный! Я — Юдин! Открывай сейчас же, или пожалеешь!!!

— Читай Символ веры!

Этот возвышенный диалог продолжался минут десять.

Наконец, взглянув на часы, уполномоченный сдался:

— Открой, прошу тебя! Я уже на целых четверть часа к вашему наместнику опоздал. Представляешь, как он меня сейчас встретит?

За воротами повисла пауза. Видно, отец Аввакум яв-ственно представил себе, что ждет этого несчастного.

— Да, тебе не поздоровится... — с пониманием вздохнул он. Но тут же несгибаемо повторил: — Чи-тай Символ веры!

— Да не знаю я этот ваш Символ! — взмолился уполномоченный. — Что это хоть такое?

Отец Аввакум снова крепко задумался и наконец принял решение.

— Ну ладно, так и быть. Повторяй за мной.

И из-за ворот донеслись древние величественные слова Никео-Цареградского Символа веры.

— «Верую!» — возгласил Аввакум.

— «Верую...» — затравленно озираясь на туристов, выдавил из себя уполномоченный.

— «Во единого Бога Отца!..» — торжественно продолжил Аввакум.

— «Во единого Бога Отца...» — обреченно повторил Юдин.

— «Вседержителя!»

— «Вседержителя...»

— «Творца небу и земли!»

— «Творца... небу и земли...»

После того как уполномоченный Совета по делам религий по Псковской области всенародно засвидетельствовал последний догмат, заключенный в великой молитве: «Чаю воскресения мертвых и жизни будущего века. Аминь», ворота приоткрылись и пропустили чиновника в монастырский двор.

Испепелив взглядом своего инквизитора и выругавшись сквозь зубы, уполномоченный бросился к настоятельскому корпусу, где его в весьма раздраженном состоянии духа встретил отец наместник.

— Что ж это вы, Николай Александрович, опаздывать решили? Я уж полчаса как вас поджидаю! — недовольно укорил он гостя.

— Да что обо мне?! — кинулся в атаку уполномоченный. — Это у вас тут невесть что творится! Поставили психически больного на ворота. Никого не пускает — требует ото всех читать какой-то Символ веры! Там, на площади, автобусы, туристы! Иностранцы!!! Представляете, какой скандал сейчас начнется?

Тут и наместник заволновался. Он немедля послал отца эконома разобраться и навести порядок, а Аввакума сейчас же доставить в наместничий кабинет для расправы.

Когда Аввакум вошел в обеденную залу, уполномоченный усилиями отца наместника, а также с помощью обильных яств и французского коньяка, был несколько успокоен.

Увидев сторожа, отец наместник гневно привстал в креслах.

— Ты что там устроил?! Без благословения, самочинно порядки свои в монастыре наводишь?!

А вот самочиние — это действительно тяжкий грех для монаха. Отец наместник был здесь совершенно прав. И Аввакум мгновенно этот свой грех осознал. Он решительно шагнул к столу и бросился отцу Гавриилу в ноги.

— Виноват! Прости, отец наместник!

—Убирайся вон, самочинник! — загремел над ним наместник и даже отпихнул Аввакума сапогом.

Уполномоченный мстительно торжествовал. Когда он уехал, наместник снова потребовал к себе Аввакума. Тот, лишь войдя, сразу повалился в ноги.

Но отец наместник вызвал его совсем не для выговоров:

—Ладно, молодец! На вот, бери! — добродушно проговорил отец Гавриил и сунул Аввакуму бутылку «Наполеона».

В тот вечер Аввакум и еще несколько старых монахов, бывших солдат, с удовольствием попробовали, что такое знаменитый наместнический коньяк.

Черный пудель

Казалось бы, что интересного и важного может произойти на освящении квартиры или дома? Но и во время такой скромной службы люди пусть ненадолго, но все же предстоят пред Господом Богом. А этого достаточно, чтобы для тех, кто пока еще далек от Церкви, порой вдруг открылись совершенно поразительные, неизведанные горизонты.

В жизни каждого человека — однажды, а может быть, и несколько раз, — но непременно произойдут события, которые, как ни старайся, с рациональной точки зрения истолковать невозможно. Впрочем, если уж очень хочется себя пообманывать, то можно счесть подобные случаи невероятными совпадениями или даже болезненной фантазией. Правда, если у такой невообразимой истории были и другие свидетели, дело осложняется. Но и тут есть шанс представить все случившееся, скажем, как коллективную выдумку, химеру.

Но как бы мы ни старались объяснить, забыть, а еще лучше — высмеять этот наш личный загадочный духовный опыт, мы никогда не сможем до конца освободить свою память от властно ворвавшейся в наше обыденное существование иной реальности.

А дальнейшее — задумаемся ли мы над случившимся или предпочтем сделать вид, что ничего не произошло, — это уже в нашей власти. Только вот душа человеческая, уже после нашей смерти, расставшись с телом и представ перед новым миром, не сможет упрекнуть никого в своей неосведомленности. Не сможет надуться как школьник: «Это мы не проходили! Это нам не задавали!» И проходили, и задавали. И все что надо, каждому по-своему, разъясняли.

Впрочем, при всей своей значимости, такого рода события порой бывают весьма ироничными и даже забавными.

В девяностые годы все кому не лень насмешничали над нецерковными людьми, которые с серьезным видом выстаивали службы в православных храмах. Они прилежно, но неуклюже крестились, невпопад кланялись и явно мало что понимали в происходящем.

Еще любили хорошенько высмеять тех, кто приглашал батюшек освящать дома и квартиры. «Мода!» — злословили в их адрес юмористы.

А мне, признаться, всегда отрадно было видеть этих «подсвечников», как саркастически честили их остряки. Радостно за них становилось потому, что они пусть и неловко, но представали пред Господом Богом в усердии и смирении. А такое бесследно никогда не проходит: даже самые неискусные богомольцы обязательно получат от Бога особые духовные дары, совершат лично им предназначенные открытия, которых хохмачам-насмешникам и во сне не увидеть.

Олег Александрович Никитин

Был у меня добрый знакомый, Олег Александрович Никитин, заслуженный ученый-энергетик еще времен Советского Союза. В девяностые годы он руководил крупным предприятием по эксплуатации и ремонту линий электропередач, раскинувшихся от Дальнего Востока до Калининграда. Олег Александрович и его коллеги были людьми чрезвычайно интересными, но в церковной жизни, мягко говоря, разбирались мало. Такие классические

советские ученые и директора-производственники старой закалки. Но в храм они все же стали наведываться время от времени.

На службах эти товарищи стояли — столбы столбами. Точно как пресловутые «подсвечники». Пыхтели, обливались потом, но и не сдавались, хотя выдержать полтора часа богослужения было для них истинным подвигом.

Как-то Олег Александрович объявил своим друзьям и знакомым, что приглашает всех на новоселье, — небольшая дача в Калужской области, которую он строил много лет, готова к приему гостей. Меня он попросил еще и освятить новое жилище. После освящения предполагалось дружеское застолье. Я привез в подарок семье Никитиных старинный самовар и деревенского варенья к чаю.

Надо сказать, что в головах большинства наших соотечественников царил тогда полный религиозный сумбур. От самого кондового атеизма вплоть до веры в газетные гороскопы и в инопланетян. Дочь Олега Александровича, Елена, очень красивая, образованная девушка, даже всерьез увлекалась прикладной магией. В этом не было ничего удивительного после десятилетий государственного атеизма. (Хотя и до революции у нас в России подобных вещей, признаться, хватало с избытком.)

Когда я приехал на дачу к Олегу Александровичу, первым, кто меня встретил, оказался карликовый черный пудель. Я очень люблю собак, но тут мне попалось на удивление злобное существо. Захлебываясь неистовым лаем, пудель бросился на меня, попытался укусить за ногу и слегка ободрал подрясник, так что пришлось даже хорошенько отпихнуть его ботинком. Хозяева были весьма удивлены поведением своего песика, и дочь Олега Александровича поспешила подхватить его на руки.

Я опасливо покосился на вырывающуюся из рук Елены, клацающую зубами в мою сторону собачонку. И сразу предупредил, что, когда мы будем освящать дом, пса в помещении быть не должно. И не только потому, что этот карликовый цербер мне сразу как-то не понравился. Просто есть такое церковное правило, о чем я и сообщил хозяевам.

—Очень странное правило, — обиженно сказала Елена. Истеричный пудель был ее любимцем.

—Собака считается нечистым животным, — хмуро разъяснил я.

Елена возмутилась еще больше.

—А кошки? Кошки тоже нечистые животные?

—Нет. Только собаки. Собаки и свиньи.

Это я, конечно, в сердцах добавил. Свиньи были нечистыми тварями давным-давно, еще во времена Ветхого Завета, а теперь православные с большим удовольствием ими питаются. Но уж больно меня разозлил этот избалованный пудель.

—Свиньи?! — воскликнула Елена. — Да как вы можете сравнивать!

Ее поддержала супруга Олега Александровича:

—Что же, теперь после вашего освящения и собаку в доме нельзя будет держать? — поинтересовалась она.

—Да нет же! Но есть причины, по которым в Церкви собака считается нечистым животным. Не мы эти правила устанавливали и не нам их отменять. Это совсем не означает, что вашего пуделя

353

Черный пудель

надо выгонять из дома. Но, во всяком случае, священнодействия при нем совершать не положено. Так что на время освящения его надо будет куда-нибудь покрепче запереть.

— Но все-таки можно хоть как-то объяснить, отчего именно собака у вас в Церкви нечистая? — не унималась Елена. — Что за дискриминация? В других эзотерических учениях такого нет. Это просто случайные и надуманные измышления.

— Ничего случайного не бывает, — ответил я. — А что касается эзотерических учений... Вы не задумывались, Елена, почему, например, при ваших особых увлечениях мистикой у вас в доме живет именно черный пудель?

— И что же здесь странного?

— А хотя бы то, что как раз в виде черного пуделя Мефистофель явился Фаусту.

— Кто, простите, явился? Мефистофель?

— Именно он. Тот самый бес из трагедии Гёте «Фауст». Гёте переложил одну древнюю западную легенду. Когда Фауст решил заключить сделку с дьяволом, Мефистофель заявился к нему в гости именно в образе черного пуделя.

— И вы всерьез говорите о Мефистофеле? В наше время?

— Для тех, кто опрометчиво увлекся игрой в дурную мистику, Мефистофель будет актуален и в наше, и в любое другое время. На самом деле это очень опасные забавы. Тех, кто легкомысленно доверяется ему, Мефистофель жестко берет на крючок. Так что совсем недаром у вас в доме поселился черный пудель.

— Он не поселился. Я сама его купила в элитном московском клубе.

— Конечно. Но купили не болонку, не той-терьера, не белого пуделька, а именно черного!

Гости собрались вокруг и с нескрываемым интересом вслушивались в нашу дискуссию.

Елена рассмеялась.

— Батюшка, вы шутите! При чем здесь Мефистофель? Просто вы — православный священник, и вам не нравится, что люди особыми, возможно, неизвестными вам путями исследуют тайны духовного мира. А сейчас вы придираетесь к моей собаке. Вы, наверное, так перепугались, когда она вас чуть не укусила, что готовы нам рассказывать про чертей, про ад и сковородки. И Мефистофелем еще пугаете!

Спорить с девушкой было непросто. Но тут мне на помощь пришел Олег Александрович. Он подхватил визжащего пуделя под мышку и отволок его в сарай. А я, не без внутренних сомнений, занялся приготовлением к освящению. Слава Богу, в доме не было никаких эзотерических изображений, картин и символов. А то бы пришлось, как уже случалось, долго убеждать снять их со стен.

На освящении вместе с хозяевами присутствовали и гости. Когда обряд был закончен, все собравшиеся почувствовали: в доме что-то неуловимо изменилось. Так всегда бывает после этого священнодействия. И мы с Еленой уже менее насупленно смотрели друг на друга. В завершение все громко, хотя и нестройно, пропели Олегу Александровичу и его семейству «Многая лета».

Один из энергетиков, живших по соседству, попросил меня освятить и его дом. Я конечно же не отказал, а Олег Александрович предупредил только, чтобы мы поторопились: пора было садиться за праздничный стол.

Выйдя в сад, я встретил запоздавшего на новоселье гостя. Водитель с трудом нес за ним какой-то огромный подарок, завернутый в белую простыню.

Минут за сорок управившись с еще одним освящением, я вернулся к Олегу Александровичу в предвкушении обеда. Но, войдя в гостиную, застал странную картину: гости, испуганные и бледные, стояли молча. А на Никитиных – Олеге Александровиче, Галине Дмитриевне и Лене – просто лица не было.

Первая мысль, которая пришла мне в голову: от свечей, зажженных на освящении, что-то вспыхнуло, случился небольшой пожар. Я в тревоге оглянулся, ища следы огня, и вдруг в углу комнаты увидел... Мефистофеля! Да, да, это был самый настоящий Мефистофель – искусная скульптура из черного чугуна в половину человеческого роста. Мефистофель был изображен в виде испанского гранда, при шпаге и с тонкой, глумливой ухмылкой на устах. Рядом со скульптурой сидел черный пудель. Он самозабвенно терся боком о холодный чугун. У меня даже мурашки побежали по телу.

— Что это?! — с ужасом прошептал я, вспоминая недавний разговор.

Судя по выражению лиц присутствующих, они тоже не забыли тему нашей беседы.

Оказалось, что запоздалый гость, встретевшийся мне по дороге, — а им оказался Леонид Владимирович Макаревич, руководитель громадного московского «Электрозавода», — привез в подарок на новоселье эту дорогую скульптуру знаменитого каслинского литья. Ее-то, завернутую в простыню, и нес за ним в дом водитель.

Когда Леонид Владимирович торжественно сдернул покрывало со своего замечательного подарка, гости просто остолбенели. Их изумление и ужас только усилились, когда черный пудель, к тому времени уже выпущенный из своего заточения, вдруг подошел к скульптуре, обнюхал ее и уселся рядом. Да еще стал ласково тереться боком о чугун, словно кошка. Такую картину я и застал, когда вошел в гостиную. Только Макаревич в полном недоумении в который раз спрашивал:

— Слушайте, да объясните же наконец, что происходит?

Все вместе, дополняя друг друга, мы поведали изумленному Леониду Владимировичу эту странную историю. Сначала он заподозрил, что его разыгрывают, но в конце концов должен был нам поверить — уж слишком взволнованны и искренни мы были. Да и поведение пуделя выглядело совершенно поразительно.

Олег Александрович и вся его семья, извинившись перед Леонидом Владимировичем, обратились ко мне с просьбой забрать эту скульптуру и увезти ее куда угодно.

Макаревич пытался слабо протестовать:

— Но послушайте, товарищи! Это же просто совпадение!

— Да-да, конечно, совпадение! — горячо согласился с ним Олег Александрович и, повернувшись ко мне, снова попросил: — Отец Тихон, очень вас прошу, заберите ее отсюда сейчас же.

Макаревич только руками развел.

Мы уложили скульптуру в багажник моей машины. У всех сразу улучшилось настроение, и мы уселись за обед.

Возвращаясь домой, я как-то совершенно забыл о скульптуре и еще пару дней возил ее по всей Москве. Наконец я вспомнил, что за предмет находится у меня в багажнике, и мы с моим другом, отцом Анастасием, поздним вечером отвезли чугунного Мефистофеля к набережной Яузы и утопили в реке.

Нелепая, конечно, история. И какое-то совсем уж странное совпадение. Но только после этого случая Елена оставила свои увлечения эзотерикой. А Олег Александрович Никитин решил ходить в храм. Хотя и делал он это по какому-то своему, ему одному ведомому календарю и упрямо появлялся в церкви исключительно по праздникам Казанской иконы Божией Матери. Но об этом — особый рассказ впереди.

Это фотография
Олега Александровича
и Галины Дмитриевны
Никитиных. Портрет Елены
будет в одном из следующих рассказов.
А изображение каслинского
Мефистофеля я решил в книгу
не помещать. И так о нем здесь
много наговорили.

Сергей Фёдорович Бондарчук

Об одной христианской кончине

Мосфильм

Д ля священника его служение открывает нечто такое, что недоступно более никому. Не буду упоминать здесь о совершении Божественной литургии: происходящее у престола Божия в минуты Евхаристии — превыше всякого описания. Но и кроме литургии у священства есть такие исключительные возможности познания нашего мира и человека, о которых другие люди просто не могут и помыслить.

Врач и священник нередко присутствуют при последних минутах земной жизни христианина. Но священник — единственный свидетель последней исповеди. Речь не о том, в чем именно кается умирающий: грехи у людей, как правило, одни и те же. Но священник становится очевидцем, а зачастую и участником поразительных событий раскрытия таинства Промысла Божиего о человеке.

* * *

Древнее предание донесло до нас слова Христа: «В чем Я найду вас, в том и буду судить». В церковном народе издавна хранится вера, что если человек перед кончиной сподобится причаститься Святых Христовых Таин, то его душа сразу возносится к Богу, минуя все посмертные испытания.

Я нередко поражался, почему некоторые люди (и таких примеров хватает) могли всю жизнь посещать храм, быть даже монахами, священниками или епископами, но обстоятельства перед их смертью вдруг складывались так, что они умирали без причастия. А другие в храм вообще не ходили, жили, что называется, неверующими, а в последние дни не просто являли самую глубокую веру и покаяние, но и, сверх всякого чаяния, Господь удостаивал их причащения Своих Тела и Крови.

Как-то я задал этот вопрос отцу Рафаилу (Огородникову). Он вздохнул и сказал:

— Да, причаститься перед смертью!.. Об этом можно только мечтать! Я-то думаю, что если человек всю жизнь прожил вне Церкви, но в последний момент покаялся, да еще и причастился, то Господь даровал ему это обязательно за какую-нибудь тайную добродетель. За милосердие, например.

Подумав немного, отец Рафаил сам себя поправил:

— Хотя — о чем мы говорим? Кто из людей может знать пути Промысла Божиего? Помните, у Исаии пророка: «Мои мысли — не ваши мысли, и ваши пути — не Мои пути». А мы порой так жестоко судим людей нецерковных! А на самом деле мы просто ничего не знаем!..

* * *

Осенью 1994 года ко мне в Сретенский монастырь приехал мой институтский товарищ Дмитрий Таланкин. Мы не виделись уже много лет. Дима принес печальную весть: профессор нашего института, великий актер и режиссер Сергей Федорович Бондарчук, находится при смерти. Дмитрий разыскал меня, чтобы позвать исповедовать и причастить умирающего, который был другом семьи Таланкиных.

Я не встречался с Сергеем Федоровичем со студенческих времен, но знал, что последние годы его жизни были омрачены отвратительной травлей, которую устроили замечательному художнику коллеги по кинематографическому цеху. Сергей Федорович стойко выдержал все. Бондарчук был не только разносторонне одаренным, но еще и очень сильным, мужественным человеком. Однако здоровье его необратимо пошатнулось.

Что касается духовной жизни Сергея Федоровича, то, крещенный в детстве, он воспитывался и жил в атеистической среде, а на склоне лет сам пришел к познанию Бога. Но вероучение обрел не в Церкви, а в религиозных трудах Льва Николаевича Толстого, перед гением которого преклонялся. Толстой, как известно, в конце XIX века предложил миру созданную им самим религию. Несколько поколений русских интеллигентов пережили искушение толстовством. У некоторых отношение к своему кумиру порой принимало форму настоящего религиозного почитания.

Дима рассказал, что в последние недели к физическим страданиям Сергея Федоровича прибавились еще и весьма странные тяжкие духовные мучения. Пред ним как наяву представали образы давно умерших людей, прежних знакомых — знаменитых актеров, коллег по искусству. Но теперь они являлись в самых чудовищных, устрашающих образах и истязали больного, не давая ему покоя ни днем

ни ночью. Врачи пытались помочь, но безуспешно. Измученный кошмарами, Сергей Федорович пытался искать защиту в той самой толстовской религии. Но странные пришельцы, врывавшиеся в его сознание, лишь глумились и мучили его еще сильнее.

На следующее утро в квартире Бондарчуков меня встретили супруга Сергея Федоровича, Ирина Константиновна Скобцева, и их дети — Алена и Федя. В доме царил печальный полумрак. Казалось, все здесь наполнено страданиями — самого умирающего и его любящих близких.

Сергей Федорович лежал в просторной комнате с наглухо зашторенными окнами. Болезнь очень изменила его. Напротив кровати, прямо перед взором больного, висел большой, прекрасного письма портрет Толстого.

Поздоровавшись с Сергеем Федоровичем, я присел к его постели и сначала не мог не сказать ему, с какой благодарностью мы, выпускники разных факультетов ВГИКа, вспоминаем встречи с ним. Сергей Федорович благодарно сжал мою руку. Это ободрило меня, и я перешел к главной цели моего приезда.

Я сказал, что нахожусь здесь для того, чтобы напомнить о драгоценном знании, которое Церковь хранит и передает из поколения в поколение. Церковь Христова не только верит, но и знает, что смерть физическая — вовсе не конец нашего существования, а начало новой жизни, к которой предназначен человек. Эта новая жизнь бесконечна и открыта людям воплотившимся Богом — Господом Иисусом Христом. Я поведал и о прекрасном, удивительном мире, бесконечно добром и светлом, куда Спаситель вводит каждого, кто доверится Ему от всего сердца. И о том, что к великому событию смерти и перехода в новую жизнь надо подготовиться.

Что касается устрашающих видений, так жестоко донимавших больного, здесь я без обиняков постарался изложить учение и опыт Церкви о влиянии на нас падших духов. Современный человек с трудом воспринимает эту тему. Но Сергей Федорович на собственном опыте прочувствовал реальность присутствия в нашем мире этих беспощадных духовных существ и слушал с большим вниманием. В преддверии смерти, когда человек приближается к границе между здешним и иным мирами, непроницаемая ранее духовная завеса между ними истончается. Неожиданно человек начинает видеть новую для него реальность. Главным потрясением зачастую становится то, что эта открывающаяся реальность бывает агрессивной и поистине ужасной. Люди, далекие от Церкви, не понимают, что по причине нераскаянных грехов и страстей человек оказывается доступным для духовных существ, которых в Православии именуют бесами. Они-то и устрашают умирающего, в том числе принимая облик некогда знакомых ему лиц. Их цель — привести человека в испуг, смятение, ужас, в предельное отчаяние. Чтобы в иной мир душа перешла в мучительном состоянии безнадежности, отчаяния, отсутствия веры в Бога и надежды на спасение.

Сергей Федорович выслушал все с заметным волнением. Видно было, что многое он уже сам понял и осознал. Когда я закончил, Сергей Федорович сказал, что хотел бы от всего сердца исповедоваться и причаститься Христовых Таин.

Прежде чем остаться с ним наедине, мне надо было сделать еще два важных дела. Первое из них было несложным. Мы с Аленой раздвинули тяжелые шторы на окнах. Солнечный свет хлынул в комнату. Потом мы с домочадцами Сергея Федоровича на минуту вышли за дверь, и я, как мог, объяснил им, что безутешное горе и отчаяние родных еще более усугубляют душевную боль умирающего. Переход близких в другую жизнь — конечно же событие печальное, но совершенно не повод для отчаяния. Смерть — не только горесть об оставляющем нас человеке, но и великий праздник для христианина — переход в жизнь вечную. Необходимо всеми силами помочь ему подготовиться к этому важнейшему событию. И уж точно не представать перед ним в унынии и отчаянии. Я попросил Ирину Константиновну и Алену приготовить праздничный стол, а Федю — выбрать лучшие из напитков, какие найдутся в доме.

Вернувшись к Сергею Федоровичу, я сообщил, что сейчас мы будем готовиться к исповеди и причащению.

—Но я не знаю, как это делается, — предупредил Бондарчук доверчиво.

—Я вам помогу. Но только веруете ли вы в Господа Бога и Спасителя нашего, Иисуса Христа?

—Да, да! Я в Него верую! — сердечно проговорил Сергей Федорович.

Потом, вспомнив что-то, он замялся и добавил:

—Но я... я все время просил помощи у Толстого...

—Сергей Федорович! — горячо сказал я. — Толстой был великий, замечательный писатель! Но он никогда не сможет защитить вас от этих страшных видений. От них может оградить только Господь!

Бондарчук кивнул.

Надо было готовиться к совершению Таинства. Но на стене перед взором больного по-прежнему, как икона, висел портрет его гения. Поставить Святые Дары для подготовки к причащению можно было только на комоде, под изображением писателя. Но это представлялось немыслимым! Толстой при жизни не просто отказывался верить в Таинства Церкви: долгие годы он сознательно и жестоко глумился над ними. Причем с особой изощренностью — именно над Таинством причащения. Бондарчук знал и понимал все не хуже меня. С его разрешения я перенес портрет в гостиную, и это стало вторым делом, которое необходимо было исполнить.

В доме Бондарчуков была старинная, в потемневших серебряных ризах икона Спасителя. Мы с Федей установили ее перед взором больного, и Сергей Федорович, оставив наконец позади все ветхое и временное, совершил то, к чему Господь Своим Промыслом вел его через годы и десятилетия. Бондарчук очень глубоко, мужественно и искренне исповедовался пред Богом за всю свою жизнь. Затем в комнату пришла вся семья, и Сергей Федорович — впервые после далекого детства — причастился Святых Христовых Таин.

Все были поражены, с каким чувством он это совершил. Даже выражение боли и мучения, не сходившее с его лица, теперь исчезло.

Закончив с главным, мы накрыли прекрасный стол у постели больного. Федя налил всем понемногу красного вина и старого отцовского коньяка. И мы устроили настоящий безмятежный и радостный праздник, поздравляя Сергея Федоровича с первым причащением и провожая в таинственный «путь всея земли», который ему вскоре надлежало пройти.

Перед моим уходом мы с Сергеем Федоровичем снова остались наедине. Я записал на листке и положил перед ним текст самой простой, Иисусовой молитвы: «Господи Иисусе Христе, Сыне Божий, помилуй мя грешного». Никаких молитв Сергей Федорович не знал. И конечно, ничего более сложного выучить уже не мог. Да в этом и не было нужды! Потом я снял со своей руки монашеские четки и научил Сергея Федоровича, как по ним молиться.

Мы простились.

Прошло несколько дней. Мне позвонила Алена Бондарчук и рассказала, что состояние отца разительно изменилось. Ужасные видения больше не тревожили его. Он стал спокоен, но как-то явст-

«Несвятые святые» и другие рассказы

венно отрешился от мира. Алена сказала, что часто видит, как отец лежит, подолгу глядя на икону Спасителя, или, закрыв глаза, перебирает четки, шепча молитву. Иногда он прижимал к губам крестик на четках. Это означало, что физическая боль становилась нестерпимой.

Прошла еще неделя. По приглашению заведующего нейрохирургическим отделением Московской областной больницы я с утра освящал операционные и реанимацию. Там-то и нашли меня Дима Таланкин и Федя Бондарчук. Оказалось, что Сергея Федоровича перевезли в Центральную клиническую больницу и врачи объявили, что все может произойти со дня на день. Со мной были Святые Дары для причащения больных, и мы сразу же поехали в ЦКБ.

Сергей Федорович нестерпимо страдал. Когда я подошел к нему, он глазами дал понять, что узнал меня. В его руке были четки. Я спросил, хочет ли он причаститься. Сергей Федорович еле заметно кивнул. Говорить он уже не мог. Я прочел над ним разрешительную молитву и причастил. Потом у его кровати, на коленях, мы со всей его семьей совершили канон на исход души.

В Церкви есть одно особенное молитвенное последование, которое называется «Когда человек долго страждет». Эту молитву читают, если душа умирающего долго и мучительно расстается с телом, когда человек хочет, но не может умереть.

Видя состояние больного, я прочел у его изголовья эту молитву. В ней Церковь предает своего сына в руки Божии и просит освободить его от страданий и временной жизни. Перекрестив Сергея Федоровича в последний раз, я простился с ним. Мы с Димой Таланкиным покинули больничную палату, оставив умирающего в окружении родных.

Как ни скорбно зрелище предсмертных страданий, но жизнь берет свое. У нас с Димой с самого утра не было во рту ни крошки, поэтому мы решили заехать на Мосфильмовскую, домой к Таланкиным, пообедать.

На пороге нас встретили заплаканные родители Дмитрия — Игорь Васильевич и Лилия Михайловна. Им только что позвонила Алена и сообщила, что Сергея Федоровича не стало.

Здесь же, в квартире, мы сразу отслужили панихиду.

На этом историю о христианской кончине замечательного человека и великого художника Сергея Федоровича Бондарчука можно было бы завершить. Если бы не одно более чем странное происшествие, о котором нам с Дмитрием поведали его родители. Честно говоря, я долго думал, стоит ли упоминать об этом. Не знаю, как воспримут рассказ Диминых родителей даже церковные люди, не назовут ли его фантазиями или просто совпадением... Но, в конце концов, эта история была и остается всего лишь сокровенным преданием семьи Таланкиных, о котором мне разрешено написать.

Бывают странные, но совершенно реальные события в жизни людей — постороннему наблюдателю они, скорее всего, покажутся случайностью или смешной нелепицей. Но для тех, с кем эти события произошли, они навсегда останутся подлинным откровением, изменившим всю жизнь, все прежнее миропонимание.

Поэтому я все же оставлю хронику того дня без купюр. И повествование двух вполне здравомыслящих людей — народного артиста Советского Союза, режиссера Игоря Васильевича Таланкина и его супруги, профессора Лилии Михайловны Таланкиной, — передам точно в таком виде, в каком мы с Дмитрием его услышали.

Итак, когда мы завершили первую панихиду по Сергею Федоровичу, родители Димы с растерянностью поведали нам, что за несколько минут до того, как им позвонила Алена Бондарчук, произошла непонятная и в высшей степени странная история.

Они сидели в комнате, еще не зная о кончине своего друга. Вдруг за окнами послышалось, все нарастая, карканье ворон. Звуки усиливались и стали почти оглушительными. Казалось, неисчислимая стая воронья пролетает над домом.

Удивленные супруги вышли на балкон, и им предстала картина, подобную которой они раньше никогда не видели. Небо в буквальном смысле заслонила черная туча птиц. Их пронзительные крики были нестерпимы. Балкон выходил прямо на лесопарк и на больницу, где, как знали Таланкины, лежал при смерти их друг. Бесчисленное полчище

Игорь Васильевич Таланкин

«Несвятые святые» и другие рассказы

неслось именно оттуда. Это зрелище навело Игоря Васильевича на мысль, которую он вдруг с абсолютным убеждением высказал жене:

— Сергей умер только что... Это бесы отошли от его души!

Сказал — и сам удивился тому, что произнес.

Стая пронеслась над ними и скрылась среди туч над Москвой. Через несколько минут позвонила Алена...

Все произошедшее в тот день — и саму смерть Сергея Федоровича, и необычное явление, случившееся в минуту этой смерти, — Игорь Васильевич и Лилия Михайловна Таланкины восприняли как послание к ним их умершего друга. Разубедить их не могли ни друзья, ни мы с Димой, ни даже их собственный интеллигентский скепсис. Хотя, насколько я помню, никогда больше супруги Таланкины не рассказывали о событиях, в которых угадывалась бы какая-то мистика. Мне довелось крестить их, и постепенно они стали христианами, людьми глубокой и искренней веры.

Георгий Константинович Жуков
с дочерью

Теща маршала Жукова

П

рихожанка нашего монастыря Мария Георгиевна Жукова, дочь знаменитого маршала
Георгия Константиновича Жукова, как-то
с печалью рассказала мне, что ее бабушка по матери,
Клавдия Евгеньевна, которой исполнилось уже восемьдесят девять лет, не причащалась с самого детства. Беда была еще и в том, что Клавдия Евгеньевна
уже несколько лет страдала старческим умственным
расстройством. Доходило до того, что она не узна-
вала даже любимую внучку и, увидев Марию Георгиевну, совершенно спокойно могла сказать: «Вы кто?
А где же моя внучка? Где Маша?» Мария Георгиевна заливалась слезами, но врачи говорили, что это
необратимо. Так что даже просто понять, желает ли
Клавдия Евгеньевна исповедоваться и причаститься,
и вообще, захочет ли видеть в своей комнате священника, не представлялось возможным.

Знакомые батюшки, к которым обращалась Мария Георгиевна, только руками разводили: причащать старушку, не зная, верует ли она в Бога
(всю свою сознательную жизнь Клавдия Евгеньевна

была членом компартии, атеисткой), никто не решался.

Мы с Марией Георгиевной долго размышляли над этой необычной ситуацией, но так ничего и не смогли придумать. В конце концов я не нашел ничего лучшего, как сказать:

—Знаете, Маша, одно дело — наши человеческие рассуждения, а другое — когда мы придем к вашей бабушке со Святыми Христовыми Тайнами. Может, Господь каким-то образом Сам все управит. А больше нам и рассчитывать не на что.

Мария Георгиевна согласилась.

Но предложить-то я предложил, но, честно признаться, сам мало верил в успех. А потому, к своему стыду, долго откладывал посещение больной: как-то не по себе идти со святым причастием к человеку, который, скорее всего, даже не поймет, зачем ты в его доме появился. Кроме того, как всегда, возникали срочные дела — то одни, то другие...

Наконец Мария Георгиевна проявила поистине отцовскую, жуковскую настойчивость. Да и мне стало стыдно за свое малодушие. В итоге в ближайшие дни мы решили осуществить два дела сразу: освятить маршальскую квартиру и попытаться исповедовать и причастить бабушку. Если она, конечно, сама этого захочет и правильно воспримет мой визит. Последнее было немаловажно: Мария Георгиевна предупредила, что бабушка может и рассердиться. И еще оказалось, что она совершенно не переносит людей в черной одежде. Час от часу не легче! Пришлось наспех шить белый подрясник.

Наконец мы отправились освящать квартиру маршала Жукова и причащать его тещу. К слову, теща-то была непростая — пожалуй, единственная теща за всю историю человечества, чей зять (и какой зять! Георгий Константинович Жуков был чрезвычайно требователен к людям) выразил ей публичную благодарность на обороте титульного листа книги своих воспоминаний.

Признаюсь, не без страха, в белом подряснике, со Святыми Дарами в дарохранительнице, я вошел в комнату, где лежала в постели маленькая, сухонькая старушка, очень аккуратная и благообразная.

Робко оглядываясь на Машу, я подошел к кровати и осторожно произнес:

— Э-эээ... Здрасьте, Клавдия Евгеньевна.

Бабушка смотрела в потолок рассеянным, отсутствующим взглядом. Потом она медленно повернулась ко мне.

И тут взгляд ее стал совершенно иным.

— Батюшка! — воскликнула она. — Наконец-то вы пришли! Как долго я вас ждала!

Я совершенно растерялся: мне рассказывали, что старушка в глубоком маразме (назовем вещи своими именами), что она уже несколько лет как лишилась разума, и вдруг... В полном недоумении я повернулся к Марии Георгиевне.

Но если я испытывал удивление, то Маша и ее подруга, которую она пригласила на освящение квартиры, были просто потрясены! Мария Георгиевна заплакала и выбежала из комнаты, а подруга объяснила мне, что ничего подобного — в смысле разумной речи — им не приходилось слышать от Клавдии Евгеньевны уже третий год.

Между тем старушка продолжала:

—Батюшка! Но что же вас так долго не было?

—Простите, пожалуйста, Клавдия Евгеньевна! — от всего сердца попросил я. — Виноват! Но вот сейчас все-таки пришел...

—Да, да! И мы с вами должны сделать что-то очень важное! — сказала теща Жукова. И встревоженно добавила: — Только я не помню — что?

—Мы должны с вами исповедоваться и причаститься.

—Совершенно верно. Только вы, пожалуйста, мне помогите.

Нас оставили вдвоем. Я подсел на стульчик к кровати, и, с моей помощью конечно, Клавдия Евгеньевна на протяжении получаса искренне и бесстрашно исповедовалась за всю свою жизнь начиная с десятилетнего возраста, когда она, еще гимназисткой, последний раз была у исповеди. При этом она обнаружила такую поразительную память, что я только диву давался.

Когда Клавдия Евгеньевна закончила, я пригласил Машу и ее подругу и при них торжественно прочитал над старушкой разрешительную молитву. Она же, сидя в кровати, просто сияла.

Наконец мы причастили ее Святых Христовых Таин. Удивительно, но когда я начал читать положенную пред причащением молитву: «Верую, Господи, и исповедую...», Клавдия Евгеньевна сама сложила крестообразно руки на груди, как это и положено. Наверное, на память к ней вернулись образы давнего детского причастия.

Мы дали бабушке просфорку, размоченную в святой воде, и Клавдия Евгеньевна улеглась, спокойная и умиротворенная, с удовольствием пожевывая просфорку беззубым ртом.

Мы взялись за освящение квартиры. Когда я с чашей святой воды снова зашел в комнату Клавдии Евгеньевны, она вынула изо рта просфорку и приветливо мне кивнула.

После освящения мы с Марией Георгиевной, ее сыном Егором и подругой сели за стол перекусить. За разговором прошло, наверное, часа полтора.

Собравшись домой, я зашел проститься с Клавдией Евгеньевной. Старушка по-прежнему лежала в кровати, но я сразу заметил, что с лицом ее что-то случилось. Левая половина как бы опала и была совершенно неподвижной. Я кликнул Марию Георгиевну. Та бросилась к бабушке, стала спрашивать, что с ней, но Клавдия Евгеньевна не отвечала. Мы поняли, что это паралич.

Так оно и оказалось. Слова покаяния на исповеди были последними, которые Клавдия Евгеньевна произнесла в своей жизни. Вскоре она скончалась. По благословению Святейшего Патриарха мы отпевали ее у нас в Сретенском монастыре. Министерство обороны выделило для похорон тещи маршала Жукова специальную военную команду.

Архимандрит Клавдиан

В городе Старая Руса служил старый священник архимандрит Клавдиан (Моденов). Было ему далеко за восемьдесят, но памятью он обладал феноменальной. Он не просто лично знал почти всех архиереев и многих священников Русской Православной Церкви, особенно старшего возраста, но мог точно сказать, когда у того или другого была хиротония[*], как звали у такого-то священника матушку, сколько тот или иной монах отсидел, по какой статье и в каких лагерях. Короче говоря, отец Клавдиан был, как говорится, ходячей церковной энциклопедией.

Как-то мы оказались с ним на престольном празднике в Троице-Сергиевой лавре. Впереди нас неторопливо шли два известных митрополита.

— Смотри, как важно шествуют эти мальчики! — заметил отец Клавдиан.

— Какие «мальчики»? — удивился я.

— Ну вот эти, впереди.

— Так это же архиереи, Владыки!

— А для меня они мальчишки! — шутя сказал отец

---

[*] *Хиротония — возведение в священный сан.*

Клавдиан. — Я обоих водил вокруг престола на их священнической хиротонии.

Это означало, что отец Клавдиан был старшим священником на той, бывшей много лет назад литургии, когда юных дьяконов, будущих архиереев, делали священниками.

Я уже говорил о том, что мы, послушники, весьма скептически, с критикой относились к экуменической деятельности митрополита Никодима (Ротова). Од-

нажды отец Клавдиан стал невольным свидетелем такого разговора. Услышав наши осуждения и дерзкие слова, он в сердцах топнул ногой и грозно повелел:

— Молчите! Вы ничего не понимаете! Как вы можете судить об этом архиерее?

Умер отец Клавдиан на праздник Рождества Пресвятой Богородицы. В тот день он совершил Божественную литургию, а значит, и причастился Святых Христовых Таин. Потом исповедовал, отпевал.

Дома он, усталый, лег в кровать и по четкам наизусть помянул всех, кого знал за свою долгую жизнь, — обычно он по памяти только за упокой перечислял имена около двух тысяч человек, что входило в его ежедневное молитвенное правило. Сделав это, он позвал попрощаться своего воспитанника, дьякона Василия Середу, но не дождался его и умер с четками в руках.

Хоронили его в пещерах Псково-Печерского монастыря. Он часто приезжал сюда помолиться и побеседовать с отцом Иоанном.

Смерть «стукача»

Преддверие смерти — странное и загадочное время в жизни человека. У кого-то, как у Сергея Федоровича Бондарчука, начинает стираться грань между нашим и иным мирами. А люди, жившие подвижнической жизнью, порой обретают от Господа ви́дение, которое им раньше было недоступно.

Жил в Псково-Печерском монастыре старый-престарый схимник отец Киприан. Ничем особенным он не выделялся, в монастырь из мира пришел уже в преклонном возрасте и, казалось, незаметно коротал свой монашеский век. Было, правда, одно неприятное обстоятельство: его подозревали в доносительстве на братию наместнику. Соответствовало это действительности или нет, не знаю. Может, у кого-то были основания так думать, а может, слухи возникли из-за того, что Киприан вечно бродил по монастырю, сгорбившись и шаркая ногами, и мог неожиданно появиться то там то здесь. Во всяком случае, некоторые прямо называли его стукачом. Сам отец Киприан относился к этому вполне добродушно.

Незадолго до его кончины мы стали замечать за ним удивительные вещи.

Как-то наместник с утра уехал по делам. Я был поставлен дежурить на Успенской площади. В мои обязанности входило в том числе незамедлительно открывать небольшие воротца для подъезжающих машин. А автомобиль к Успенской площади мог подъехать, как правило, только один — наместника. Если дежурный опаздывал к воротам и наместнику приходилось ждать, разгон был неминуем.

Однако теперь, узнав, что наместник уехал во Псков, я решил сходить на коровник, где нес послушание мой товарищ Сергей Горохов. Мы сидели на солнышке и о чем-то увлеченно беседовали, когда мимо нас своей шаркающей походкой, опираясь на палочку, проходил отец Киприан. Поравнявшись с нами, он вдруг остановился и, обратившись ко мне, прикрикнул:

—Эй, Георгий, беги скорее открывать ворота! Наместник возвращается, попадет тебе!

Мы с Сергеем недоверчиво переглянулись. О чем это он? Наместник недавно уехал, он и до Пскова-то еще не добрался. Никаких признаков приближения машины не было.

—Беги, беги, а то пропадешь! — снова прикрикнул отец Киприан и даже потряс своей палкой.

Хоть я и не поверил ему, но все-таки счел за благо распроститься с моим другом и неспешно отправился к своему посту на Успенскую площадь.

Каково же было мое удивление, когда за спиной я вдруг услышал знакомый звук клаксона. Сомнений не было: машина наместника подъехала к нижним воротам монастыря и меньше чем через минуту будет на Успенской площади. Видимо, наместник зачем-то спешно вернулся. Я бросился бегом и еле-еле успел пропустить машину через вверенные мне ворота.

Вечером в келье послушников мы спорили, каким образом Киприан мог узнать о возвращении машины наместника, которая к той минуте, когда схимник предупредил меня об этом, была километрах в двух от монастыря. Мои друзья припомнили, что тоже начали примечать за отцом Киприаном подобного рода особенности.

Вскоре схимник слег, и мы пришли навестить его в Лазаревский больничный корпус. По правде говоря, мы ждали, что он, раз уж стал прозорливым, скажет нам что-нибудь особенно мудрое и важное. Но отец Киприан, глядя на нас добрыми глазами угасающего человека, только улыбался и повторял:

— Господь благословит вас, деточки мои!

Вот такие истории происходят сегодня в Москве

О лег Александрович Никитин был не очень церковным человеком. В этой книжке уже есть история об освящении его дома, о черном пуделе и о скульптуре Мефистофеля, подаренной ему на новоселье. Но долгие годы Олег Александрович усердно ратовал за возрождение одного разрушенного храма — Казанской иконы Божией Матери в Рязанской области. Почему именно эта церковь так ему приглянулась, сказать не могу. Но два раза в год — на летнюю и зимнюю Казанскую — он обязательно присутствовал на службе в этом разоренном сельском храме, куда мы, монахи Сретенского монастыря, приезжали служить литургию. Несколько раз Олег Александрович исповедовался здесь и причащался. Так продолжалось много лет, но дальше его воцерковление никак не шло.

В праздник Казанской иконы Божией Матери Господь и забрал Олега Александровича из этого мира. 21 июля 2003 года, на летнюю Казанскую, он почему-то впервые не приехал в храм на всенощную.

Позвонил, сослался на неотложные дела. Вечером того же дня нам сообщили, что Олега Александровича не стало: на трассе в Подмосковье его водитель не справился с управлением.

Но я хочу рассказать историю, которой Олег Александрович удивил нас, его друзей, уже после своей смерти.

Спустя несколько месяцев после кончины он явился во сне своей дочери Елене. В этом нет ничего особенного, но сон был столь отчетлив, что запомнился Елене до деталей.

Олег Александрович обратился к дочери с настоятельной просьбой. «Пожалуйста, непременно передай от меня поздравление Демиртчану. У него сегодня юбилей!» — настойчиво просил покойный Олег Александрович. Надо сказать, что и при жизни он никогда не забывал друзей, всегда звонил им в дни рождения.

«Какому Демиртчану?» — удивлялась и во сне, и проснувшись Елена. Как ни странна была вся эта история, все же они с мамой, Галиной Дмитриевной, решили на всякий

Елена Никитина

Виктор Васильевич Кудрявый

случай позвонить близкому другу и коллеге Олега Александровича, бывшему заместителю министра энергетики Виктору Васильевичу Кудрявому. Тот сразу и без труда ответил на вопрос женщин, поскольку именно в эту минуту собирался на торжества по случаю восьмидесятилетия их с Олегом Александровичем коллеги академика Камо Серобовича Демиртчана.

Просьба Олега Александровича, разумеется, была исполнена. Виктор Васильевич Кудрявый объявил гостям, что имеет особое, очень важное поручение, и передал потрясенному юбиляру поздравление от покойного Олега Александровича Никитина.

Вот такие истории происходят в сегодняшней Москве.

Священномученик Иларион

Любовь
Тимофеевна
Чередова

огда мы только начинали возрождать Сретенский монастырь, у нас возникла одна серьезная проблема: среди прихожан почти не было старушек. Все прихожане либо молодые, либо среднего возраста. Когда же в храме стали появляться первые бабушки, мы так возрадовались, что готовы были пылинки с них сдувать. Еще бы! Их появление означало, что старые москвичи признали наш монастырь.

Среди этих бабушек пришла и Любовь Тимофеевна Чередова. В 1996 году мы торжественно отпраздновали ее день рождения — сто лет! Но не это было главным. Любовь Тимофеевна оказалась последней дожившей до наших дней духовной дочерью настоятеля нашего Сретенского монастыря новомученика архиепископа Илариона. В двадцатые годы она безбоязненно отправилась вслед за Владыкой Иларионом в ссылку. Не смогла она пробраться лишь на Соловки, где Владыка провел бо́льшую часть своих тюремных сроков. Любовь Тимофеевна находилась и среди тех, кто в 1929 году хоронил этого мужественного ѐнного и несломленного подвижника. Она сохранила глубокую преданность Владыке Илариону и необычайное духовное единение с ним до конца своих дней.

Любовь Тимофеевна так и не вышла замуж. Была ли она тайной монахиней, не знаю, но вела она настоящую иноческую жизнь. Вполне возможно, что Владыка Иларион в те страшные для Церкви годы постриг ее в монашество с обетом, что она никому и никогда об этом не скажет.

Любовь Тимофеевна не сомневалась в святости своего великого духовного отца и молила Господа, чтобы ей дожить до того дня, когда совершится его церковное прославление.

394

Пока Любовь Тимофеевна была в силах, она приезжала в монастырь. Мы посылали за ней машину, а в храме сажали на стульчик, и так она молилась за литургией. Любовь Тимофеевна прекрасно помнила службы Владыки Илариона здесь, в этом храме, и мы почитали ее присутствие в возрождающемся Сретенском монастыре как особое благословение нашего великого настоятеля.

Любовь Тимофеевна

Несколько лет мы готовили материалы к канонизации священномученика Илариона и, надо сказать, боялись, что Любовь Тимофеевна не доживет до заветного часа. Через какое-то время она уже не могла ездить в монастырь. Мы стали причащать ее дома. И всякий раз она с надеждой спрашивала, как идут дела с прославлением ее духовного отца. Ей шел уже сто второй год.

Тем временем в монастырском храме мы отреставрировали небольшой придел и устанавливали в нем иконостас. Среди прочих икон был заказан и образ священномученика Илариона. Конечно, мы написали икону заблаговременно, еще до прославления, но по церковным правилам икона считается освященной, когда подписывается именем святого. Наша икона была пока без надписи и ждала часа, когда церковная власть утвердит почитание священномученика, нашего настоятеля и небесного покровителя. Как бы то ни было, когда иконостас установили, наш храм стал единственным в России, где была икона этого пока еще непрославленного, но очень почитаемого церковным народом новомученика.

Наконец, перед очередным заседанием Комиссии по прославлению святых, митрополит Ювеналий, ее председатель, сказал мне, что дело по прославлению архиепископа Илариона практически решено. На следующий день я приехал к Любови Тимофеевне и сообщил ей радостную весть.

— Я знала, что не умру, пока не узнаю об этом! — еле слышно сказала она.

Это было похоже на то, как в Евангелии старец Симеон дождался встречи со Христом и произнес: «Ныне отпущаеши раба Твоего, Владыко...» Через

ГА ІЛАРЇ
ОНЪ
трцк

Первая икона
священномученика
Илариона

несколько дней Любовь Тимофеевна отошла ко Господу.

Отпевать Любовь Тимофеевну Чередову привезли в Сретенский монастырь, в тот самый маленький придел, где мы только что завершили установку иконостаса с образом Владыки Илариона. Так что наша самая старая прихожанка лежала в гробу прямо перед образом своего духовного отца. И если в 1929 году она была на отпевании Владыки, то теперь он своей иконой провожал духовную дочь «в путь всея земли».

11 февраля 1998 года около одиннадцати утра, в то время, как мы отпевали Любовь Тимофеевну, в Новодевичьем монастыре на заседании Комиссии по канонизации святых было принято долгожданное решение

о передаче на Архиерейский Собор Русской Православной Церкви материалов по прославлению священномученика Илариона. Когда об этом радостном известии по телефону сообщили в Сретенский монастырь, гроб с телом Любови Тимофеевны под колокольный звон и торжественное пение «Святый Боже...» обносили вокруг собора.

Донской монастырь

Дочь митрополита

Есть человеческие грехи, которые врачуются покаянием. А есть особые грехи — против Церкви. Они настолько могут разлучить человека с Богом, что даже не допускают его к покаянию.

Однажды, когда я служил в Донском монастыре, меня остановила возле храма средних лет высокая женщина.

— Батюшка, можно ли мне молиться за моего покойного отца? — спросила она.

— Конечно можно! — бросил я на бегу.

Но потом все же остановился и на всякий случай уточнил:

— Простите, пожалуйста, а кто ваш отец?

— Мой папа был митрополитом, — ответила женщина.

Это было сильно!

— Как — митрополитом? — изумленно переспросил я. — А его имя?

— Митрополит Александр Введенский, — ответила женщина.

Это было еще сильнее! В Церкви хорошо помнят имя священника Александра Введенского. Он был одним из вдохновителей так называемого обновленческого движения в Русской Церкви в двадцатые–тридцатые годы. Введенский и его последователи готовы были революционно менять основные правила и уставы Русской Церкви. На совести многих из них доносы в НКВД, содействие в репрессиях против православных мирян, священников и епископов. Обновленцы учинили раскол в Церкви, а грех раскола, по словам святителя Иоанна Златоуста, не смывается даже мученической кровью.

Женщину, обратившуюся ко мне, звали Тамарой Александровной. Введенский женился во второй раз, уже будучи обновленческим «митрополитом», и в этом браке родились сын и дочь.

— Что я вам могу посоветовать? — сказал я в конце концов женщине. — Вы дочь своего отца и, конечно, не можете не молиться за него. Более того, это ваш долг. Но поминовение вашего отца на литургии невозможно. Он сознательно порвал с Церковью, и, насколько известно, никакого покаяния и воссоединения с нею им совершено не было. Но, вы и можете и должны поминать его дома, в частной молитве.

На том мы и порешили. Женщина не раз приходила в монастырь. Она оказалась удивительно доброй и отзывчивой христианкой, много и самоотверженно помогала больным, бездомным, старикам. Думаю, это было самой действенной молитвой за ее отца.

Как-то раз она подошла ко мне с просьбой причастить ее престарелую мать, ту самую вторую жену Александра Введенского. Мы договорились, что на следующее утро я приду в храм за час до начала службы, чтобы была возможность побольше времени уделить для исповеди. Как сказала Тамара, ее мать никогда не причащалась в православной церкви и лишь в те годы, когда ее муж возглавлял обновленчество, участвовала в его службах, которые и Таинствами-то назвать невозможно.

Но наутро я прождал их зря. Позвонила расстроенная Тамара и рассказала, что, когда они с братом пришли за мамой, та натянула на голову одеяло и категорически отказалась ехать. Хотя накануне, казалось, готова была исповедоваться и причаститься. Зная, что у стариков могут быть всякие капризы, я сказал, что все равно надо взять Святые Дары и причастить ее дома.

Тамара с сожалением отказалась.

— Это невозможно, батюшка, — сказала она. — Вы не сможете войти к ней в квартиру.

— То есть как — не смогу?

— Ну просто — не сможете.

— Но почему?

Тамара объяснила, что в квартире ее матери живут кошки. Причем, сколько их там, никто не знает. Кошки рождаются и умирают. Уже много лет старая женщина не позволяет сделать в своей квартире даже уборку. Переступить порог ее жилища решаются только сын и дочь.

Я мысленно содрогнулся, представив себе эту картину. Кроме того, была особая причина, по которой идти в этот дом совсем не хотелось: с детства у меня жестокая аллергия на кошачью шерсть.

Но Тамара нашла выход. Она сказала, что завтра перевезет мать в квартиру к своему брату, и там ее можно будет спокойно причастить. Мы договорились, что я буду ждать ее звонка. Но поздно вечером Тамара позвонила и сообщила, что несколько часов назад ее мать умерла...

Булат Окуджава

Как Булат стал Иваном

Ж
ена Булата Окуджавы, Ольга, нередко приезжала к отцу Иоанну (Крестьянкину) в Псково-Печерский монастырь. В разговоре с батюшкой она как-то посетовала, что ее знаменитый муж не крещен и даже не хочет креститься — он равнодушен к вере.

Отец Иоанн сказал ей:

— Не печалься, он еще крестится. Ты сама его окрестишь.

Ольга была очень удивлена и только спросила:

— Как же я смогу окрестить его?

— А вот так и окрестишь!

— Но как же его назвать? Ведь Булат — имя неправославное.

— А назовешь его, как меня, Иваном! — сказал отец Иоанн и заторопился по своим делам.

И вот спустя много лет Булат Окуджава умирал в Париже. За несколько минут до смерти он сказал жене, что хочет креститься. Звать священника было уже поздно, но Ольга знала, что в таких случаях умирающего может окрестить любой мирянин. Она лишь спросила мужа: «Как тебя назвать?» Он подумал и ответил: «Иваном». И Ольга сама окрестила его с именем Иоанн.

И только потом, стоя над ним, уже умершим, она вспомнила, что лет пятнадцать назад в Псково-Печерском монастыре ей говорил обо всем этом архимандрит Иоанн.

Протоиерей Николай Гурьянов

Предсказание отца Николая о монашестве

В первый год после крещения я гостил на приходе у моих новых друзей — отца Рафаила и отца Никиты. Хотя к тому времени я стал часто бывать в монастыре, но сам о монашестве не помышлял. Напротив, всерьез собирался жениться. Невеста моя была, наверное, самой красивой девушкой в Москве. Во всяком случае, многие так считали, и мне это, конечно, льстило. Дело шло к свадьбе. Так что я не только наслаждался новыми впечатлениями от открытия духовной жизни, но и мечтал о будущем счастье. Ходил на рыбалку, вялил пойманную рыбу, валялся на солнышке и предвкушал, что совсем скоро начнется новая жизнь — семейная. А кроме того, как уютно будет осенью посидеть где-нибудь в Замоскворечье, попить с приятелями пивка под рыбку, пойманную и завяленную собственными руками. За этими мечтами проходил день за днем теплого лета.

Как-то отцы Никита и Рафаил собрались съездить в гости к старцу Николаю на остров Залит. Старцу было уже около восьмидесяти лет, и бо́льшую часть

жизни он священствовал на рыбацком острове в Псковском озере. Я тоже решил поехать с ними, хотя и не без некоторого страха: все-таки прозорливый старец, все о тебе знает!

Но в первые же минуты знакомства с отцом Николаем страхи рассеялись. Батюшка оказался на редкость добрым и приветливым. Он заботливо принял нас в своей бедной избушке неподалеку от храма. Напоил чаем, чем-то угостил. Мои отцы уединились с ним для беседы и совета, а мне спрашивать у него было особо нечего.

Прощаясь, мы стали подходить к старцу под благословение, и всех он с любовью напутствовал. Когда настала моя очередь, отец Николай неожиданно ухватил меня за чуб и начал то ли в шутку, то ли всерьез таскать за вихры и при этом приговаривать:

— Не пей, не пей! Нельзя тебе пить!

Надо признаться, что выпить, да еще в хорошей компании друзей, я в те годы и правда был не дурак. Впрочем, догадаться об этом по моему виду было совершенно невозможно: я выглядел много моложе своих лет. Но старец тем не менее продолжал свое. Потом он вдруг приподнял за чуб мою голову и внимательно посмотрел мне в глаза.

— Ты монах? Нет еще? А хорошо бы тебе в монастырь!

В монастырь?! Я не выдержал и просто расхохотался ему в лицо! Ну и старик, что он говорит? Да у меня скоро свадьба! Я хотел было сказать ему об этом, но отец Николай прикрыл мне рот рукой, как будто и так знал каждое мое слово.

— Молчи, молчи! А хорошо бы тебе в монастырь!

Я снова рассмеялся.

— Да нет же!.. — начал я.

Но старец опять не дал мне ничего сказать.

— Смотри, Георгиюшка, когда будешь в монастыре, случится у тебя искушение. Но ты не унывай!

И он стал подробно рассказывать мне про какое-то испытание, связанное с монастырским начальством и случившееся с неким монахом. Только спустя десять лет я понял, что речь шла обо мне. А тогда я лишь снисходительно слушал странные речи отца Николая. И воспринимал их не иначе, как старческие чудачества.

Наконец, отец Николай благословил меня и отпустил с миром. Он проводил нас до пристани. Когда наша лодка отплыла, старец все кричал мне вслед:

— Георгиюшка, будь любвеобильным!

Это сложное и малоупотребительное слово врезалось в память. Так же, как и облик старца на берегу с развевающимися по ветру седыми волосами, осеняющего нас вслед крестным знамением.

Отец Рафаил посоветовал мне серьезно прислушаться к словам отца Николая, но я в ответ только

усмехнулся. Да и забыл обо всем случившемся как о чем-то для меня непонятном.

Однако в Москве мои отношения с невестой вдруг как-то сами собой разладились, остыли, а потом и вовсе сошли на нет. Мы оба были даже рады этому. А у меня все чаще и сильнее стала возникать потребность съездить в монастырь, побыть там, помолиться, да и просто пожить. Через несколько месяцев я уже точно знал: ничто, кроме монастыря и служения Богу, меня в этой жизни не интересует. И с удивлением вспоминал слова отца Николая, к которому Господь потом приводил меня еще много раз.

Глава, которую читателям, не знакомым с догматическим богословием, можно пропустить

А какие старики были в те советские времена! Один мой знакомый, старообрядец, рассказывал, как однажды его, сотрудника центрального управления Древлеправославной Церкви, направили в областной город — в Куйбышев или Свердловск, значения не имеет — по каким-то их сокровенным старообрядческим делам. Сначала, как и положено, мой знакомый направился в облисполком — нанести визит местному уполномоченному по делам религий.

Иван Спиридонович Толстопятов (так звали уполномоченного) усадил московского гостя у себя в кабинете и подробнейшим образом выспросил о цели его приезда. Потом о состоянии дел в старообрядческих согласиях. Дотошно поинтересовался даже южноамериканскими общинами. И лишь узнав все для себя необходимое, великодушно растолковал, как добраться до улицы Клары Цеткин, где располагалась местная беспоповская церковка.

Распрощавшись с Иваном Спиридоновичем Толстопятовым, мой знакомый отправился в город и вскоре нашел нужную ему улочку, а на ней покосившийся деревянный дом, переделанный в храм с луковкой и крестом. Рядом на завалинке сидел дед лет под девяносто, с аккуратной окладистой бородой и, как положено, в полукафтане. Дед грелся на солнышке и молился — тянул меж пальцев кожаную старообрядческую четку — лестовку. Смотрел он на приближающегося незнакомца с полным, хотя и вполне благодушным, безразличием: на своем веку этот дед всякое перевидал.

—Здравствуй, отец! — поприветствовал его мой знакомый.

Старообрядец

— Ну здорово, коль не шутишь.

— А ты, видно, здешний наставник?

— Вроде так, — не стал возражать дед.

— Ну и как вы тут спасаетесь? Народ-то в храм ходит?

— Старики ходят.

— А молодежь?

— А молодежь все больше по танцам да в кино.

— Н-да... А кроме вас и патриаршей Церкви кто еще в городе есть?

— Да каждой твари по паре, — философски отвечал старик. — И мы, и никониане, и католики, и баптисты, и иудеи, и мусульмане... А над всеми нами — единый и неделимый — Иван Спиридонович Толстопятов!

Отец Адриан

Отчитки

Я только один раз побывал на отчитках у игумена Адриана, но этого было более чем достаточно. В битком набитом храме раздавались отчаянные и в самом буквальном смысле нечеловеческие крики. Люди рычали, блеяли, визжали и кудахтали. А ругались так — хоть уши затыкай. Иные крутились юлой и со всей силы грохались оземь. Причем видно было, что они сами от себя такого совершенно не ожидали. Один интеллигентный мужчина с перепуганным до смерти лицом носился по храму, хрюкал, как кабан, и в изнеможении опустился на пол лишь после того, как его насильно подтащили к священнику и окропили святой водой.

Отчитка — это русское название экзорцизма, особый молебен, чин изгнания бесов. Происходящее жутко описывать, а присутствовать на подобных действах еще страшнее. Как это все выдерживал отец Адриан — не знаю.

Начинал отец Адриан свой монашеский путь в Троице-Сергиевой лавре. Там он тоже занимался отчитками, но скрыто, не на виду, в какой-то отдаленной от туристических маршрутов церквушке. Рассказывают, что однажды в монастырь приехали высокопоставленные советские работники и, на свою беду, захотели дотошно осмотреть все достопримечательности без исключения. В том числе и храм, из которого доносились странные крики.

Делать было нечего, и монахи привели их в церковь, где косноязычный и с виду весь какой-то растрепанный отец Адриан как раз читал заклинательные молитвы. Экскурсанты остолбенели, увидев валяющихся по полу людей, орущих дикими голосами. Но представьте состояние высокопоставленных гостей, когда одна из прибывших с ними дам,

Троице-Сергиева лавра

ответственный советский работник, вдруг зашипела, замяукала на весь храм, словно мартовская кошка, покатилась по полу и в довершение всего заорала такие непристойности, что и бывалые мужчины ничего подобного не слыхивали!

Через несколько дней эта дама снова поехала в лавру. Но теперь уже одна. Разыскала того самого косноязычного игумена Адриана и задала ему единственный вопрос: что с ней было?

Батюшка Адриан, как человек простой, и ответил ей попросту:

— В тебе бес сидит! От него твои беды.

— Но почему именно во мне?! — возмутилась дама.

— А это ты уж не у меня спрашивай, а вот у него! — и отец Адриан ткнул перстом в икону Страшного Суда, прямо в жуткое изображение рогатого, омерзительного существа. Но, увидев, как побледнела его посетительница, поспешил успокоить ее: — Да не убивайся ты. Может, Господь это попустил, чтобы тебя через болезнь к вере привести.

Отец Адриан как в воду глядел. Дама стала приезжать в лавру, исповедовалась за всю жизнь, причастилась, и приступов беснования с ней больше не повторялось. Вскоре отец Адриан сказал, что больше ей на отчитки ходить не надо: вера во Христа, жизнь по заповедям Божиим, участие в Таинствах Церкви — все это изгоняет любую духовную нечисть из человеческой души.

Но у самого игумена Адриана после этого события начались неприятности, поскольку дама своего нового отношения к вере скрывать не стала. Разразился скандал, завершившийся тем, что под давлением властей наместник лавры отправил игумена Адриана подальше, в провинциальный Печерский монастырь, дабы ответственные советские товарищи могли спокойно ездить на экскурсии в Троице-Сергиеву лавру, попивать наливки с отцом экономом и глубокомысленно рассуждать, мол, «что-то такое в этой Церкви все же есть».

* * *

Отвлекусь. Помнится, как-то на проповеди один молодой еще архиерей, предавшись воспоминаниям о минувших годах, сказал, что церковные администраторы его поколения отстаивали интересы Церкви в том числе и ценой своей печени. Сказал — и заплакал! То ли ему так было жаль себя, то ли вправду с печенью начинались проблемы.

Но я никогда не брошу в таких архиереев и батюшек камень. Во-первых, потому, что сам не без греха. А во-вторых, эти архиереи и священники, ублажавшие в церковных трапезных важных государственных чиновников, уполномоченных по делам религий и благотворителей, делали свое дело: они не просто брали на себя труд по необходимому хозяйственному и административному обеспечению церковной жизни, но и давали возможность отцам Иоаннам, Кириллам, Наумам, Адрианам нести свое служение, а миллионам прихожан и паломников приезжать в храмы и монастыри. Не бросайте, пожалуйста, в них камни, они делали свое дело как могли.

В Троице-Сергиевой лавре был такой знаменитый келарь, отец N. Его до сих пор с благодарностью вспоминает братия. Помнят не только его доброту и отзывчивость, но и то, что он брал на себя труды по общению с внешним миром, ограждая остальных монахов лавры от подобных попечений. Если шла на монастырь напасть в виде очередной проверки или визита сановных и капризных гостей или требовалось срочно решить сложный хозяйственный вопрос, все знали — отец N выручит.

* * *

Но вернемся к отчиткам. Позже, через много лет, мне рассказывали врачи-психиатры, как в дореволюционной России отличали психически больных от бесноватых. Врачи использовали простой способ: ставили перед больным несколько одинаковых чашек с обычной водой и одну — с крещенской. Если пациент спокойно отпивал воду из всех чашек, его отправляли в больницу. Если же он отказывался пить из чашки со святой водой, начинал буйствовать, впадал в забытье, это уже было по ведомству экзорциста.

Отчитка, или изгнание бесов, — дело неспокойное и весьма опасное. Чтобы в этом убедиться, достаточно один раз попасть на подобный обряд. Впрочем, все это относится к настоящей отчитке. Потому что на них, без сомнения, нередко встречаются симулянты, кликуши или действительно психически больные люди. Но бывают и особо отвратительные случаи — игра в отчитку со стороны «исцелителя». Слава Богу, это встречается не часто. Святитель Игнатий (Брянчанинов) писал о подобных субъектах: «Душепагубное актерство и печальнейшая комедия — старцы, которые принимают на себя роль древних святых старцев, не имея их духовных дарований».

Бесы — как паразиты в теле человека. О них можно не знать, даже не верить в их существование, но они действительно паразитируют в душах и, незаметно для своих хозяев, управляют их мыслями и поступками. А те и понять не могут, почему с ними происходят странные, дурные и несуразные вещи, а вся жизнь превращается в переваливание из одной ошибки в другую. У Церкви есть все возможности к исправлению таких судеб. Да только дело в том, что исцелиться человек может, лишь изменив себя. Молитва священника — деятельная, но всего лишь помощь.

Разумеется, не все священники способны совершать чин изгнания бесов. Отец Адриан был чуть ли не единственным в те, восьмидесятые годы, кто брался за это дело. Кажется, был еще отец Василий в Васьк-Нарве в Эстонии.

Архимандрит Иоанн (Крестьянкин) скептически относился к подобной практике. Не потому, что считал ее чем-то неправильным, но оттого, что был убежден: тлетворное воздействие из духовного мира человеку необходимо исцелять личным покаянием, Таинствами Церкви и трудом по исполнению Христовых заповедей. Хотя он и не отрицал пользы, которую может принести участие в молебнах с заклинательными молитвами, но скорбел, что те, кто приходят на отчитки, хотят исцелиться, не приложив собственного труда. А такого в духовной жизни не бывает.

* * *

Отчитка — это не только очень тяжелое, но и весьма опасное дело. Как-то мне, послушнику, довелось быть на приходе у отца Рафаила (Огородникова) на престольном празднике его деревенского храма, дне памяти святителя Митрофана Воронежского. Ко всенощной приехали несколько священников из соседних приходов. Между ними был батюшка, удививший меня. Во-первых, у него был полный рот золотых зубов. А во-вторых, когда мы укладывались спать в единственной комнате — кто на кроватях, кто на полу, он, сняв свой священнический подрясник, надел специально привезенный с собой особый белый подрясник для сна. На мой недоуменный вопрос батюшка серьезно сообщил, что это я, мальчишка, могу спать в трусиках и в маечке, а он, священник, должен отходить ко сну в подряснике. Вдруг именно в эту ночь будет Второе Пришествие Иисуса Христа? Что же, ему, иерею Божию, встречать Господа в трусах? Мне тогда очень понравилась такая его вера.

Еще интереснее было происхождение золотых зубов батюшки. Вообще-то у священников это редкость. Ну ладно — один-два зуба, а тут полон рот... В общем, кто-то не удержался и спросил, откуда у него такая красота. И вот священник, усевшись с ногами на кровати в своем белом подряснике, при свете ночника поведал собравшимся свою историю.

До священства батюшка заведовал областной киносетью. На этой высокой должности он и позолотил от души себе уста. Нравилось ему так. Но несмотря на род деятельности, он был очень набожным, жил вдвоем с маменькой, и был у них духовник-старец где-то в Белгородской области. Пришло время, и старец благословил ему готовиться к принятию священного сана. Через год его рукоположили и назначили настоятелем в деревенскую церковь неподалеку от райцентра.

Так прослужил он десять лет. Похоронил маменьку. Время от времени наведывался к своему духовнику и к старцам в Псково-Печерский монастырь. Однажды из райцентра к нему привели бесноватую девочку. Сначала священник ни в какую не соглашался совершить отчитку, заверяя, что не готов к такому великому делу. Но в конце концов мать девочки и прочая ее родня батюшку уговорили. Понимая, что дело предстоит серьезное, священник посвятил целую неделю посту и молитве и тогда только, впервые в жизни, совершил положенный чин. Девочка исцелилась.

Священник очень обрадовался. И за девочку, и за себя. За девочку потому, что дитя и в самом деле перестало мучиться, страдать за грехи родителей. А за себя — поскольку почувствовал, что и он не так прост!

Прошло недели две. Как-то раз после обеда батюшка уселся в кресле у окошка и раскрыл областную газету ознакомиться с новостями. Дочитав увлекательную статью, он опустил газетный лист и... окоченел от ужаса. Прямо перед ним стоял — он. Тот самый, кого удалось изгнать из девочки. Просто стоял и внимательно смотрел батюшке прямо в глаза.

От одного этого взгляда священник, не помня себя, выскочил в окно и бросился бежать напролом неведомо куда. Батюшка был человеком грузным и совершенно не спортивным, но начал он приходить в себя лишь пробежав несколько километров. Не заходя домой, он направился во Псков, занял у друзей денег и поехал к своему старцу-духовнику.

Для начала старец как следует отругал свое чадо за самочиние. К таким делам, как отчитка, нельзя приступать без особого благословения и молитв духовника. Этим наш священник самонадеянно и легкомысленно пренебрег. Так же, как нельзя после временных побед, дающихся не за наши достоинства, а по благодати Божией и молитвам Церкви, расслабляться, почитывать

Архимандрит
Серафим (Тяпочкин),
к которому ездил батюшка

газетки, а особенно в глубине души тщеславить-
ся и умиляться своим несравненным духовным
подвигам. Старец напомнил слова преподобного Серафима Саровского, что дьявол, если бы
ему было попущено Богом, мог бы по ненависти
своей мгновенно уничтожить мир. В конце беседы старец предупредил свое духовное чадо, чтобы тот был готов к новым испытаниям: одним

лишь лицезрением врага рода человеческого его приключения не закончатся. Дьявол обязательно найдет время жестоко отомстить самонадеянному, но духовно весьма еще слабому батюшке, вступившему неподготовленным в открытый бой с силами зла. Старец пообещал молиться и отправил его восвояси.

Минуло месяца полтора. Священник уже стал подзабывать о случившемся, как вдруг однажды ночью к нему в дом постучали. Священник жил один. На вопрос, кто пришел столь поздно и что посетителям надо, из-за двери ответили, что приехали звать его в соседнее село к умирающему — причастить. Батюшка открыл дверь, и на него сразу набросились несколько человек. Били его жестоко. Выпытывали, где он хранит деньги. Священник показал им все, кроме места, где хранил ключи от храма. Взяв, что смогли, злодеи напоследок клещами вырвали у батюшки золотые зубы.

Прихожане нашли своего священника еле живым. От боли во рту он даже не мог кричать, лишь стонал. В больнице батюшка провел несколько месяцев. А когда бандитов нашли и пригласили потерпевшего для опознания, он, увидев их, не выдержал и заплакал как ребенок.

Но не зря говорят: время лечит. Священник поправился и снова стал служить в своем храме. А прихожане, благодарные за то, что священник не выдал, где хранит ключи, и геройски сохранил невредимым их храм, собрали деньги батюшке на новые зубы — снова золотые. То ли вкус у них был такой, то ли священник уже не мыслил себя без золотых зубов.

* * *

Сам я только однажды брался за подобное дело. Но, конечно, не отчитывал, а лишь восполнил до конца Таинство крещения одного мальчика, сокращенное когда-то неизвестным мне священником.

Служил я в то время в Донском монастыре. Как-то ко мне пришел мужчина лет сорока, подполковник милиции Валерий Иванович Постоев. Он был неверующим и даже некрещеным, но, кроме как в Церковь, идти ему было некуда. С его единственным десятилетним сыном Валерой творилось немыслимое. В присутствии мальчика стали загораться вещи. Сами по себе. При появлении Валеры

Валерий Постоев, от которого
все вокруг загоралось

горело все — холодильники, подушки, стулья, кровати, шкафы. В гости семейство Постоевых уже не ходило: пожар был обеспечен в течение двадцати минут. В школу мальчика по той же причине не пускали.

Валеру осматривали врачи и экстрасенсы, сотрудники ФСБ и еще каких-то особо закрытых учреждений — все было бесполезно. В нескольких газетах вышли сенсационные репортажи с фотографиями мальчика и пожарищ. Но родителям было не до славы. На всякий случай они окрестили сына. Однако все вокруг горело по-прежнему. Отчаявшийся подполковник забрел в Донской монастырь — кто-то посоветовал ему помолиться у только что открытых мощей святителя Тихона. Здесь мы и встретились.

Я не мог взять в толк, почему после крещения пожары не прекращались. Пока не задал вопрос: сколько времени продолжалось крещение ребенка? Подполковник ответил, что меньше получаса. Обычно крещение одного человека происходит гораздо дольше. И сразу стало понятно: священник, совершавший Таинство, пропустил особые, древние молитвы, которые в Церкви называют заклинательными. Их всего четыре, и некоторые довольно длинные. К сожалению, бывает, что священники, особенно, как сейчас говорят, модернистски настроенные, пропускают эти молитвы, считая их ненужными. А именно в них Церковь властью, данной ей от Бога, просит об избавлении человеческой души от гнездящегося в ней древнего зла. Но нашим модернистам все это кажется курьезным и архаичным. Они боятся показаться несовременными и смешными в глазах прихожан. Хотя я ни разу не видел, чтобы при крещении это вызывало хотя бы усмешку у людей даже малоцерковных.

Я написал про Валеру Постоева отцу Иоанну, и тот ответил, что надо восполнить не прочитанные над мальчиком заклинательные молитвы. Так мы и сделали в храме Донского монастыря. С этого дня пожары закончились. Подполковник Валерий Иванович окрестился, а все его домашние стали нашими прихожанами. Мальчик давно уже вырос и тоже стал майором милиции. Сейчас он преподает в Московской высшей школе милиции и вспоминает о прошедшем по сохранившимся в семейном архиве фотографиям квартирных пожарищ.

Слово на литургии на монашеском постриге в Сретенском монастыре

19 декабря 1997 г.

Верности ждет от нас Господь, верности, больше ничего. Верности Духу Божию. Верности нашей вере. Верности Христу.

Сегодня в нашей обители особый праздник — совершилось появление в этот мир нового монаха. В евангельском рассказе, который прозвучал сегодня на литургии, Господь поставил перед Собой ребенка и сказал: если не обратитесь и не будете как дети, не войдете в Царство Небесное.

Всякий монах после пострижения — перед Господом как ребенок, безгрешный, перед которым открывается новая жизнь. Только от самого монаха теперь зависит, сможет ли он остаться таким же чистым сердцем, как стоявший перед Спасителем ребенок. А по Преданию, мы знаем, что тем мальчиком был будущий святой Игнатий Богоносец, претерпевший мученичество за Христа и оставшийся верным Ему, несмотря ни на что. Или человек изберет другое — и будет верным лишь своим желаниям, которые возведет в закон для себя и для всего мира. И захотев перехитрить всех, в результате обманет лишь самого себя...

Верности ждет от нас Господь. И от тебя, брат наш монах N! Именно верности. Монашеским обетам. Послушанию. Верности в смирении. Верности в том, чтобы более всего на свете возлюбить Спасителя нашего, Господа Иисуса Христа, и никого и ничто в этом мире не предпочесть Ему.

Если ты выполнишь этот свой завет с Богом, который дал сегодня, то многие люди через тебя смогут прийти ко спасению и к вечности. Если же, избави Бог, сердце человеческое и сердце монаха будет обращено к самому себе, если верности Богу мы не соблюдем, то произойдет самое страшное, что может быть с нами, — бессмысленная жизнь монаха. Ничего страшнее этого нет!.. Но вот — тебе даны все оружия помощи и победы.

Господь ободрил тебя удивительными словами, ты слышал их на постриге. Все мы молились за тебя. Перед тобой открывается особый путь, полный борьбы, искушений и в то же время особого, несравнимого ни с чем смысла, радости и счастья, непостижимых миру.

Дай Бог всем нам, братья и сестры, сохранить верность своему призванию. Ведь обет верности касается не одних только монахов. Господь, пишет святой Ефрем Сирин, ищет не монаха или мирянина, не ученого или простеца, не богатого или бедного, а только сердце, жаждущее Бога, исполненное искреннего произволения быть верным Ему и Его заповедям! Дай Господь нам понимания этой верности. Она делает нашу жизнь осмысленной. За такую верность Христос подает Своим ученикам радость, силы и мужество для преодоления искушений, которым до́лжно встретиться на нашем жизненном пути. Аминь.

P. S. Этот монах ушел из обители через пять лет.

В Церкви нет никаких принудительных механизмов, чтобы удержать человека в монастыре. За без малого двадцать лет у нас в Сретенском было три таких случая с нашими постриженниками. Когда говорят, что это совсем немного относительно других монастырей, мы не верим. Даже одно такое происшествие – трагедия для монастыря. Но в первую очередь это трагедия для самого монаха, изменившего своим обетам.

Этих людей бесконечно жаль. Церковные уставы предписывают не погребать их на христианском кладбище, вменяют в самоубийц. Их браки Церковью не признаются. Мне доводилось читать богословские объяснения подобным уставам и канонам, но всегда казалось, что они слишком жестоки. Но как-то однажды я услышал не богословское объяснение, не параграф из древних канонов, а всего лишь маленькое четверостишие. И понял, что церковные правила лишь обозначают то состояние, в которое ввергает себя, и не только себя, монах, отрекшийся от избранного им пути. Конечно, Господь милостив и для всех есть покаяние, но вот как подвел итог своей жизни профессор философского факультета МГУ, автор книг по античной философии Арсений Чанышев. Он не был монахом. И каяться в нарушении обетов, данных Богу, ему не было никакой нужды. Но он был сыном монаха... Вот это четверостишие:

Я – сын монаха, плод греха.
Я – нарушение обета.
И Богом проклят я за это:
К чему ни прикоснусь – труха.

Повесть о епископе, впадшем в блуд

Из «Пролога»

В одном византийском городе жил епископ, которого очень любил народ. Но однажды произошло ужасное: по своей слабости или по легкомыслию, да еще, конечно, и по наущению дьявольскому, этот епископ впал в блуд.

В воскресный день, когда весь город собрался в церковь на Божественную литургию, епископ вышел перед народом, снял с себя омофор, знак епископского достоинства, и сказал:

— Не могу больше быть вашим епископом, ибо я впал в блуд.

Сначала воцарилось молчание. А потом по всему храму раздались рыдания. Люди стояли и плакали. Епископ тоже плакал, опустив голову перед своими прихожанами. Наконец люди немного успокоились и сказали:

— Что же теперь делать? Мы все равно тебя любим! Поэтому облачайся и служи литургию, ты останешься для нас епископом и пастырем.

На это епископ ответил:

— Благодарю вас за великодушные слова, но я действительно не могу больше быть епископом.

По уставам святых отцов, епископ, который согрешил таким грехом, недостоин приступать к совершению Божественной литургии.

Народ отвечал ему:

— Мы не знаем всех ваших уставов. Наверное, они очень правильные и важные. Но мы полюбили тебя за те годы, которые ты служишь в нашем городе. Всякое бывает в жизни. Надевай свое облачение и служи. Мы тебя прощаем.

Епископ горько усмехнулся:

— Вы-то простили меня... Но ни сам я себя никогда не прощу, ни Церковь меня не простит. Нет мне оправдания перед Богом. Поэтому расступитесь — я пойду в пустыню плакать и каяться о своих грехах.

Однако народ только плотнее сомкнулся и не дозволил епископу даже сойти с амвона.

— Нет! — настаивали люди. — Ты — наш епископ, облачайся и служи!

Так продолжалось до позднего вечера. Народ был непреклонен, и несчастный епископ не знал, что ему делать. Поняв наконец, что люди его не отпустят, он сказал:

— Ну что ж, быть по-вашему! Но останусь я только при одном условии. Сейчас вы все выйдете из храма, а я лягу на паперти. И пусть каждый из вас вернется в церковь, попирая меня ногами. Чтобы все знали, какой я грешник и чего стою.

Теперь уже епископ не поддавался на уговоры. И народ вынужден был смириться. Все покинули храм, а епископ лег на пороге, и каждый из его прихожан, от старого до малого, с ужасом, а многие и со слезами вошли в церковь, попирая архиерея ногами.

И вот, когда последний горожанин оказался внутри храма, все услышали глас с неба: «Многого ради смирения прощается ему грех его!»

Иподьяконы облачили епископа в священные одежды, и он служил Божественную литургию.

Святитель Тихон
в патриаршем облачении

Малый собор Донского монастыря

Мощи святителя Тихона

Одной из загадок церковной жизни в советские времена была судьба мощей святого патриарха Тихона, похороненного в 1925 году в Малом соборе московского Донского монастыря. В 1946 году на панихиде у его гробницы митрополит Крутицкий и Коломенский Николай (Ярушевич) с грустью произнес: «Мы молились сейчас только над могилой Святейшего. Тела его здесь нет».

Для подобной уверенности были все основания. То, что останки Патриарха Тихона могли быть уничтожены, никого не удивляло: если православные относились к почившему главе Русской Церкви как к святому, то ненависть к нему со стороны большевиков была исключительной даже на фоне остервенелого советского богоборчества. В списке врагов советской власти, опубликованном в одном из номеров газеты «Известия», Патриарх Тихон значился под номером один.

По слухам, в 1927 году, после закрытия Донского монастыря, власти, опасаясь, что мощи патриарха станут предметом поклонения, извлекли его гроб из могилы и сожгли в крематории. По другим сведениям, останки Святейшего были тайно вывезены монахами и упокоены на Немецком кладбище в Лефортове. Сторонники третьей версии утверждали: понимая, что власти могут надругаться над останками Патриарха, монахи вскоре после погребения перезахоронили их где-то в некрополе Донского монастыря.

Эти предположения переросли в настоящую убежденность, когда в 1932 году предводитель поддерживаемых советской властью церковных раскольников-обновленцев «митрополит» Александр Введенский вдруг появился перед своими почитателями в архиерейских одеждах, в которых москвичи сразу узнали драгоценные облачения, сшитые специально для Патриарха Тихона на знаменитой фабрике купцов братьев Оловянишниковых. В них же Патриарха Тихона и хоронили.

438

А. Введенский в «патриаршем» облачении

И все же надежда, что мощи любимого всей Церковью Патриарха однажды будут найдены, оставалась.

* * *

Когда стала возрождаться монашеская жизнь в Донском

монастыре, одной из первых просьб, с которой немногочисленная тогда братия обители обратилась к своему настоятелю патриарху Алексию II, было прошение о поисках мощей святителя Тихона. Святейший с радостью благословил нас на эти труды. Если бы мы тогда знали, с какими происшествиями это будет связано и как прекрасно все закончится!

Вскоре представилась удобная возможность. Начался ремонт в Малом соборе Донского монастыря. Храм закрыли на несколько месяцев, и в это время как раз бы и начать поиски... Но под разными предлогами они откладывались, и вот ремонт был уже завершен. В храме возобновились службы, время оказалось упущенным. А, если сказать честно, патриаршим благословением мы тогда легкомысленно и весьма глупо пренебрегли, ссылаясь на разные «причины и обстоятельства». За что и поплатились. Причем очень скоро. Хотя, как и всегда, Господь сами наши ошибки управил к общему вразумлению и к торжеству Своего верного святого новомученика Патриарха Тихона.

Был ноябрь 1991 года. Наместник, архимандрит Агафодор, закончив с ремонтом, отправился в служебную поездку и оставил меня в монастыре за старшего. Забот было не особенно много, если бы не досадный конфликт с какими-то странными людьми, свалившимися на наши головы. Они представлялись священниками и мирянами Русской Зарубежной Церкви, хотя никакого отношения к ней, как впоследствии выяснилось, не имели. Со скандалами и бесчинствами они во что бы то ни стало пытались устроить в монастыре свои богослужения без благословения Патриарха. Мы уговаривали, увещевали их как могли и наконец, поняв, что ничто не помогает, решительно выставили незваных гостей за ограду. Но те затаили злобу.

18 ноября отмечался день, когда в 1917 году на Поместном Соборе святителя Тихона избрали Патриархом Всероссийским (на него, одного из трех кандидатов, пал тогда жребий). Я прихворнул, но все же служил в тот день литургию, а потом и панихиду: это была еще и годовщина смерти отца Рафаила (Огородникова). Вообще 18 ноября — для меня какая-то необычайная дата. В 1988 году в этот день разбился отец Рафаил, а в 1993-м умерла Валентина Павловна Коновалова, «московская купчиха», духовная дочь отца Иоанна. История, о которой я рассказываю, тоже произошла 18 ноября. Но это к слову.

На литургии я впервые в своей священнической жизни заготавливал запасные Святые Дары для причащения больных. Хотя по церковным правилам это делается в Великий Четверг, но накануне ночью ко мне приехал мой друг, скульптор Вячеслав Михайлович Клыков, с просьбой срочно причастить и соборовать заболевшего знакомого. Однако выяснилось, что в нашем храме запасных Святых Даров нет: их, оказывается, никогда здесь и не готовили.

Слава Богу, с приятелем Клыкова все обошлось благополучно. Ночью я соборовал его, а наутро больного причастил священник из другого храма. Чтобы больше подобного не случалось, я под руководством нашего старенького иеромонаха отца Даниила подготовил запасные Святые Дары и поставил их в специальном ковчеге на престоле.

После вечерней службы меня пришел навестить мой друг Зураб Чавчавадзе с банкой малинового варенья. Мы пили чай, когда позвонил дежурный и с тревогой сообщил, что к воротам подъехали несколько пожарных расчетов, и их командир уверяет, что они срочно должны тушить у нас какой-то пожар.

— У нас что-то горит? — удивился я.

— Нет конечно! — успокоил меня дежурный. — Это у их командира, наверное, внутри горит...

Я все понял. Неподалеку от нас располагалась пожарная часть, руководство которой дружило с отцом Агафодором. Один из офицеров был большой любитель посидеть с батюшкой за столом, пофилософствовать о жизни. Однажды в период такого философско-алкогольного обострения он уже рвался в монастырь среди ночи. Теперь, видимо, история повторялась.

Я повесил трубку, но через минуту снова раздался звонок. Дежурный сообщал, что пожарные не унимаются. Это было уже чересчур. Пришлось нам с Зурабом одеваться, а мне еще и потеплее кутаться после малинового варенья, и идти разбираться.

— Что случилось? — крикнул я, чтобы было слышно за воротами.

— Пожар! У вас пожар! — донеслось оттуда.

— Может, что-то повеселее придумаете?

— К нам поступил вызов!

— Это какая-то ошибка, можете сами убедиться, — ответил я, приоткрывая ворота.

У монастырских стен действительно стояли две пожарные машины с полными расчетами. Несколько человек в блестящих касках вошли в монастырь. Они сами были в недоумении.

— Позвонила женщина, мы думали, от вас. Сказала: в Донском пожар, срочно выезжайте.

Чтобы окончательно убедиться, что произошло недоразумение, я предложил вместе пройтись по монастырю. Мы направились к центральной площади. Стояли уже поздние сумерки, но все было отчетливо видно. Обычные тишина и покой, ничто не вызывало тревоги.

—Вот видите, — улыбнувшись, обратился я к пожарным.

И в этот момент в окнах Малого собора Донского монастыря полыхнула яркая вспышка, раздался звон разбивающихся стекол и из оконных рам вырвалось оранжевое пламя с клубами черного дыма.

Пожарные бросились к своим машинам. А мы с Зурабом замерли разинув рты. Потом как сумасшедшие закричали:

—Пожар!!! Пожар!!! — И кинулись к храму.

Мимо нас с ревом промчались пожарные машины. Но храм уже полыхал вовсю. В оконных проемах бушевал огонь, дым мрачным клубящимся столбом поднимался в московское вечернее небо.

Не буду долго описывать эту страшную ночь. Только в третьем часу пожарные разрешили нам войти в храм. То, что предстало нашему взгляду, было поистине ужасно. Черные стены и потолок, обуглившиеся кивоты, иконы, все залито водой, нестерпимый запах гари...

Один из пожарных позвал меня за собой в глубь храма и по пути озвучил свои первые выводы о причине возгорания. Огонь возник, как он утверждал, прямо у надгробия патриарха. Поскольку стены в храме были выкрашены горючей масляной краской, пламя распространилось моментально.

—А вот это действительно странно, — сказал пожарный, указывая на иконостас.

Деревянные тябла и иконы хотя и почернели от копоти, но даже не обуглились. Иконостас пол-

В Малом соборе Донского монастыря после пожара

ностью сохранился. Я с замиранием сердца вошел в алтарь и увидел, что здесь тоже, кроме копоти, ничего затронуто не было. Когда я вернулся к офицеру, тот объяснил мне свое недоумение.

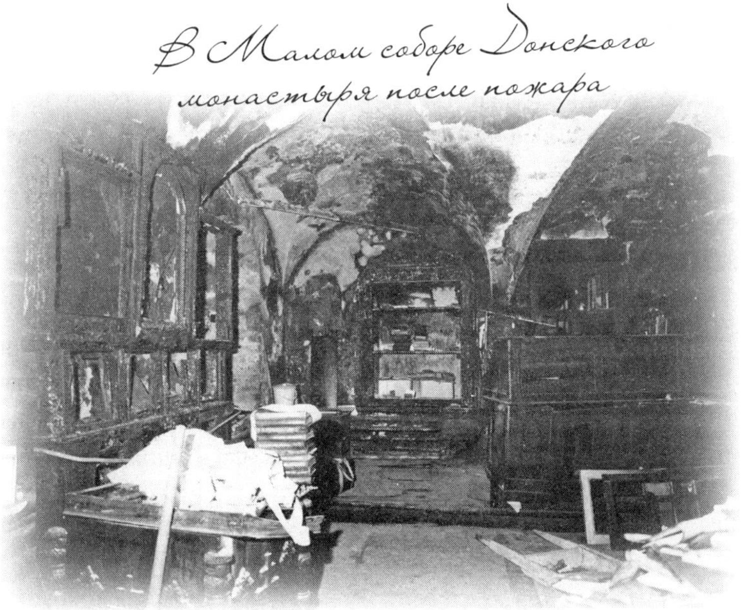

—Рядом с иконостасом все выжжено, а сам он почему-то цел. Он же деревянный, не из металла?

—Очень старое дерево.

—Как же он не сгорел? Удивительно...

Тут я вспомнил и сказал:

—А!.. Мы же утром поставили на престол Святые Дары!

—Поставили что?

Я попытался объяснить. Офицер вежливо выслушал и, откашлявшись, спросил:

—Вы всерьез считаете, что это имеет какое-то отношение к сохранности дерева от огня?

—Не знаю. Просто я констатирую, что утром мы поставили на престол Святые Дары.

—М-мм... Понятно, — недоверчиво протянул офицер. — Впрочем, такое случается иногда. Все вокруг горит, а какие-то предметы остаются. В нашем деле чего только не бывает.

В тот же день началось следствие. Оказалось, что очаг возгорания действительно возник у самой гробницы святителя Тихона. Окошко здесь всегда держат приоткрытым, и, как предположили следователи, злоумышленник бросил в окно простейшую бомбу с зажигательной смесью. Стены, выкрашенные масляной краской, сразу занялись. При этом у преступника было достаточно времени, чтобы выйти из монастыря незамеченным, с последними посетителями.

Выяснились и обстоятельства, благодаря которым пожар так быстро обнаружился. Одна из наших прихожанок, живущая напротив Донского монастыря, имела обыкновение читать вечерние молитвы на балконе. Она-то и увидела вспышку в окне храма и сразу позвонила в пожарную часть.

Спустя день мы служили в сгоревшем соборе всенощную под память Архистратига Михаила. Хор пел «Хвалите имя Господне», я совершал праздничное каждение, а люди, стоя среди родных, почерневших от копоти стен и обгоревших до головешек кивотов, не могли сдержать слез. Переносить службу в другой монастырский храм мы не хотели: нельзя было допустить людей до мысли, что это тяжелое испытание — просто игра слепого случая и Господь не обратит наши смятение и скорбь в радость, в торжество веры и надежды на непостижимый для нас всеблагой Его Промысл. Именно об этом я и говорил в тот вечер в проповеди перед нашими прихожанами.

Надо было опять приступать к ремонту в храме. Меньше недели мы прослужили здесь после реставрации, и вот во второй раз представлялась недавно упущенная нами возможность начать поиски мощей святителя Тихона.

Мы снова обратились к Святейшему, и он подтвердил свое благословение на раскопки, наказав лишь действовать аккуратно и осмотрительно. Мы понимали его тревогу. Кое-кто вообще уговаривал патриарха не разрешать поиски, поскольку возможность обнаружения останков святителя весьма мала. А вот если распространится слух, что мощи Патриарха Тихона искали и не нашли, тогда, предупреждали осторожные советчики, проблем не оберешься. Раскольники и недоброжелатели Церкви сразу пустят слух, что святитель Тихон сам не захотел пребывать своими мощами в патриаршей церкви. Но, слава Богу, Патриарх Алексий твердо сказал: если мы обретем мощи, будет великий праздник; если же их там нет, мы ни от кого не станем этого скрывать.

Людей, совершивших поджог, так и не нашли. Братия монастыря и некоторые прихожане представляли себе, кто бы это мог быть, но даже как-то жалели их и в душе предали на милостивый суд Божий. Тем более что теперь, по прошествии времени, видно, насколько промыслительно было попущено это злодеяние. Именно в период второго, затянувшегося ремонта Малого собора Донского монастыря и были обретены мощи святителя.

Вечером в праздник Сретения Господня мы совершили молебен у гробницы Патриарха Тихона и приступили к раскопкам. Об этом знали немногие: Святейший Патриарх Алексий II, несколько монахов, два старца — архимандрит Кирилл из Свято-Троицкой Сергиевой лавры, архимандрит Иоанн из Псково-Печерского монастыря и те, кого мы попросили нам помочь: Вячеслав Михайлович Клыков со своими подмастерьями и художник Алексей Валерьевич Артемьев. Руководил нами ученый-археолог Сергей Алексеевич Беляев. Он принимал участие в обретении мощей преподобного Амвросия Оптинского, занимался раскопками в Дивееве и на Херсонесе.

Сначала сняли надгробие. Его мрамор после пожара стал почти коричневым. Углубившись сантиметров на тридцать, мы обнаружили массивную мраморную плиту с надписью: «Святейший Тихон, Патриарх Московский и всея России». Именно таков был в начале двадцатого века титул русских Патриархов. Находка нас весьма воодушевила. Мы стали копать дальше и на глубине около метра увидели то, что искали, — каменный свод склепа. Взявшись за работу с утроенной энергией, к утру мы аккуратно расчистили весь склеп. Когда из свода удалось вынуть несколько камней, я просунул зажженную свечу в образовавшееся отверстие и заглянул внутрь. Склеп был пуст. Свет свечи выхватил лишь пыльные клоки старой паутины.

Когда я объявил об этом своим друзьям, все в изнеможении опустились на пол кто куда и, понурившись, сидели некоторое время молча. Потом один за другим бросились проверять: вдруг я ошибся, может, в обширном склепе остались хотя бы частицы мощей или щепки гроба, оброненные при вскрытии могилы Патриарха? Однако ничего-ничего не было... Оправдывались наши худшие опасения.

Немного придя в себя, мы решили хотя бы задокументировать размеры и состояние склепа. Но когда кто-то стал измерять его длину, прут длиной два метра неожиданно полностью ушел и вправо, и влево. То же произошло и с восьмиметровым прутом. Мы поспешили обследовать подземное сооружение и вскоре поняли, что обнаружили не склеп, а часть отопительной системы храма — каменных труб, расположенных под полом, по которым проходил горячий воздух от печи. На месте могилы патриарха калорифер зачем-то значительно расширили, так что действительно образовывалось подобие склепа. Да и кладка здесь выглядела новой по сравнению с другими частями каменной подземной трубы. Возможно, это действительно был разоренный склеп. Но, может быть, могила располагалась намного глубже. А то, что мы обнаружили, представляло собой ложный склеп, устроенный, чтобы сбить с толку большевиков и навести их на мысль, что гроб с телом Патриарха уже изъят и где-то перезахоронен.

А тут еще отец Даниил привел одного старичка, который утверждал, что ему якобы доподлинно известно — святитель Тихон похоронен пятью метрами восточнее предполагаемой его гробницы. Мнения разделились, и наутро мы отправились к Святейшему — испрашивать благословения, как поступать дальше. Выяснив все подробности, Патриарх благословил продолжать поиски на том же месте.

Наконец, уже ближе к ночи, перед нами предстал настоящий склеп Патриарха. Сомнений в этом не было. Он являл собой мощное сооружение, покрытое огромной плитой, на наше счастье, оказавшейся не цельной, а состоящей из нескольких массивных каменных секций. Мы подняли одну из этих глыб. Я лег на живот и опустил свечу внутрь. Помню, меня сразу поразил аромат весенней свежести, исходящий из подземной усыпальницы. Все сгрудились вокруг. Передо мной был тонкой, изысканной резьбы дубовый гроб, описание которого я хорошо знал. На нем лежала мраморная табличка. При мерцании свечи я прочел: «Патриарх Московский и всея России Тихон».

Мы не верили своему счастью. Отец Агафодор сразу ушел звонить Патриарху Алексию. Было уже поздно, около полуночи, но в Патриархии только что закончилось заседание Священного Синода. Минут через двадцать Святейший был в Донском. К его приезду мы подняли остальные плиты над склепом и встречали Патриарха праздничным колокольным звоном. В полночь он звучал как на Пасху.

Трудно передать, какие чувства испытывали мы в ту ночь, стоя у открытой могилы святителя Тихона. Не верилось, что все закончено и мощи перед нами. Наверное, такое же чувство было у Патриарха Алексия. Но все же он сказал мне:

— Все-таки следует посмотреть, здесь ли мощи.

Я надел епитрахиль, потому что к мощам можно прикасаться только в священной одежде, и спустился в склеп. Поддев гвозди и приподняв резную крышку гроба, я с замиранием сердца вложил внутрь руку. Пальцы мои ощутили сначала ткань, потом плечо...

— Здесь!!! — закричал я что есть силы.

— Всё! Назад, назад! Закрывайте скорей! — услышал я сверху взволнованный голос Патриарха.

Это произошло 19 февраля, а спустя три дня в монастырь приехали Святейший Патриарх, члены Синода, духовники Троице-Сергиевой лавры архимандрит Кирилл и архимандрит Наум. Когда подняли обветшавшую крышку гроба с осыпающейся на глазах резьбой, перед нами предстали нетленные мощи святителя Тихона, покрытые бархатной патриаршей мантией.

Еще через несколько дней мы омыли святые мощи по древнему чину, облачили их в новые святительские одежды и уложили в специально изготовленную раку. На Патриархе были те самые знаменитые облачения, сделанные на фабрике Оловянишниковых. Мы потом еще долго ломали головы, каким образом эти же облачения оказались у лжемитрополита Введенского.

Несмотря на то что в склепе была очень высокая влажность, тело Патриарха Тихона, пролежав в земле шестьдесят семь лет, сохранилось почти полностью. Примечательно, что одна из панагий — наперсных икон, символов архиерейской власти, покоившаяся на груди святителя Тихона, была сделана из кости

Мощи святителя Тихона в склепе под патриаршей мантией

мамонта, но полностью превратилась в прах. Остался только серебряный оклад. Нам тогда невольно вспомнилась строка из Псалтири: «Хранит Господь вся кости их». Хотя сохранились не только кости святого Патриарха, но и бо́льшая часть тела. А также великий патриарший параман, четки, монашеский параман, нательный крестик, драгоценная золотая панагия, подаренная, еще в бытность Патриарха архиепископом Ярославским, духовенством и прихожанами этой епархии.

Панагия

Обнаружилась даже ветка вербы (святителя Тихона хоронили на Вербное воскресенье) и флакончик с благоухающим розовым маслом, которое возливали на тело Патриарха перед погребением.

* * *

Через некоторое время наш археолог Сергей Алексеевич Беляев все-таки докопался и до разгадки, почему на лжемитрополите Александре Введенском оказались патриаршие облачения. На фабрике Оловянишниковых их сделали не одно, а два. Теперь то из них, которое действительно принадлежало святителю Тихону, выставлено в музее московского Донского монастыря.

Обретение мощей

Зураб Чавчавадзе и отец Евфимий
в разрушенном храме в Грозном

О нарушении церковного Устава,

или О том, как мы с князем Зурабом Чавчавадзе нарушали Великий пост

В 1998 году префект Центрального округа Москвы, в котором расположен наш Сретенский монастырь, Александр Ильич Музыкантский, рассказывал мне о своей поездке в Грозный и о том, в каких ужасных условиях пребывает там уже немногочисленная к тому времени православная община. Мы с братией монастыря испросили благословения у Святейшего Патриарха Алексия на сбор помощи для церкви Грозного и за три дня доверху набили огромную грузовую машину продуктами, медикаментами и одеждой. Наши прихожане принесли к тому же немало денег, мы добавили еще из монастырских средств, и получилась приличная по тем временам сумма. Было трогательно видеть, как люди отдавали порой самое необходимое и почитали радостью для себя хоть чем-то помочь своим собратьям.

Александр Ильич Музыкантский через правительство Москвы сумел договориться с правительством Масхадова, тогдашнего главы Чечни, о нашей поездке и о раздаче к Пасхе помощи грозненским христианам. Евгений Алексеевич Пархаев, директор патриарших Софринских мастерских, передал для разбомбленной и разграбленной церкви Грозного все необходимое для богослужения.

Выезд был назначен на понедельник Страстной седмицы. За день до отъезда я сообщил о предстоящем путешествии своему другу Зурабу Чавчавадзе и попросил, если со мной что-нибудь случится, позаботиться о моей маме. Но Зураб заявил, что непременно отправится со мною. Как я его ни уговаривал, как ни убеждал, что ему, мужу и отцу, никак нельзя рисковать собой, князь был непреклонен. Он даже сослался на то, что его прапрабабушка княжна Нино Чавчавадзе в конце XIX века была похищена черкесами, но вскоре освобождена. Мол, это хороший знак для успешной поездки. В конце концов мне пришлось согласиться, и мы с моим верным другом, попросив молитв Святейшего Патриарха Алексия, отца Иоанна (Крестьянкина) и других печерских старцев, отправились в Грозный.

Картина перед нами предстала ужасная. Разбомбленный Грозный лежал в руинах, мы не встретили ни одного целого многоэтажного дома. Нам еле-еле удалось выпросить разрешение провезти через чеченскую таможню несколько бутылок кагора для службы в храме — в Ичкерии действовал запрет на алкоголь. Слава Богу, все благополучно обошлось и с деньгами, которые я провозил тайком, обвязав вокруг тела. Эти средства требовались прежде всего для раздачи русским грозненцам: ведь они вот уже несколько лет не получали ни зарплаты, ни пособий, ни пенсий. Часть денег предназначалась священнику, другая — для матерей, которые разыскивали по Чечне своих сыновей, попавших в плен.

Грозный. 1998 год

Остановились мы в расположении группы официального представителя Президента России в Чечне. Это был небольшой участок за аэропортом «Северный»: две деревянные казармы. В первой находилось официальное представительство Президента России в Ичкерии. Здесь жили несколько генералов и офицеров, тут же поселили и нас с Зурабом. Во второй казарме размещались шестьдесят омоновцев. Их задачей, как мне объяснили, было в случае нападения продержаться пятнадцать минут, пока офицеры уничтожат шифровальные машины и документы.

Встретили нас очень тепло. Сопровождать Зураба и меня было поручено одному из наших офицеров, но руководство честно предупредило, что в сложном случае этот офицер мало чем сможет помочь, разве что героически умереть за нас. По приказу Масхадова к нам приставили еще четверых вооруженных чеченцев. На тревожный вопрос, надежна ли эта охрана, нам ответили, что если они не продадут нас по дороге, то все будет в порядке. Мы с Зурабом, чтобы зря не перенапрягаться, решили считать это шуткой.

До позднего вечера мы развозили продукты и вещи, раздавали деньги. Часть еды и лекарств передали в детский дом. В разрушенном храме Архистратига Михаила встретились со священником отцом Евфимием и договорились о службе через два дня, в Великий Четверг. На литургию должны были собраться несколько сотен остававшихся христиан со всего Грозного. Государство бросило их на произвол судьбы. То, что они пережили за эти годы, трудно поддается описанию. Мы были счастливы, что хоть чем-то можем помочь им.

Степень ненависти после войны была такова, что русским иногда запрещали даже разбить маленький огород, чтобы иметь хоть какое-то пропитание. Пока мы ходили по городу, мой подрясник

Храм Архистратига Михаила

оказался изрядно заплеванным, но мы с Зурабом старались этого не замечать, чтобы не спровоцировать худшее.

Чтобы решить еще несколько вопросов, нам с Зурабом предложили переночевать не в представительстве Президента Росси, а где-то в городе и без сопровождающего офицера. Офицер был, разумеется, категорически против, но мы с Зурабом решили положиться на волю Божию и на порядочность сопровождающего нас представителя правительства Чечни. Офицер предупредил, что снимает с себя всякую ответственность, и вынужден был уехать. А нас повезли куда-то на окраину Грозного в частный дом.

Конечно, было тревожно. Но все обошлось. Нас приняли приветливо в большой чеченской семье, главой которой был влиятельный здесь человек — выросший в Центральной России инженер из Иванова. Во время долгой ночной беседы нам открылась и другая сторона этой трагедии, которая касалась множества простых чеченских семей. Мы разрешили почти все наши вопросы. Далеко за полночь, отчистив мой заплеванный подрясник и крепко помолившись, мы с Зурабом уснули крепким сном.

Наутро, а это была Великая Среда, мы с той же группой чеченской охраны пустились в обратный путь по разрушенному городу. Наши охранники выглядели сегодня более доброжелательно. Видимо, на них произвело впечатление, что мы не побоялись ради дела заночевать в незнакомом доме.

Только поздним вечером, усталые после множества приключений (среди которых, к сожалению, была и часовая погоня за нашей машиной каких-то непонятных даже нашей охране боевиков), мы прибыли в аэропорт «Северный», на военную базу.

Подходя к казарме, мы с Зурабом предвкушали, как попьем горячего чайку с хлебом, почитаем захваченное из Москвы Последование Страстного Четверга, потом правило ко причащению и завалимся спать до утра. Если бы мы знали, что нас ждет в казарме!..

В дверях нас с нетерпением встречали два офицера. Они крепко обняли нас и сказали, что военные, которые уже не надеялись увидеть нас живыми, узнав, что мы целы и невредимы, приготовили нам торжественную встречу.

Переступив порог казармы, мы просто окаменели: огромный стол посреди казармы был уставлен неимоверным количеством яств. Здесь были и дымящиеся куски баранины, и жареный поросенок, и заливная рыба... Рядом на этажерке, на видном месте, стояла бумажная иконка в раме, а перед ней горела парафиновая свеча — хозяева сделали для нас все, что только могли. Мы с ужасом смотрели то на гастрономическое изобилие, то на обрадованных нашим возвращением офицеров, которые, обступив нас, наперебой приглашали к столу.

— Я не могу... Я никогда в жизни не нарушал Великий пост! — прошептал Зураб.

Что было делать? Начать объяснять строгости Страстной седмицы? Прочесть этим людям, постаравшимся для нас от всего сердца, лекцию о том, что не только мяса — постного масла сегодня нельзя вкушать по церковным уставам? Признаться, мы с Зурабом даже в страшном сне такого представить не могли... Но мы оба чувствовали, что все наши совершенно правильные объяснения будут сейчас несравненно грешнее перед Богом, чем это негаданное для нас нарушение поста.

Эта долгая и прекрасная, исполненная истинной христианской любви трапеза запомнилась нам с Зурабом на всю жизнь.

В последующие годы нам с братией монастыря не раз приходилось бывать в Чечне и в других военных гарнизонах, и, если поездка выпадала на время поста, мы всегда заранее усердно просили учитывать наши гастрономические ограничения.

Иллюстрация Г. Доре к Библии

О том, что нельзя совмещать служение Слову и заработок

О днажды мы с Колей Блохиным, известным сегодня православным писателем, а тогда только что вышедшим из лагеря политическим преступником (Коля отсидел пять лет по 139-й статье за незаконное производство и распространение православной литературы), решили подзаработать денег.

Это было в 1988 году. Коля предложил напечатать репринтом (разумеется, нелегально) Библию с иллюстрациями Доре. Эта книга много десятилетий не переиздавалась в России и, конечно, была нужна. В этом смысле дело начиналось правильное.

Но с другой стороны, за тираж в тысячу экземпляров можно было получить приличную по тем временам сумму денег, которые бы и мне, и Коле не помешали. Это мы тоже прекрасно понимали. И в этом смысле наше дело было никаким не благочестивым, а самым настоящим меркантильным предприятием.

Библию с иллюстрациями Доре ни в одной библиотеке на руки не выдавали. Тогда я улучил подходящий момент и по секрету рассказал о нашем плане Владыке Питириму. Я не ошибся: Владыка как издатель сразу загорелся этой идеей, несмотря даже на опасность подобного предприятия в то время. На следующий же день он передал мне роскошный том из своей домашней библиотеки, предупредив, что эта книга ему очень дорога, поскольку принадлежала его покойному отцу-священнику. Я клятвенно заверил Владыку в сохранности книги и на неделю передал ее Коле для пересъемки.

Через неделю я позвонил Николаю и справился, как дела. Он отвечал, что требуется еще три дня. Но через три дня он огорченно сообщил, что есть проблемы и нужна еще неделя. Через неделю все повторилось: книгу Николай не возвращал. Между тем Владыка Питирим поинтересовался, может ли он забрать Библию и когда будет тираж.

Я орал на Колю в телефонную трубку минут десять, но тот, прошедший тюремные допросы и «пресс-хаты», объяснил мне как маленькому, что он все понимает, но, кровь из носа, нужна еще неделя, и книга вернется к архиерею в целости и сохранности.

Через неделю Коля книгу не вернул.

Я был в отчаянии и не знал, как смотреть Владыке в глаза. Чтобы хоть как-то понять, что происходит, я пошел к нашему общему с Колей другу — Виктору Бурдюку, который отбывал с Колей тюремный срок по одному делу.

— Да он ее продал! — уверенно сказал Виктор, выслушав мой рассказ.

— Как продал?! Это же невозможно!

— Еще как возможно. Продал, а деньги сейчас пропивает. То-то я смотрю, он запил. И все коньяк, коньяк!..

Надо сказать, мы все знали об этой слабости нашего друга. Если уж он брался за бутылку, то остано-

Николай Блохин

вить его ничто не могло. Особенно после пяти лет лагерей.

Виктор вошел в мое ужасное положение, и мы вместе бросились к Николаю. Коля всегда был человеком правдивым и сразу во всем покаялся. Он продал архиерейскую Библию в тот же день, когда получил ее от меня. Точнее, через сорок минут. Этого времени хватило, чтобы доехать до Кузнецкого моста и там получить за книгу пятьсот рублей на известном московском «черном рынке» у магазина «Букинист». На мой отчаянный вопрос, зачем он это сделал, Коля лишь пьяно отвечал, что бес попутал. Виктор Бурдюк ни о чем его не спрашивал. Он знал своего друга гораздо лучше меня.

Положение складывалось поистине катастрофическое: купить такую книгу было практически невозможно. Да и на какие средства? Даже если где-то посчастливится найти экземпляр, он будет стоить, как говорили знающие люди, не меньше полутора тысяч рублей. Такая сумма была для меня совершенно запредельной. Не говоря уже о том, что Владыка Питирим сразу поймет: это не книга его отца... И все же я бросился к московским ростовщикам, но впустую: мне просто нечего было заложить.

Через три дня, в понедельник, я должен был предстать перед Владыкой, тянуть дальше было нельзя. И тогда я купил билет на поезд и поехал в Печоры к отцу Иоанну, благо впереди были выходные.

Однако в Печорах я был сражен сообщением, что отец Иоанн затворился в келье и уже несколько дней никого не принимает. Это известие раздавило меня. Как, в такой трудный момент — не удостоить меня ни единым словом?!.

В отчаянии я поехал на приход к отцу Рафаилу и поведал ему о своем несчастье.

И тут мне повезло: отец Рафаил был человеком, не унывавшим никогда и ни при каких обстоятельствах. Уныние он считал самым глупым из семи смертных грехов. Для начала он жестоко высмеял мое маловерие и напомнил, что я забыл самое простое и известное всем средство — начать читать молитвенное правило о потерянной вещи.

Его слова меня просто сразили. Как же я мог забыть?! Ведь прекрасно известно, что есть проверенный способ, правило совсем простое: читай 50-й псалом царя Давида и Символ веры — и вещь найдется.

Кстати, не так давно это правило сново пригодилось: Ирина Владимировна Крутова, жена Александра Крутова, главного редактора журнала «Русский дом», купила новый автомобиль. Я его освятил, а на следующий день машину украли. В милиции сразу сказали, что эта модель относится к числу самых угоняемых и, скорее всего, машину уже сейчас в каком-нибудь гараже разбирают на запчасти. Но Ирина, в отличие от меня, сразу вспомнила об особой молитве. Она только усмехнулась на слова милиционеров и стала читать это самое правило. Через день машину благополучно нашли, только замок зажигания был вырван с корнем.

А я об этой молитве позабыл! Больше того, конечно же прав отец Рафаил: от отчаяния и маловерия я вообще запамятовал, что надо обратиться не к Вите Бурдюку, не к букинистам, не к московским ростовщикам, а к Самому Господу Богу, и больше ни к кому! Но отец Рафаил обо всем этом вовремя мне напомнил. Вечером, на всенощной, и на литургии, и в вагоне поезда, по пути в Москву, я все время не переставая читал «Помилуй мя, Боже, по велицей милости Твоей» и «Верую во единаго Бога Отца, Вседержителя», пока не уснул под утро в купе под стук колес. Господь еще так устроил, что я оказался в купе один и мог спокойно помолиться.

А наутро, когда я прямо с вокзала приехал в Издательский отдел Патриархии, меня ждал там Виктор Бурдюк. С книгой! Завернутой в атласную ткань и совершенно неповрежденной. Той самой, принадлежавшей Владыке, доставшейся ему от отца-священника. Как Виктор нашел ее, он рассказывать не стал. Да и я, глядя на его усталое и жесткое лицо, не расспрашивал. Потом по некоторым признакам я догадался, что Виктор призвал на помощь каких-то своих знакомых из прежней, тюремной жизни.

Митрополит Питирим

Я передал книгу Владыке Питириму. Он, слава Богу, даже не упрекнул меня — вот настоящие благородство, снисходительность и христианская любовь!

От радости я сразу позвонил отцу Рафаилу.

— Вот видите, Георгий Александрович, как Господь близок к нам! — вдохновенно произнес отец Рафаил.

Еще бы мне было не видеть!

Коля Блохин благополучно пропил пятьсот рублей, и наши отношения вернулись на круги своя. Только книги я с ним больше не затевал печатать. Лишь те повести, которые он написал в тюрьме, я потом опубликовал в нашем монастырском издательстве.

С тех пор я прочно усвоил: нельзя одновременно служить Богу и мамоне. Что правда, то правда. Если же не пытаться это смешивать, то Господь Сам пошлет все необходимое в нужное время. Таков не только мой опыт. В похожую историю попал как-то один мой друг. Только ставки в его случае были гораздо более серьезными. Поэтому, когда время от времени я звоню ему и говорю: «Хочешь спасти душу и заработать миллион?» — а он отвечает: «Да-а!» — оба мы понимаем, что это всего лишь шутка.

Еще об одном нарушении Устава,

или О том, как отец Рафаил оказался Ангелом

По правилу святых апостолов, священник, ударивший человека, подлежит каноническому наказанию и запрещается в священнослужении.

Произошло это в 1977 году. Отец Рафаил был тогда совсем молодым иеромонахом, недавно рукоположенным в Псково-Печерском монастыре. Однажды солнечным летним утром он в самом прекрасном расположении духа вошел в Успенский пещерный храм — служить литургию. Однако первыми, кого он там увидел, были три пьяных хулигана. Один из них под хохот приятелей, прикуривал папироску от лампады у иконы Божией Матери.

Дальнейшее, по словам отца Рафаила, он помнит смутно. Как потом рассказывали прихожане, свидетели этой сцены, молодой иеромонах сгреб веселого курильщика в охапку (а отец Рафаил обладал совершенно выдающейся физической силой), выволок его на улицу, на паперть храма, и нанес такой удар, о котором до сих пор вспоминают очевидцы... И в этот момент отец Рафаил пришел в себя.

Словно в замедленном кино, он увидел, как несчастный хулиган отделился от земли, воспарил над папертью и, грохнувшись оземь, остался недвижим...

Насмерть перепуганные товарищи бросились к нему и, озираясь на отца Рафаила, за руки поволокли приятеля прочь от храма, к монастырским воротам. А отец Рафаил, осознав, что произошло непоправимое и он теперь не сможет служить литургию, схватился за голову и опрометью бросился в келью отца Иоанна, своего духовника.

Отец Иоанн в этот час совершал монашеское молитвенное правило. Ворвавшись без стука в келью к старцу, отец Рафаил рухнул перед ним на колени.

В отчаянии он поведал о своем преступлении и стал умолять простить ему этот грех и сказать, что же ему теперь делать.

Отец Иоанн внимательно выслушал и сурово отчитал своего воспитанника:

—Ты что ко мне под епитрахиль* лезешь? Это не ты ударил, это Ангел!

Но все же прочел разрешительную молитву, благословил отца Рафаила и отправил его служить литургию.

*Епитрахиль — предмет священнического облачения из ткани, который священник накладывает на голову кающегося, прочитывая над ним молитву о прощении грехов.

Про кота

Что и говорить, любят у нас обсудить и покритиковать священников. Поэтому для меня было весьма неожиданным, когда однажды, в ту пору, когда я еще служил в Донском монастыре, ко мне подошел наш прихожанин по имени Николай и сказал:

— Теперь я понял: самые лучшие, самые великие, самые терпеливые и прекрасные люди на свете — это священники!

Я удивился и спросил, что это вдруг навеяло ему такие мысли.

Николай ответил:

— У меня живет кот. Очень хороший, умный, красивый. Но есть у него одна странность: когда мы с женой уходим на работу, он забирается в нашу постель и, простите, гадит в нее. Мы всячески пытались его отучить: упрашивали, наказывали — все бесполезно. Наконец мы соорудили целую баррикаду. Но, когда я вернулся домой, то увидел, что баррикада раскидана, а кот снова пробрался в постель и сделал там свое грязное дело. Я до того разозлился, что схватил его и просто отлупил! Кот так обиделся, что залез под стул, сел там и заплакал. По-настоящему! Я впервые такое видел, у него слезы катились из глаз. В это время пришла жена и набросилась на меня: «Как тебе не стыдно? А еще православный! Не буду с тобой даже разговаривать, пока не покаешься у священника за свой зверский, гадкий, нехристианский поступок!» Мне ничего не оставалось делать, да и совесть обличала, — наутро я пришел в монастырь на исповедь. Исповедовал игумен Глеб. Я отстоял очередь и все ему рассказал.

Отец Глеб, очень добрый, средних лет игумен из Троице-Сергиевой лавры, временно служил тогда в Донском монастыре. Обычно он стоял на исповеди опершись на аналой и, подперев бороду кулачком, выслушивал грехи прихожан. Николай подробно и чистосердечно поведал ему свою печальную историю.

Он старался ничего не утаить, поэтому говорил долго. А когда закончил, отец Глеб помолчал немного, вздохнул и проговорил:

— Н-да... Нехорошо, конечно, получилось!.. Вот только я не понял: этот копт[*], он в университете учится? Там что, общежития у них нет?

— Какой копт? — переспросил Николай.

---

[*] Копт — представитель древнего народа, живущего в Египте.

— Ну тот, который у вас живет, про которого ты сейчас рассказывал.

«И тут до меня дошло, — завершил свою историю Николай, — что отец Глеб, который был слегка туговат на ухо, десять минут смиренно выслушивал мой бред про копта, который зачем-то живет у нас в квартире и гадит в нашу постель, которого я зверски избил, а он залез под стул, сидел там и плакал... И тогда я понял, что самые прекрасные и непостижимые, самые терпеливые и великие люди на свете — это наши священники».

Схиархимандрит Авель

Андрей Битов

О днажды, приехав по делам в Патриархию, я зашел к своему другу протоиерею Владимиру Вигилянскому, пресс-секретарю Святейшего.

Только мы сели попить чайку, как к нам присоединился архиепископ Рязанский Павел — ему надо было скоротать время до встречи с Патриархом. Вскоре у отца Владимира зазвонил мобильный телефон, и он вышел в коридор, чтобы не мешать нам своим разговором. Когда же вернулся, то выглядел весьма удивленным и рассказал, что звонил его знакомый, писатель Андрей Битов. Сам отец Владимир до священства был известным журналистом, членом Союза писателей.

Андрей Георгиевич Битов когда-то крестился в Грузии у батюшки, которого звали по-грузински мамао Торнике и к которому часто ездила московская интеллигенция. Но после этого в церковь особенно не ходил. Зато его покойница-мать стала глубоко верующим человеком. Она скончалась около года назад. И вот сейчас Битов звонил отцу

Владимиру как раз по поводу своей матери. Она приходила к нему минувшей ночью.

Битов весь день пребывал под впечатлением этого сновидения и в конце концов решил посоветоваться со знакомым священником. Дело в том, что мать во сне была очень строга. Она сказала сыну:

— Андрей, ты должен обязательно сделать то, что я тебя сейчас попрошу. Тебе надо исповедоваться и причаститься.

— Но мне сложно исповедоваться у наших священников, для меня это всегда проблема, — затянул обычную в таких случаях песню сын.

«Российская интеллигенция не изменяет себе даже во сне!» — с восхищением успел подумать я.

А отец Владимир продолжал свой рассказ.

Явившаяся во сне мама Битова была непреклонна.

— Ты должен поехать в Рязанскую область. Там есть старый монах, архимандрит, — сказала она твердо и назвала редкое и очень древнее имя, которое Андрей Георгиевич тут же во сне и забыл. — Обязательно исповедуйся у него и причастись!

На этом видение закончилось. Утром Битов проснулся, но все, что произошло с ним во сне, крепко отпечаталось в памяти. Кроме ужасно редкого и древнего библейского имени монаха, к которому ему теперь почему-то надо было ехать. Битов долго размышлял. Все это казалось ему странным и несерьезным. Однако мать была так настойчива... В конце концов он решил позвонить священнику Владимиру Вигилянскому, своему давнему знакомому.

Отец Владимир, выслушав рассказ Андрея Георгиевича, сказал:

— Постарайся вспомнить имя этого архимандрита.

—Никак не могу. Помню, что живет он в Рязанских краях. А имя какое-то ветхозаветное.

—Наум? — спросил отец Владимир, имея в виду известного духовника из Троице-Сергиевой лавры.

—Н-нет, не Наум...

—Ну тогда Авель! — заключил отец Владимир. — Других старцев с ветхозаветными именами у нас вроде нет.

—Точно Авель! — обрадовался Битов. — А ты откуда знаешь?

—Отца Авеля многие знают.

—А где он служит? — поинтересовался Битов.

—В Иоанно-Богословском монастыре под Рязанью.

—Поразительно!.. И мама говорила, что мне надо ехать к монаху Авелю в Рязанскую область!

—А вдобавок у меня в кабинете сейчас сидят два человека, — продолжал отец Владимир. — Один — это архиепископ Павел, он как раз управляет Рязанской епархий, а второй — архимандрит Тихон, у которого скит под Рязанью. И он только что рассказывал, как недавно навещал отца Авеля. В общем, тебе, Андрей, Сам Бог велел как можно быстрее собираться и ехать. И наконец-то исповедоваться и причаститься. А то, что твоей маме даже пришлось прийти к тебе, поверь, это не шутки!

—Да знаю я, знаю... — отозвался Битов. — Только все это как-то странно...

Отец Владимир тем временем продолжал:

—Я попрошу Владыку Павла, тебя примут в монастыре и отведут к отцу Авелю. Машиной туда ехать из Москвы меньше трех часов. Договорились?

—Конечно!..

Он собирался в путь несколько месяцев, а когда миновало полгода, отец Авель отошел ко Господу.

Преосвященнейший* послушник

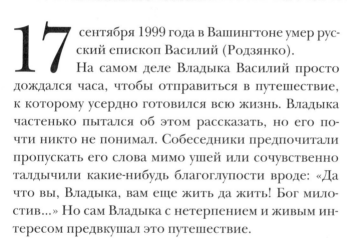

17 сентября 1999 года в Вашингтоне умер русский епископ Василий (Родзянко).

На самом деле Владыка Василий просто дождался часа, чтобы отправиться в путешествие, к которому усердно готовился всю жизнь. Владыка частенько пытался об этом рассказать, но его почти никто не понимал. Собеседники предпочитали пропускать его слова мимо ушей или сочувственно талдычили какие-нибудь благоглупости вроде: «Да что вы, Владыка, вам еще жить да жить! Бог милостив...» Но сам Владыка с нетерпением и живым интересом предвкушал это путешествие.

Вообще-то он и при жизни был заядлым путешественником. Я бы даже сказал, что именно это было его настоящим призванием, и больше того — образом жизни.

Началом его странствий, без сомнения, стало появление на свет в 1915 году в родовом поместье «Отрада» младенца, которому в дальнейшем и надлежало стать епископом Василием, но которого до поры до времени нарекли Владимиром. Дедом

* *Преосвященнейший — титул архиерея.*

новорожденного по отцовской линии был председатель Государственной думы Российской империи Михаил Владимирович Родзянко. А мама происходила из древнего рода князей Голицыных и Сумароковых. Да и вообще, многие знатные русские семьи состояли в близком или дальнем родстве с этим новорожденным рабом Божиим.

Следующее серьезное путешествие Владыка предпринял в 1920-м, когда ему было пять лет от роду. Дорога предстояла неблизкая: по суше и по морю, через Турцию и Грецию — в Сербию. Причина этого вояжа была вынужденной — семью бывшего председателя Государственной думы новые властители России в живых оставлять не собирались. Родзянки осели в Белграде, где будущий Владыка и вырос.

С учителями ему повезло. Кроме того что в Югославии собрался цвет русской эмиграции, его непосредственными воспитателями были иеромонах Иоанн (Максимович), который через тридцать лет стал знаменитым архиепископом Сан-Францисским, а еще через тридцать — прославлен как святой в Русском зарубежье, и великий первоиерарх Русской Зарубежной Церкви митрополит Антоний (Храповицкий). Это были такие гиганты духа, которые не могли не оказать на своего воспитанника самого сильного и благодатного влияния.

Но прежде будущему Владыке достался еще один, не менее важный воспитатель. Его он тоже запомнил на всю жизнь. Это был гувернер, бывший офицер Белой армии. Никто, кроме маленького Володи, не знал, что этот гувернер каждый день избивает и мучает мальчика — настолько искусно, что следов пыток не оставалось. Этот несчастный офицер лютой, последней ненавистью ненавидел Михаила Васильевича Родзянко — деда своего воспитанника, считая его виновником гибели России. Выместить свою боль на деде гувернер не мог, и расплачиваться приходилось внуку.

Спустя много лет Владыка вспоминал: «Моя мать незадолго до кончины сказала: "Прости меня, что я по недосмотру дала мучить тебя, когда ты был ребенком". — "Мама, это было по Промыслу Божиему, — отвечал я. — Не будь того, что случилось со мной в детские годы, не стал бы я тем, кем являюсь сейчас..."»

Когда Владыка находился уже в преклонных летах, в одном из странствий Господь привел его в Царское Село. Владыке благословили совершить здесь литургию в храме Феодоровской иконы Божией Матери, том самом, который был детищем императора Николая II и который любила вся царская семья. После завершения службы Владыка вышел к народу и принес покаяние за вину, к которой так пронзительно ощущал себя причастным с самого детства, лишь потому, что был внуком любимого им деда. Владыка тогда сказал:

— Мой дед хотел только блага для России, но, как немощный человек, он часто ошибался. Он ошибся, когда послал своих парламентариев к Государю с просьбой об отречении. Он не думал, что Государь отречется за себя и за своего сына, а когда узнал это, горько заплакал, сказав: «Теперь уже ничего нельзя сделать. Теперь Россия погибла». Он стал невольным виновником той екатеринбургской трагедии. Это был невольный грех, но все-таки грех. И вот сейчас, в этом святом месте, я прошу прощения за своего деда и за себя перед Россией, перед ее народом и перед царской семьей. И как епископ, властью, данной мне от Бога, прощаю и разрешаю его душу от этого невольного греха.

* * *

В Югославии Родзянки осели надолго. Владимир вырос в доброго, высокого и очень красивого юношу. Он получил блестящее образование, полюбил чудесную девушку, которая стала его женой, и в двадцать пять лет был рукоположен в священника Сербской Церкви. Когда началась война, отец Владимир Родзянко бесстрашно участвовал в Сопротивлении. Так же бестрепетно он остался в Югославии после прихода к власти коммунистического правительства, хотя многие белые эмигранты, в первую очередь из тех, кто был на особом счету у советской власти, покинули эту страну. Отец Владимир служил священником на сербском приходе и считал невозможным бросить свою паству. Даже под угрозой тюрьмы или расстрела.

Расстрелять его не расстреляли, но в лагерь, конечно, посадили. На восемь лет. А лагеря у Тито были не менее страшные, чем в СССР. К счастью, Тито скоро поссорился со Сталиным и, чтобы хоть как-то досадить своему бывшему патрону, назло ему выпустил из югославских лагерей всех русских эмигрантов. Так что Владыка просидел в югославских тюрьмах только (или правильно сказать — целых) два года. Прямо из лагерей он снова пустился в странствие.

Сначала он оказался в Париже, у своего духовника архиепископа Иоанна (Максимовича). Потом в Лондоне, где стал служить в сербском православном храме. Здесь же, в Лондоне, на радио Би-би-си,

Священник Владимир Родзянко в студии Би-би-си

отец Владимир начал вести свои церковные передачи на Россию, из которых несколько поколений граждан СССР узнавали о Боге, православной вере, об истории Церкви и своей страны.

Прошли годы, и отец Владимир овдовел. Церковь благословила его принять монашество, в котором он получил новое имя — Василий и архиерейский сан. И теперь уже епископ Василий отправился в очередное путешествие — в Америку. Там он привел в Православие тысячи протестантов, католиков и просто ни во что не веровавших людей. Но, как это нередко бывает, пришелся не ко двору — не столько своей энергичной деятельностью, сколько тем, что с открытым забралом выступил против одной могущественной, но совершенно неприемлемой в Церкви группы — лобби, как принято говорить. В результате Преосвященнейший епископ Василий был отправлен на покой, то есть на ничем не обеспеченную, безденежную пенсию.

Но и это маловдохновляющее событие стало для Владыки продолжением столь желанных для его сердца странствий и поводом к новым подвигам. В те годы как раз открылась возможность поездок в Россию. Это было давней и страстной мечтой Владыки, и он с восторгом устремился в святую для него родную землю.

К тому времени и относятся некоторые истории, свидетелем и участником которых мне довелось быть.

* * *

Владыка Василий появился в моей жизни и в жизни моего друга скульптора Вячеслава Михайловича Клыкова как удивительная и нечаянная радость.

Вячеслав Михайлович Клыков

Это было в 1987 году. Приближался памятный день убиения царской семьи, 17 июля. Нам с Вячеславом Михайловичем очень хотелось совершить панихиду по Государю, но в те годы это представляло почти неразрешимую проблему. Прийти в московский храм и попросить священника отслужить заупокойную службу по Николаю II было, само собой разумеется, немыслимо. Все прекрасно понимали, что об этом сразу станет известно и на священника обрушатся неприятности, самой незначительной из которых будет увольнение из храма. Совершать службу на дому нам тоже не хотелось: на панихиду хотели прийти многие наши друзья.

Как раз в эти дни Вячеслав Михайлович Клыков закончил монументальное надгробие Александру Пересвету и Андрею Ослябе — воинам-схимникам, которых преподобный Сергий направил в войско Димитрия Донского на Куликово поле. Это надгробие после долгого сопротивления властей было установлено на могиле схимников в бывшем Симоновом монастыре, где в советское время расположился завод «Динамо».

И тут мне пришла в голову мысль: поскольку официальное разрешение на освящение надгробия Пересвету и Ослябе уже получено, то мы можем во время освящения совершить и панихиду по царской семье. Конечно, за нами обязательно пришлют кого-нибудь присматривать. Но соглядатаи вряд ли разберутся в богослужебных тонкостях — для них все происходящее будет одной долгой и непонятной церковной службой.

Вячеславу Михайловичу эта идея очень понравилась. Теперь дело было за малым — найти священника, который согласился бы рискнуть. Потому что риски, конечно, все равно оставались. Пусть и не очень большие. Но если кто-то из соглядатаев поймет, что происходит на самом деле... Об этом, признаться, мы старались не думать. Но и подвергать опасности знакомых батюшек нам совсем не хотелось.

И тут кто-то из знакомых обмолвился, что в Москву на днях прилетел из Америки епископ Василий (Родзянко). Многие из нас слышали об этом Владыке, знали о его церковных радиопередачах по «вражьим голосам». Посовещавшись, мы пришли к выводу, что лучшего кандидата для служения панихиды по царской семье нам не сыскать! Во-первых, белоэмигрант. Во-вторых, для него как иностранца риск был меньше, чем для наших батюшек. «Конторка Глубокого Бурения», так называли тогда КГБ, ему особо ничего сделать не должна. Скорее всего... Как минимум, ему легче будет вывернуться — все-таки американец, убеждали мы себя. Да и вообще, как говорилось в несколько циничном, но популярном стишке тех времен: «Дедушка старый — ему все равно». В конце концов, других вариантов у нас просто не было.

В общем, в тот же вечер мы с Вячеславом Михайловичем были в гостинице «Космос», где остановился Владыка Василий с паломнической группой православных американцев.

Владыка вышел к нам в гостиничный холл... и мы были сражены! Перед нами предстал необычайно красивый, с удивительно добрым лицом, статный, высокий старик. Точнее, без всякой иронии или сентиментальности, благообразный старец, как выражались в старинные времена. Таких архиереев мы еще не видели. В нем угадывались другая Россия и утраченная культура. Это был совершенно

иной архиерей, нежели те, с которыми нам доводилось общаться. Не то чтобы наши были хуже, нет! Но этот был и правда — совсем другой архиерей.

Нам с Вячеславом Михайловичем сразу стало стыдно за то, что мы собирались подвергнуть его — такого большого, доброго, беззащитного и доверчивого — опасности. После первого знакомства и нескольких общих фраз мы, еще не переходя к главной теме, извинившись, отошли в сторонку и договорились, что настойчиво будем просить Владыку хорошенько подумать, прежде чем соглашаться на наше предложение.

Для разговора мы втроем вышли прогуляться на улицу, подальше от гостиничных микрофонов. Но только лишь Владыка услышал о цели нашего визита, он в восторге остановился посреди тротуара и, вцепившись в мою руку, будто я намеревался убежать, не просто выразил согласие, но горячо заверил нас, что мы посланы ему Самим Господом Богом. Пока я потирал локоть, прикидывая, большой ли синяк образовался у меня под рукавом, все объяснилось. Оказывается, Владыка уже лет пятьдесят, с тех пор как стал священником, каждый год неизменно служит в этот день поминальную службу по царской семье. А на этот раз, оказавшись в Москве, он уже несколько дней ломает голову, где и как в Советском Союзе ему отслужить эту панихиду. И тут мы — со своей благочестивой авантюрой. Владыка увидел в нас не больше не меньше как Ангелов, посланцев небес! А на предупреждения об опасности он только досадливо рукой махнул.

Оставалось еще несколько вопросов, которые Владыка Василий разрешил молниеносно. По древним церковным канонам, епископ, приехавший в чужую епархию, не может совершать богослужение без благословения местного правящего архиерея. А таковым для Москвы являлся сам Патриарх. Но Владыка сообщил, что как раз накануне Святейший Патриарх Пимен разрешил ему служить в Москве так называемые частные требы — молебны и панихиды. Именно это нам и требовалось. Еще для службы нужен был хор. Оказалось, что почти все паломники, приехавшие с Владыкой, поют в церковных хорах.

Ранним утром в день памяти убиения царской семьи мы встретились у проходной завода «Динамо». Собралось около пятидесяти наших с Клыковым друзей и еще два десятка американцев. Это были в основном православные англосаксы, которые разговаривали только по-английски и по-церковнославянски. Надо было что-то срочно придумать: если те, кому поручено присматривать за нами, поймут, что на территории завода появились иностранцы, это создаст дополнительную головную боль. Поэтому пришлось для верности до полусмерти запугать наших американских единоверцев подвалами Лубянки и строго наказать ни под каким видом не открывать рта иначе как для пения панихиды. Кстати, когда Владыка стал служить, они действительно составили очень неплохой хор и пели всю службу наизусть, почти без акцента.

Представители администрации завода и еще какие-то мрачноватые люди проконвоировали нас по длинным коридорам и переходам к месту захоронения Пересвета и Осляби. У меня сердце замирало, когда я видел, с какой подозрительностью люди в штатском поглядывают на статного архиерея и на его перепуганную, молчаливую, но все-таки очень не похожую на советских людей паству. Однако все обошлось.

Клыковское надгробие Пересвету и Ослябе было необычайно красивым — аскетически строгим и величественным. Мы начали с освящения, а потом, как и договаривались, незаметно для официальных лиц перешли к панихиде. Владыка служил с таким чувством, а его прихожане пели так самозабвенно, что все прошло словно один миг. Владыка не произносил слов «император», «императрица», «цесаревич», а просто помянул сначала воинов Андрея Ослябю и Александра Пересвета, а затем — убиенного Николая, убиенную Александру, убиенного отрока Алексия, убиенных девиц Ольгу, Татьяну, Марию и отроковицу Анастасию, а также своих и наших усопших близких.

Кто знает, возможно, люди в штатском все поняли. Совсем не исключаю этого. Но никто из них не подал вида. Прощаясь, они поблагодарили нас. И, как нам с Вячеславом Михайловичем показалось, совершенно искренне.

Когда мы вышли из заводской проходной и снова оказались в городе, Владыка Василий вдруг подошел ко мне и крепко-крепко обнял. А потом произнес слова, которые навсегда остались в моей памяти. Он сказал, что до конца жизни будет благодарен мне за то, что я сделал для него сегодня. И хотя я совершенно не понимал, что же такого особенного сделал, слова Владыки были очень приятны.

Действительно, Владыка всю свою оставшуюся жизнь относился ко мне самым милостивым образом, что стало для меня одним из драгоценных и незаслуженных даров Божиих.

* * *

В те годы для нас только открывалась правда о Государе-страстотерпце и его семье. Книги, привозимые из-за границы, рассказы старшего поколения православных христиан — вот откуда мы узнавали о новомучениках и исповедниках Российских.

Что касается императора Николая II и его семьи, как раз в те годы шли бурные споры о нем. Некоторые очень уважаемые мною люди более чем скептически относились к прославлению царской семьи в лике святых. Среди них были и замечательный архиерей митрополит Николай Нижегородский, и профессор Московской духовной академии Алексей Ильич Осипов. Я ничего не мог возразить этим мудрым людям на их аргументы. Кроме одного: я просто знал, что император Николай и его семья — святые.

Это произошло года через два после знакомства с Владыкой, в один из самых тяжелых моментов моей жизни. Я, тогда еще послушник, в самом незавидном расположении духа забрел в Донской монастырь, к могиле патриарха Тихона. Был день памяти убиения царской семьи. В тот год панихиду по ним впервые совершали не таясь. Я от всего сердца стал просить царственных мучеников, чтобы они, если имеют дерзновение перед Богом, помогли мне.

Панихида закончилась. Я выходил из храма все в том же отчаянно тяжелом состоянии. В дверях мне повстречался священник, которого я не видел несколько лет. Без всяких вопросов с моей стороны он завел со мной разговор и вдруг разрешил все мои проблемы. Четко и определенно сказал, что мне надо делать. Это, без преувеличения, во многом решило мою судьбу. И вопрос о почитании царской семьи никогда больше не возникал в моем сердце. Сколько бы мне ни говорили о слабостях, ошибках и грехах последнего русского императора.

Конечно, наш отдельный религиозный опыт без подтверждения Церкви мало чего стоит. Но, к счастью для меня, Церковь, канонизировав страстотерпца-царя и его семью, дает мне право признать этот свой малый, личный и ни на что не претендующий опыт неложным.

В кругу моего общения никто не сомневался, что для России монархия является самой органичной и естественной формой государственного правления. Но мы более чем скептически относились к активным и разнообразным монархическим движениям того времени.

Однажды, когда я нес послушание у митрополита Питирима, в Издательский отдел пришли люди, разодетые в дореволюционную офицерскую форму. На их мундирах блестели царские медали и ордена, в том числе и Георгиевские кресты. Я удивился и спросил:

— Как вы решились надеть эти награды? Ведь они давались только за личную храбрость на поле боя.

Гости заверили меня, что с наградами у них все в полном порядке, и пожелали немедленной встречи с митрополитом. Владыка, к моему удивлению, принял их и внимательно, не без любопытства выслушивал целых полтора часа. Тема визита была незатейливой — гости требовали, чтобы Владыка оказал им всяческую помощь в деле незамедлительного восстановления монархии. Провожая их, Владыка Питирим задумчиво произнес:

— А ведь дай вам сейчас царя, вы его через неделю снова расстреляете...

Митрополит Филарет   Митрополит Питирим   Епископ Василий

* * *

С тех пор всякий раз, когда Владыка Василий собирался в Россию, он заранее звонил мне. И я с радостью отправлялся с ним в какое-нибудь очередное захватывающее странствие. А поводов для них у Владыки было море. Хотя, сколь это ни покажется странным, ни одного путешествия Владыка не предпринимал по собственной воле.

Об этом он рассказал мне особую историю.

В 1978 году умерла его супруга, Мария Васильевна. Смерть матушки стала для отца Владимира страшным потрясением. Он бесконечно любил ее. И произошло то, что нередко случается с искренними русскими людьми. Отец Владимир запил.

Владыка чистосердечно рассказывал об этом отрезке своей жизни как о тяжелом испытании, которое ему довелось пережить.

Запил он по-настоящему. Хотя — благодаря недюжинному здоровью, огромному росту и силе — это до поры до времени не сказывалось ни на его священнической деятельности, ни на радиопередачах. Утешался батюшка Владимир, по своей сербской привычке, ракией — крепкой балканской водкой. Неизвестно, чем бы все это закончилось, поскольку ни духовник, ни родные, ни друзья ничего поделать с отцом Владимиром не могли, если бы не сама покойница, матушка Мария Васильевна, которая и при жизни, как говорят, была великой подвижницей и молитвенницей, не явилась с того света и не приструнила своего супруга.

Отец Владимир был настолько сражен этим явлением, и особенно строгостью своей матушки, что сразу пришел в себя, и русский недуг мгновенно оставил его.

Пить-то он бросил. Но надо было еще и как-то жить дальше. Дети к тому времени уже выросли. О втором браке не могло быть, естественно, и речи. Церковными канонами второй брак духовенству запрещен. Если священник-вдовец вступает в новый союз, он навсегда лишается права служения. Но и помимо этого отец Владимир был так привязан к своей покойнице-матушке, что та часть его сердца, которая ведала земной любовью, была занята Марией Васильевной во веки веков. Отец Владимир стал усердно молиться. И Господь ответил на его чаяния.

После кончины духовника отца Владимира, архиепископа Иоанна (Максимовича) его новым духовным руководителем стал лондонский митрополит Антоний Сурожский, старый друг семьи Родзянко. Он-то и сообщил отцу Владимиру, что иерархи Американской Православной Церкви аккуратно, но настойчиво хлопочут о том, чтобы постараться как-нибудь убедить вдовца-протоиерея Владимира Родзянко постричься в монахи, а после этого, за послушание, сделать его архиереем и направить в Соединенные Штаты — епископом в стольный град Вашингтон!

Отец Владимир прекрасно знал, что истинное архиерейское служение связано не с почетом и сановитостью, а со множеством ежедневных, никогда не прекращающихся забот, с полной невозможностью принадлежать самому себе и с громадным, непостижимым для мирских людей грузом ответственности. А в русской эмиграции судьба епископа — это еще и бедность, часто доходящая до прямой нищеты. Да и возраст у претендента на архиерейство к тому времени был уже солидный — ему шел шестьдесят шестой год, из которых сорок лет он прослужил священником.

Но отец Владимир воспринял предложение о монашестве и епископстве как волю Божию и ответ на свои молитвы. Он согласился. Иерархи в Америке и Англии тут же ударили по рукам — и участь отца Владимира была решена.

Но перед самым монашеским постригом будущий инок вдруг задал своему духовнику, митрополиту Антонию Сурожскому, неожиданный и простосердечный вопрос:

— Вот сейчас я приму от тебя, Владыка, постриг. Дам Господу Богу и святой Его Церкви великие монашеские обеты. Что касается обета целомудрия — здесь для меня все понятно. С обетом нестяжания — также все ясно. С обетом, касающимся молитвы, — тоже. А вот с обетом послушания — я ничего понять не могу!

— Как же так? — удивился митрополит Антоний.

— А вот как, — рассудительно пояснил отец Владимир. — Ведь меня сразу сделают не просто монахом, а епископом. Значит, я сам, по должности, буду распоряжаться и руководить. Кого же мне тогда слушаться? У кого прикажешь быть в послушании?

Митрополит задумался. А потом сказал:

— А ты будь в послушании у всякого человека, который встретится на твоем жизненном пути. Если только его просьба будет тебе по силам и не войдет в противоречие с Евангелием.

Отцу Владимиру такая заповедь очень пришлась по душе. Хотя впоследствии тем, кто был рядом с Владыкой, приходилось совсем несладко от его всегдашней готовности к решительному и бесповоротному исполнению этого монашеского обета. В частности, я имею в виду себя. Это Владыкино святое послушание не раз оборачивалось для меня сущей каторгой!

Скажем, идем мы с ним по Москве. Дождливый, прескверный день. Мы куда-то спешим. И вдруг Владыку останавливает бабулька с авоськой.

— Ба-атюшка!.. — дребезжит она своим старческим голосом, не зная, конечно, что перед ней никакой не батюшка, а целый епископ, да еще из Америки. — Батюшка, хоть ты мне помоги — освяти комнату! Я уж третий год нашего отца Ивана прошу, а он все нейдет. Может, смилостивишься, освятишь, а?

Я не успеваю и рта раскрыть, как Владыка изъявляет самую горячую готовность исполнить просьбу, как будто всю жизнь он только и ждал возможности освятить бабкину комнату.

— Владыка!.. — обреченно говорю я. — Вы ведь даже не знаете, где эта комната! Бабуля, куда ехать-то?

— Да недалёко — в Орехово-Борисово! От метро минут сорок на автобусе!.. Недалёко! — радостно сообщает бабка.

И Владыка, оставив наши важные дела (противоречить ему в таких случаях было бесполезно), направляется для начала на другой конец Москвы, в храм к знакомому священнику, за всем необходимым для чина освящения. (Естественно, я тащусь за ним.) А старушка (и откуда у нее силы-то взялись!), еще не веря самой себе от радости, семенит за нами и без умолку рассказывает Владыке о детях и внуках, которые уже давно ее не навещают.

После похода в храм мы в самый час пик спускаемся в метро и с пересадками добираемся на московскую окраину. Оттуда, как бабка и обещала, трясемся сорок минут, зажатые в переполненном автобусе. И наконец Владыка освящает восьмиметровую комнатенку в панельной московской девятиэтажке, причем делает это так же неповторимо молитвенно, величественно и торжественно, как он всегда совершал богослужения. А потом сидит за столом рядом со счастливой бабулей (причем оба они ужасно довольны друг другом) и нахваливает угощение — чай с сушками и со старым, засахарившимся и костистым вишневым вареньем. А потом еще с благодарностью принимает — не отказывает — рублик, который она украдкой сует «батюшке» при прощании.

— Спаси тебя Господи! — говорит старушка Владыке. — Теперь мне и умереть в этой комнатке будет сладко.

* * *

Раз за разом я наблюдал, как Владыка Василий в буквальном смысле отдает себя в послушание каждому, кто к нему обращается. Причем было видно, что кроме самого искреннего желания послужить людям за этим стоит и еще нечто совершенно особенное, ведомое лишь ему.

В этих размышлениях мне припомнилось, что слово «послушание» происходит от глагола «слушать». И постепенно я стал догадываться, что через это смиренное послушание Владыка научился чутко слышать и постигать волю Божию. От этого вся его жизнь становилась не больше не меньше, как постоянным познанием Промысла Божиего, таинственной, но совершенно реальной беседой со Спасителем, когда Бог говорит с человеком не словами, а обстоятельствами жизни и дарует Своему собеседнику величайшую награду — быть Его орудием в нашем мире.

Как-то летом, году в 1990-м, в один из приездов Владыки в Москву к нему пришел познакомиться гренадерского вида молодой священник. И с места в карьер предложил Владыке послужить у него на приходе. Владыка, как всегда, не заставил просить себя дважды. А я понял, что у нас начинаются очередные проблемы.

— А где приход-то твой? — спросил я, мрачно оглядывая молодого батюшку.

По моему тону гренадер понял, что я ему не союзник.

— Недалеко! — неприветливо сообщил он мне.

Это был обычный ответ, за которым могли скрываться необозримые пространства нашей бескрайней Родины.

— Вот видишь, Георгий, недалеко! — попытался успокоить меня Владыка.

— Не очень далеко... — уточнил гренадер.

— Говори, где? — сумрачно потребовал я.

Батюшка немного замялся.

—Храм восемнадцатого века, таких в России не сыщешь! Село Горелец... Под Костромой...

Мои предчувствия начинали сбываться.

—Понятно! — сказал я. — А от Костромы сколько до твоего Горельца?

—Километров сто пятьдесят... Точнее, двести... — честно признался батюшка. — Аккурат между Чухломой и Кологривом.

Я содрогнулся. И стал вслух прикидывать:

—Четыреста километров до Костромы, потом еще двести... Кстати, Владыка, вы хоть немного себе представляете, какие там дороги — между Чухломой и Кологривом? Слушай, батюшка, а от Костромского архиерея у тебя благословение на служение Владыки есть? — ухватился я за последнюю надежду. — Ведь без благословения ему в чужой епархии служить нельзя!

—Без этого я бы и не подходил, — безжалостно заверил меня гренадер. — Все благословения у нашего архиерея заранее получены.

Таким вот образом Владыка Василий и очутился на глухой дороге по пути к затерянной в костромских лесах деревушке. Отец Андрей Воронин, так звали гренадера, оказался замечательным тружеником-священником, каких много пришло в Церковь в те годы. Выпускник МГУ, он восстанавливал разрушенный храм, создал приход, школу, прекрасный детский лагерь. Путь до его деревни был действительно долог, так что спутники успели изрядно устать.

Неожиданно машина остановилась. На дороге буквально несколько минут назад произошла авария — грузовик лоб в лоб столкнулся с мотоциклом. На земле в пыли лежал мертвый мужчина. Над ним в оцепенении стоял юноша. Поблизости курил понурый водитель грузовика.

Владыка и его спутники поспешно вышли из автомобиля. Но помочь уже ничем было нельзя. Мгновенно ворвавшееся в наш мир торжество жестокой бессмысленности, картина непоправимого человеческого горя подавили всех, кто оказался в эту минуту здесь, на дороге.

Молоденький мотоциклист, зажав в руках шлем, плакал — погибший был его отцом. Владыка обнял молодого человека.

— Я священник. Если ваш отец был верующим, я могу совершить необходимые для него сейчас молитвы.

— Да, да! — начиная выходить из оцепенения, подхватил молодой человек. — Сделайте, пожалуйста, все что надо! Отец был православным. Правда, он никогда не ходил в церковь — все церкви вокруг посносили... Но он всегда говорил, что у него есть духовник! Сделайте, пожалуйста, все как положено!

Из машины уже несли священнические облачения. Владыка не удержался и осторожно спросил молодого человека:

— Как же так получилось, что ваш отец не бывал в церкви, а имел духовника?

— Да так получилось... Отец много лет слушал религиозные передачи из Лондона. Их вел какой-то священник Родзянко. Этого батюшку папа и считал своим духовником. Хотя никогда в жизни его не видел.

Владыка заплакал и опустился на колени перед своим умершим духовным сыном.

* * *

Странствия... Далекие и близкие, они воистину благословенны для учеников Христовых, потому что и Бог был Странником. Да и сама жизнь Его — странствие. Из горнего мира — к нам, на грешную землю. Потом — по холмам и долинам Галилеи, по знойным пустыням и людным городам. По потемкам человеческих душ. По сотворенному Им миру, среди людей, забывших, что они — Его дети и наследники.

Быть может, Владыка так любил странствия еще и потому, что в путешествиях, среди неожиданностей, а иногда и опасностей, он чувствовал особое присутствие Божие. Недаром за каждой службой Церковь особо молится о «плавающих и путешествующих». Потому-то и в этой скромной книге немало историй, связанных с дорогой. Сколько же поразительных, а иногда и совершенно неповторимых событий совершалось во время странствий!

Скажу честно, мы пользовались кротким, беспрекословным послушанием Владыки. В 1992 году мы с Вячеславом Михайловичем Клыковым и нашим замечательным старшим другом, академиком Никитой Ильичом Толстым, председателем Международного фонда славянской письменности, подготовили паломничество большой делегации в Святую Землю, чтобы впервые привезти оттуда в Россию Благодатный огонь. После пасхальной ночи в Иерусалиме паломники должны были направиться автобусом в Россию, провозя Благодатный огонь через православные страны, находящиеся на пути, — Кипр, Грецию, Югославию, Румынию, Болгарию, Украину, Белоруссию, и так до самой Москвы.

Это сейчас Благодатный огонь в самолетах каждый год везут во многие города прямо к пасхальной службе. А тогда, в первый раз, это путешествие стоило множества забот и хлопот. Оно должно было продолжаться целый месяц. Святейший

Преосвященнейший послушник

Патриарх Алексий направил в поездку двух архимандритов — Панкратия, нынешнего епископа и наместника Валаамского монастыря, и Сергия, который вскоре был назначен архиереем на Новосибирскую кафедру.

Одной из участниц паломнической группы должна была стать дочь маршала Жукова, Мария Георгиевна. Но прямо накануне отъезда она расхворалась. Следовало срочно найти человека, который смог бы поехать вместо нее. Сложность заключалась в том, что за столь короткий срок сделать визы, да еще сразу для множества стран, было невозможно. И тогда мы снова вспомнили о Владыке Василии, который как раз в тот день объявился в Москве.

К стыду нашему, мы как-то не задумывались, что Владыке, которому исполнилось уже семьдесят семь лет, будет совсем непросто целый месяц жить в автобусе и что у него какие-то дела в Москве. Главным для нас было то, что, во-первых, Владыка, как всегда, согласится. А во-вторых, что вопросы с визами решатся сами собой: Владыка был гражданином Великобритании, и с его паспортом в странах, находящихся на пути следования, проблем не возникало.

К тому же с участием Владыки Василия паломничество обретало такого духовного руководителя, о котором можно было только мечтать. Мы даже пожалели, что раньше не вспомнили о нем. В довершение ко всему Владыка, в отличие от большинства других участников паломничества, знал английский. А также немецкий и французский языки. А еще — сербский, греческий, болгарский и немного румынский. Святейший Патриарх Алексий благословил его возглавить паломническую группу, что переполнило Владыку радостью и чувством чрезвычайной ответственности.

К слову сказать, со здоровьем Владыки все, слава Богу, обошлось благополучно. Один из участников поездки, Александр Николаевич Крутов, каждый день перевязывал ему больные ноги и следил, чтобы он не забывал принимать лекарства. В общем, по словам самого Владыки Василия, ухаживал за ним как родная мать.

А тогда, перед отъездом, помню, мы молниеносно собрали архиерея и с облегчением отправили в далекий путь. Все наши проблемы были решены!

Зато они начались, когда паломники стали пересекать государственные границы. Наша делегация должна была проходить пограничный контроль по загодя оформленной групповой визе. В эту визу была вписана Мария Георгиевна Жукова. И никакого епископа Василия (Родзянко) в ней не значилось.

Началось все с Израиля, который славится лютой дотошностью в пограничных и таможенных делах. Работники израильских спецслужб в аэропорту сразу отделили необычную группу из России и стали вызывать всех по именам. Пока речь шла об архимандрите Панкратии, архимандрите Сергии, Александре Николаевиче Крутове и о других, проблем не возникало. Но когда назвали имя Марии Георгиевны Жуковой, вместо нее встал Владыка Василий. Он приветливо улыбнулся израильскому агенту и поклонился.

— То есть как? — не понял агент. — Я назвал имя Марии Георгиевны Жуковой.

— Мария Георгиевна Жукова — это я, — простодушно ответил Владыка.

— То есть как — вы? — опешил агент. — Вы кто?

— Я?.. Я — русский епископ Василий!

— Мария Георгиевна Жукова — русский епископ?! Здесь не место для шуток! Как ваше имя?

— По паспорту или...

— Конечно, по паспорту! — фыркнул агент.

— По паспорту — Владимир Родзянко.

— Мария Жукова, епископ Василий, Владимир Родзянко?.. Да откуда вы взялись?

— Вообще-то я живу в Америке... — начал рассказывать Владыка.

— Сейчас мы вам все объясним! — попытались было вмешаться в разговор остальные члены делегации.

Но агент резко оборвал их:

— Попрошу посторонних помолчать!

И вновь грозно обратился к Владыке.

— Так значит, вы говорите, что вы русский епископ, но живете почему-то в Америке? Интересно!.. Предъявите ваш паспорт.

— Паспорт у меня великобританский, — сразу предупредил Владыка, протягивая документ.

— Что-о? — взвился от возмущения агент и затряс перед лицом Владыки групповой визой. — А в этом документе кем вы значитесь?!

— Как вам сказать? — проговорил Владыка, сам себе удивляясь. — Дело в том, что в этом документе я — Мария Георгиевна Жукова.

— Хватит! — заорал агент. — Сейчас же отвечайте, кто вы?

Владыка был весьма огорчен, что стал причиной переживаний для этого молодого человека. Но, при всей своей кротости, он не любил, когда на него кричат.

— Я — русский священник, епископ Василий! — с достоинством произнес он.

— Епископ Василий? А кто же тогда Владимир Родзянко?

— Это тоже я.

— А Мария Георгиевна Жукова?

— И Мария Георгиевна — тоже я, — развел руками Владыка.

— Так!.. А живете вы?..

— В Америке.

— А паспорт?

— А паспорт у меня британский.

— А здесь?..

— А здесь я — Мария Георгиевна Жукова...

Такая сцена повторялась на каждой границе.

Однако, несмотря на все эти мытарства, Владыка Василий был совершенно счастлив. И тем, что ему удалось исполнить свою мечту — помолиться на Пасху у Гроба Господня. И тем, что после стольких лет расставания он смог, хотя бы и проездом, побывать в своей любимой Югославии. А еще — он хорошо исполнил данное ему важное послушание и возглавил паломничество в Святую Землю, и в Москве, в праздник святых Кирилла и Мефодия, смог прошествовать крестным ходом рядом с Патриархом Алексием из Успенского собора Кремля на Славянскую площадь, торжественно неся перед собой сляницу с горящим в ней Благодатным огнем.

Хотя Владыка никогда и не декларировал этого, но сослужить службу России и Русской Церкви было заветной целью его жизни. Так его воспитали. Однажды нам удалось договориться на Первом канале Центрального телевидения записать цикл передач — бесед о Боге и Церкви, о древних святых, новомучениках, России и русской эмиграции. Владыка Василий был нездоров, но примчался в Москву и из последних сил день и ночь работал над этими программами. Они стали первыми подобного рода беседами на советском тогда еще телевидении. Эти передачи вызвали небывалый интерес у зрителей и многократно повторялись. Где бы Владыка потом ни появлялся, люди выражали ему признательность за то, что обрели веру благодаря его беседам. Для Владыки такие свидетельства были высшей наградой.

Многое из церковной истории XX века по-новому открывалось нам из рассказов Владыки. Как-то в его присутствии завели спор на популярную тогда тему — о епископате советского времени. Некоторые высказывания были даже не просто осуждающими, а злобными и враждебно-ядовитыми. Владыка молча слушал спорящих. Когда же бесстрашные судьи русских архиереев обратились к нему за само собой разумеющейся, как им казалось, поддержкой, Владыка просто рассказал одну давнюю историю.

В начале шестидесятых годов к нему, тогда еще священнику, прямо на лондонскую квартиру приехал митрополит Никодим, председатель Отдела внешних церковных сношений. Для беседы обоим пришлось лечь на пол, чтобы филеры, нигде не выпускавшие из вида митрополита Никодима, не смогли записать разговор через оконное стекло.

Владыка Никодим шепотом рассказал отцу Владимиру, что советские власти со дня на день собираются закрыть Почаевскую лавру, а иерархи на Родине уже исчерпали все возможности, чтобы помешать этому. Владыка просил отца Владимира организовать на радио Би-би-си и «Голосе Америки» специальные передачи, чтобы не дать советскому руководству возможности расправиться с Почаевом. Оба — и митрополит, и отец Владимир — прекрасно понимали, чем рискует Владыка Никодим, обращаясь к своему собеседнику с подобной просьбой.

Уже на следующий день тема Почаева стала ведущей в религиозных программах Би-би-си и «Голоса Америки». Тысячи писем протеста со всего мира полетели в ООН и в адрес советского правительства. Это оказало влияние — может быть, даже решающее — на власть, и она вынуждена была вновь разрешить деятельность Почаевской лавры.

В 1990 году мне довелось побывать с Владыкой Василием в Почаеве. Он впервые оказался здесь. Совершил литургию и смог встретиться с теми, кто так же, как и он, были участниками драматических событий тридцатилетней давности.

* * *

Что еще вспомнить о Владыке? Так уж получалось, что каждый его приезд совпадал с каким-нибудь исключительным событием. Тысячелетие Крещения Руси, первое принесение Благодатного огня, панихида по царской семье, первые религиозные программы по Центральному телевидению. Как любил повторять сам Владыка: «Когда я перестаю молиться, совпадения прекращаются».

Не составил исключения и приезд Владыки в Москву летом 1991 года. Он прибыл тогда в составе большой делегации из Соединенных Штатов на первый Всемирный конгресс соотечественников. Представителей русской эмиграции из многих стран мира, независимо от их политических убеждений, впервые официально пригласили в Москву. По замыслу руководства страны, эта встреча должна была стать этапом новой жизни посткоммунистической России.

Народа приехало великое множество. Рискнули появиться даже те эмигранты, которые раньше и носа не казали в Советский Союз. Прибыли такие «недобитые белогвардейцы», которые всю свою жизнь ни на йоту не верили советской власти. Приехали даже участники власовских формирований. Как уж этих смогли убедить, мне до сих пор непонятно. Видно, очень всем хотелось повидать Родину!

Гостиница «Интурист» была забита до отказа. Эмигранты и их потомки гуляли по Москве, разглядывая город и лица людей. Поражались тому, с каким интересом к ним здесь относятся. А еще больше — с какими завышенными надеждами, доходящими порой до безудержных фантазий, их здесь принимают. В то время было действительно немало прекраснодушных людей, которые свято верили, что «заграница нам поможет». К слову сказать, если кто от лица русской эмиграции не на словах, а на деле и внес вклад в духовное возрождение России, то это был именно скромный заштатный епископ Василий наряду с еще несколькими подвижниками-эмигрантами — архиереями, священниками и мирянами.

Главным событием Конгресса соотечественников стала Божественная литургия в Успенском соборе Московского Кремля. После долгих десятилетий запретов на совершение богослужений в кремлевских храмах ее возглавлял Святейший Патриарх Алексий. Владыка Василий тоже сослужил Патриарху. На беду, за неделю до вылета в Москву он у себя в Вашингтоне сломал ногу. А поскольку пропустить такое важное событие Владыка не мог, то прибыл на Родину с загипсованной ногой и очень забавно прыгал на костылях, еле-еле поспевая вслед за шумной толпой русских эмигрантов.

Ранним утром 19 августа, в день Преображения Господня, из гостиницы «Интурист» выехали десятки автобусов с эмигрантами, прибывшими со всех континентов. Их привезли к Кремлю, к Кутафьей башне. Не веря себе, со слезами на глазах, они прошествовали через кремлевские ворота к Успенскому собору, где Святейший Патриарх Алексий с сонмом архиереев (в их числе был и Владыка Василий на костылях) начал Божественную литургию.

Но, как известно, как раз в это время, утром 19 августа 1991 года, произошло событие, которое будет вспоминаться в отечественной истории четырьмя заглавными буквами — ГКЧП. Да-да, именно в тот час, когда Святейший Патриарх молился в Успенском соборе, случился государственный переворот.

Так что, когда растроганные и переполненные счастьем эмигранты после окончания литургии вышли из Кремля, перед их потрясенными взорами предстали не туристические автобусы, а плотная стена автоматчиков, за которыми высились ряды танков и бронетранспортеров.

Сначала никто ничего не понял. Но потом кто-то в ужасе закричал:

— Я так и знал!!! Большевики снова нас обманули! Это была ловушка!

Недоумевающие солдаты в рядах оцепления растерянно переглядывались. Из толпы эмигрантов раздавались отчаянные крики:

— Я предупреждал!!! Нельзя было ехать! Нас заманили! Ловушка, ловушка!!! Это все специально подстроено!

В это время к впавшим в панику эмигрантам быстро приблизился офицер, которому уже были даны распоряжения относительно делегатов Конгресса соотечественников. Следовало срочно проводить их на Лубянскую площадь, где делегатов ждали их автобусы, отправленные туда после появления у Кремля войск. Затем как можно скорее иностранцев надо было доставить в гостиницу «Интурист».

— Товарищи, без паники! — командным голосом объявил офицер. — Предлагаю всем организованно пройти на Лубянку! Вот эти люди вас проводят!

При этом офицер указал на взвод автоматчиков.

— Нет, нет, мы не хотим на Лубянку!!! — наперебой закричали эмигранты.

— Но вас же там ждут! — искренне удивился офицер.

Это привело эмигрантов в еще больший ужас.

— О, нет!!! Только не на Лубянку! Ни в коем случае! — вопили все.

Офицер еще несколько раз пытался воззвать к здравому смыслу этих странных людей, но, поскольку времени было мало, он дал распоряжение своим бойцам, и те, энергично подталкивая эмигрантов то руками, то дулами автоматов, погнали их к Лубянской площади.

Все были в таком шоке, что забыли про Владыку Василия. Он на своих костылях так и остался у Кутафьей башни в окружении солдат и бронетехники. О ГКЧП к тому часу еще никто не слышал. Люди, оказавшиеся возле Кремля, строили свои догадки, но конечно же никто ничего не мог понять. Многие стали узнавать Владыку Василия и обращаться к нему за разъяснениями. Скоро вокруг растерянного архиерея, который был на голову выше всех, образовался целый митинг.

Между тем эмигранты, оказавшись на Лубянской площади, поняли, что их привели к автобусам и что путь им предстоит в гостиницу, а не в подвалы КГБ. Тут-то наконец они и вспомнили о своем епископе. Секретарь Владыки Мэрилин Суизи выскочила из автобуса и мужественно устремилась назад к Кремлю, к танкам и бронетранспортерам, по этой загадочной стране, к своему дорогому Владыке Василию.

Она сразу увидела его. Владыка был похож на седовласого вождя, возвышающегося над толпой в самом центре бушующего митинга. Мэрилин протиснулась к нему и кратко, но убедительно обозначила путь к спасению — надо двигаться на Лубянку. Но Владыка на своих костылях просто физически не мог одолеть такой маршрут. Он объяснил Мэрилин, что необходимо найти какой-нибудь транспорт. Мэрилин вынырнула из митингующей толпы и огляделась вокруг. Никакого транспорта, кроме ревущей бронетехники, поблизости не было. Мэрилин подошла к молодому офицеру и на своем ломаном русском объяснила, что здесь находится старый священник из Америки, которого необходимо отвезти на Лубянскую площадь. Офицер развел руками: «Что я могу вам предложить? Только танк! Или самоходное орудие».

Вдруг Мэрилин заметила, что неподалеку притормозила небольшая, вполне подходящая машина.

—А что если на этом джипе?!

—На «воронке», что ли? — обрадовался офицер. — Это — пожалуйста. Сейчас договоримся с милицией.

Он проявил искреннее участие к судьбе иностранцев, и скоро «воронок» подъехал к толпе, в центре которой возвышался Владыка. Мэрилин вслед за офицером и двумя милиционерами стала пробираться к нему. Перекрикивая толпу и ревущие танки, Мэрилин сообщила Владыке, что их ждет замечательный джип, который готов отвезти их на Лубянку.

Все вместе — милиционеры, офицер и Мэрилин — подхватили Владыку и потащили сквозь толпу. Увидев это, народ заволновался.

—Что такое? Куда уводят священника? — возмущались люди.

Когда же все увидели, что старого батюшку с загипсованной ногой пытаются засунуть в черный «воронок», разъяренный народ бросился защищать Владыку:

—Начинается!!! Уже священников арестовывают! Не отдадим батюшку! Стеной станем за него!

—Нет, нет! — в отчаянии кричал Владыка, отбиваясь от своих спасителей. — Отпустите меня, пожалуйста! Я хочу на Лубянку!

Еле-еле Владыку с его ногой и костылями удалось затащить в машину и вывезти сквозь разгневанную толпу.

Владыка смотрел в окно «воронка» и сквозь слезы благодарности повторял:

«Несвятые святые» и другие рассказы

— Какие люди! Какие люди!

Вскоре архиерея встретила на Лубянке его любящая паства.

* * *

Даже хворая, в последние годы жизни, он все равно стремился в Россию в надежде, что еще сможет послужить ей.

В последний раз Владыка приехал в Москву уже совсем больным. Несколько недель он провел в постели. Наталья Васильевна Нестерова, в чьем доме он гостил, обеспечила ему заботливый уход. Но я, понимая, что Владыка, возможно, никогда больше не вернется в Россию, попросил, чтобы вместо сиделок у его постели по очереди дежурили монахи и послушники нашего Сретенского монастыря. Ведь молодые монахи смогли бы пообщаться с Владыкой, спросить совета, задать вопросы, на которые способен ответить только много переживший, духовно опытный священник.

Скорее всего, мои монахи были не самыми лучшими сиделками. Наверное, они задавали больному архиерею слишком много вопросов и требовали слишком большой отдачи. Но как для них было необычайно полезно провести со старым архиереем эти дни и ночи, так и для Владыки было важно общаться с теми, кто придет ему на смену в Церкви. Он был счастлив оттого, что, пусть даже превозмогая себя, может отвечать на вопросы, наставлять, передавать свой опыт и знания, может совершать служение, ради которого жил и вне которого себя не мыслил.

* * *

В свое последнее путешествие — в сокровенное странствие из отечества земного в долгожданное Отечество Небесное — Владыка Василий отправился совершенно один. Утром его нашли бездыханным на полу в вашингтонской комнате. Здесь Владыка прожил многие годы. Комнатка, единственная в квартире, была крохотной, но кроме самого Владыки в ней каким-то образом умещались домовый храм, радиостудия, архив его радиопередач за несколько десятилетий, гостеприимная трапезная для частых гостей и рабочий кабинет. Места хватало даже для постояльцев: приезжие из России порой останавливались у Владыки на ночь-другую, а то и на недельку.

Даже после смерти Владыка не отказал себе в удовольствии еще немного попутешествовать. Родные долго не могли определиться с местом его упокоения. Предлагали хоронить то в России — все-таки

Родина, то в Англии — рядом с его матушкой, то в Сербии — очень уж он ее любил. Представляю, в каком восторге пребывала на небесах душа Владыки: любая из поездок обещала быть увлекательной. Но покойника свозили всего лишь из Вашингтона в Нью-Йорк: кто-то из родственников настаивал, чтобы его похоронили в находящемся неподалеку от города монастыре Ново-Дивеево. Однако там что-то не сложилось, и Владыка снова вернулся в Вашингтон. Здесь земные его путешествия все-таки завершились, и Владыка упокоился на православном участке кладбища «Rock Creek».

При жизни Владыка иногда шутливо называл себя «покойным» епископом. По статусу он был всего лишь архиереем, уволенным на покой из Американской Автокефальной Церкви. Такой епископ действительно не руководит ничем и не решает в официальной церковной жизни ровным счетом ничего. Поэтому Владыка время от времени так и представлялся: «покойный епископ Василий». Но он был настоящим Владыкой! Он беспредельно владычествовал над человеческими душами. Несокрушимой силой этой удивительной власти, которая и сегодня простирается над теми, кто имел счастье знать Владыку Василия, были его незабываемые и неповторимые доброта, вера и любовь.

О глупых горожанах
Из «Пролога»

В одном византийском городе заевшиеся, обленившиеся жители настолько забыли всякий стыд, что с самодовольством творили любые беззакония и даже не думали слушаться своего старого доброго епископа, как тот ни умолял их исправиться. Горожане лишь посмеивались над старцем и отмахивались от него как от надоедливой мухи.

В конце концов старый епископ умер. А на его место пришел молодой архиерей и начал жить так, что содрогнулись даже видавшие виды жители этого города. Вот тут-то они вспомнили своего доброго и кроткого старца-епископа.

Наконец, не выдержав постоянных поборов, оскорблений, рукоприкладства и самых невероятных бесчинств нового архиерея, граждане города как один взмолились:

— Господи, ну почему именно к нам Ты послал такое чудовище?

Молиться они как следует не умели, но все же после их долгих воплей Господь явился одному горожанину и ответил: «Искал для вас хуже, но не нашел!»

Придел св. Иоанна Предтечи
в Сретенском монастыре

Литургия служится один раз на одном престоле

Как же Господь бережет нас, священников, от наших собственных ошибок, от рассеянности, невнимательности, а порой и от глупости!

Есть в Церкви строгое предписание: в храме на одном престоле можно совершать только одну литургию в течение дня. У нас в Сретенском монастыре очень любят ночные службы, когда монахи имеют возможность уединенно, ни на что не отвлекаясь, помолиться. Мирян на таких службах нет, кроме тех, кого мы сами иногда приглашаем.

Как-то Великим постом я улучил время послужить ночную литургию Преждеосвященных Даров. И хотя при подготовке к такой службе надо весь день строго поститься — почти полные сутки не есть и не пить, причаститься на этой ночной службе попросилось несколько наших давних прихожан.

Весь день я провел за работами в рязанском скиту и, поздно вечером вернувшись в монастырь, сразу направился в храм. Поскольку на главном престоле литургия, как обычно, уже совершалась в этот день утром, мне предстояло служить в маленьком приделе святого Иоанна Крестителя, где богослужения проходят очень редко.

Для службы все было приготовлено. Четверо первокурсников-семинаристов пели на клиросе. Человек шесть моих друзей, собравшихся этой ночью причаститься, молились в маленьком приделе.

Однако с первых минут службы началось что-то необычное. Меня охватило непреодолимо тревожное состояние. Я ничего не мог с собой поделать: путал священнические возгласы, с трудом читал по Служебнику давно известные мне молитвы, совершенно не воспринимая их смысла. С хором творилось примерно то же самое: под стать мне студенты пели из рук вон плохо, то и дело сбивались, начинали снова и всякий раз невпопад. Наконец, когда в алтаре надо было открывать завесу у царских врат, она, стоило мне к ней лишь прикоснуться, с грохотом рухнула на пол вместе с тяжелым кронштейном.

Такого в моей жизни еще не было! Пришлось остановить службу. В полном недоумении я вышел из алтаря. Присутствующие были озадачены не меньше моего. Теряясь в догадках, я — просто на всякий случай — спросил у певцов-первокурсников, не могла ли здесь, в Иоанновском приделе, сегодня уже совершаться служба?

— А как же! — отвечали первокурсники. — Мы уже пели здесь литургию в четыре часа вечера. А служил отец казначей.

Я схватился за голову — еще немного, и я бы совершил вторую литургию на одном престоле!

— Что ж вы мне об этом не сказали?! — набросился я на студентов.

— А мы не знали, что второй раз нельзя, — растерянно переглянулись первокурсники. — Мы этого еще не проходили...

Вот так — мало того, что сам виноват, да еще накричал на маленьких. Начальник! Ведь именно мне следовало заранее предупредить нашего благочинного (он следит за расписанием богослужений), что я буду служить ночью. А не надеяться легкомысленно на то, что здесь, в приделе Иоанна Предтечи, вечернюю литургию Преждеосвященных Даров раньше никогда не служили.

К счастью, главные тайнодействия еще не были совершены. Я установил переставной престол в соседнем алтаре и уже там закончил службу.

Собравшись за ночной трапезой, мы снова и снова переживали произошедшее и поражались, насколько Господь оберегает Свой храм от нашего нерадения и, пусть даже невольного, тяжкого греха. Как после этого не благодарить Господа за терпение и заботу?

После этого случая мы твердо решили, что теперь все службы в монастыре будут самым строгим образом контролироваться отцом благочинным. Потому что всякий раз карнизы падать не будут. Или уж так стукнут по голове, что поневоле придется задуматься...

Что и говорить, нельзя свои обязанности и житейские заботы перекладывать на Господа. Что называется, на Бога надейся, а сам не плошай. Хотя, честно признаться, всегда втайне рассчитываешь, что Он не оставит — убережет, подстрахует...

О том, как мы покупали комбайны

Л етом 2001 года в нашу Сретенскую семинарию подал документы молодой человек по имени Ярослав N. Происходил он из обрусевших немцев. Родился и жил на Алтае, откуда вместе с родителями переехал в Германию. Там получил немецкое гражданство. Так что, к нашему удивлению, у него было два паспорта — российский и германский. До вступительных экзаменов оставалось больше месяца, и молодой человек попросил разрешения пожить это время в монастыре. Я спросил у него, что он умеет делать. Оказалось, Ярослав окончил бухгалтерские курсы в Германии.

— Так, значит, ты разбираешься в бухгалтерских программах? — обрадовался я.

— Конечно, батюшка! Компьютерные программы — моя специальность.

Именно это нам тогда и требовалось! Мы выделили Ярославу рабочее место в бухгалтерии, и он взялся за дело, да так, что мы нарадоваться не могли.

Надо сказать, что в тот год все средства от монастырских доходов — издаваемых нашим издательством книг — мы решили откладывать на покупку сельско-хозяйственной техники. У нас есть скит в Рязанской области. Все хозяйства в округе, которые мы по привычке называли колхозами, за последнее десятилетие разорились или пришли в такой упадок, что больно было смотреть на умирающие деревни.

Как-то зимним вечером в скит пришли крестьяне из соседнего села. Люди были доведены до полного отчаяния. Они рассказали нам, что три года им не выплачивают даже самую нищенскую зарплату. Техники в хозяйстве осталось — полуразвалившийся трактор да председательский газик. Колхозную скотину от бескормицы через неделю должны были за бесценок сдать на мясокомбинат. В некоторых семьях детей кормили распаренным комбикормом... Мы содрогнулись, услышав все это. И не смогли отказать нашим соседям, когда они стали просить нас взять их развалившееся хозяйство вместе с ними самими. Как, к нашему ужасу, они выразились, «хоть в крепостные». Было ясно, что больше им обращаться не к кому.

Взять-то мы их взяли, но, немного разобравшись с проблемами хозяйства, поняли, что все здесь придется начинать с нуля. Даже после того как мы выплатили зарплату, закупили корма для скота, все равно на самую необходимую технику требовалась огромная сумма — двести тысяч долларов. Эти средства мы и принялись копить, заморозив ремонты в монастыре и некоторые издательские проекты.

В банк мы свои накопления не везли. Все слишком хорошо помнили кризис и дефолт 1998 года. Наши прихожане, знающие толк в финансах, посоветовали копить деньги на технику не в рублях, а в долларах. И хранить их не на банковском счету, а в надежном тайнике.

Тайник мы с отцом казначеем устроили изрядный. В стене одной из комнат бухгалтерии прорубили нишу, в нишу встроили сейф, ключ от сейфа спрятали здесь же, в самом глубоком ящике письменного стола, под стопкой «Журнала Московской Патриархии». А ключ от этого ящика засунули под половицу! Мы были страшно довольны собой и уверены, что теперь-то уж деньги будут сохранены получше, чем в Сбербанке.

К осени мы скопили целых сто восемьдесят тысяч. Еще немного, и можно было заказывать и зерноуборочный комбайн, и трактора, и сеялки. Мы уже рассматривали каталоги с сельскохозяйственной техникой, обсуждали виды на будущие урожаи, как вдруг однажды, а произошло это 14 сентября 2001 года, когда я направился в наше хозяйство, мне позвонил монастырский казначей и срывающимся от волнения голосом еле выговорил:

— Батюшка, вы только не беспокойтесь!.. Денег в сейфе нет... И Ярослава нет! Возвращайтесь, пожалуйста, быстрее!

Когда я примчался в монастырь, все оказалось именно так — денег в сейфе не было. Ярослав тоже исчез. Только оба ключа аккуратно лежали каждый на своем месте — под половицей и в ящике письменного стола.

Как ни страшен оказался этот удар, но надо было что-то делать. Я позвонил нашему прихожанину, Владимиру Васильевичу Устинову, он занимал тогда пост Генерального прокурора Российской Федерации. Владимир Васильевич приехал в монастырь, взяв с собой нескольких следователей. Милиционеры начали свое дело: опросы, снятие отпечатков, обследование места преступления, а мы с отцом

В.В. Устинов в келье у отца Иоанна

казначеем, расстроенные, бродили по монастырю и ждали результатов.

Наконец Владимир Васильевич пригласил меня в казначейский кабинет. Войдя туда, я сразу по лицам присутствующих понял, что ничего радостного они не скажут. Усаживая меня на стул, Владимир Васильевич сказал:

— Это, батюшка, правильно, что вы присели. Поменьше нервничайте и приготовьтесь к тому, что мы вам скажем. Этот ваш студент, Ярослав N, уже вне пределов России. Деньги, почти наверняка, взял он. А если это так, то мы, к сожалению, не сможем их вернуть.

— Почему? — прошептал я.

— Потому что вор — гражданин Германии, — терпеливо объяснил Устинов, — а Германия никогда не выдает своих граждан. Впрочем, как и мы никогда бы не выдали им своего гражданина.

— Но он же преступник! — пораженно проговорил я.

—Так-то оно так, — вздохнул Устинов, — но есть вещи, которые не нами заведены и не нам их отменять. Никогда за всю историю российской, а до этого советской юриспруденции не бывало случая, чтобы гражданина Германии правительство его страны выдало нам для суда.

—А где же сейчас Ярослав?

—Скорее всего, дома, в Германии. Ведь у него германский паспорт. Он спокойно пересек границу по зеленому коридору вместе с вашими деньгами. Гражданина Германии никто досматривать не будет. Вы же это понимаете, летали за границу. Конечно, мы заведем уголовное дело, сообщим в Интерпол. Но лучшее, дорогой батюшка, что вы можете сделать, это не тратить время и нервы, забыть об этих деньгах и снова начать копить на ваши сельскохозяйственные развлечения, — заключил Генеральный прокурор.

От этих слов я чуть не лишился дара речи!

—То есть как — забыть?! Это же сто восемьдесят тысяч! Это же наши комбайны!.. Нет, Владимир Васильевич, мы их забыть не можем!

—Поверьте, ничего сделать нельзя.

—Ну, если вы ничего не можете, то мы... Мы будем молиться! Если ни государство, ни милиция нам не помощники — Матерь Божия нас защитит!

У меня все так и бурлило внутри.

Действительно, ни на что, кроме молитв, надежды не было. Я рассказал братии обо всем, что произошло, и мы стали молиться. В первую очередь перед иконой, в честь которой основан наш монастырь, — Владимирской Божией Матери.

Прошло две недели. В газетах на первых полосах уже успели появиться скандальные статьи, что

531

О том, как мы покупали комбайны

у наместника Сретенского монастыря украли миллион долларов. Как вдруг в один поистине прекрасный день в монастырь неожиданно приехал Владимир Васильевич Устинов. Выглядел он более чем удивленным и, я бы даже сказал, ошеломленным.

— Представляете, батюшка, — с порога начал он, — этого вашего похитителя комбайнов все-таки нашли!

— Как нашли?! — от неожиданности я даже не поверил.

— Да, представьте! Сегодня пришло сообщение из Интерпола: это невероятно, но негодяй задержан на пограничном пункте во Франкфурте-на-Одере.

Как рассказал Устинов, Ярослав автостопом проехал из России через Украину в Польшу, а оттуда направлялся в Германию. Пограничный пункт Франкфурта-на-Одере он до этого проходил неоднократно. С его германским паспортом никаких проблем никогда не возникало. И на сей раз все бы обошлось, если бы его нынешний вояж не пришелся на 14 сентября 2001 года, то есть на третий день после знаменитых взрывов в Нью-Йорке. В поисках террористов перепуганные немецкие пограничники с головы до ног обыскивали всех — и своих и чужих. Таким-то образом у Ярослава и были обнаружены сто восемьдесят тысяч незадекларированных долларов, происхождение которых он конечно же объяснить не смог. Эти деньги были у него изъяты, запротоколированы и направлены на хранение в прокуратуру Франкфурта-на-Одере.

— Когда нам их вернут? — вскричал я, едва Владимир Васильевич закончил свой рассказ. — Мы немедленно выезжаем во Франкфурт!

— Не хочу вас расстраивать, батюшка, но дело в том, что эти деньги вам не вернут, — вздохнул Устинов.

— То есть как?

—Я же объяснял: во-первых, мы не сможем доказать, что это те самые деньги.

—Как — не сможем? Сто восемьдесят тысяч украдено в Сретенском, и там сто восемьдесят тысяч. Ярослав N здесь и Ярослав N там! Все совпадает!

—Это у нас с вами все совпадает, — сочувственно проговорил прокурор. — Установить эти факты может только суд. А суд никогда не состоится.

—Почему — не состоится?

—Да потому, что немцы будут тянуть до бесконечности. И этот Ярослав до бесконечности будет объяснять происхождение денег то тем, то другим. Ну и главное — суд должен проходить в присутствии обвиняемого. А его, естественно, туда и калачом не заманишь.

—Как?! Разве его не арестовали на границе?

—Нет, конечно! Деньги изъяли, а N отпустили. Не стройте, батюшка, иллюзий. Утешайтесь тем, что негодяй вашими деньгами воспользоваться не сможет.

—Хорошенькое утешение! А мы? Мы тоже ими воспользоваться не сможем? Нам комбайны нужны!

—Ну это, отец Тихон, уже не по моей части.

—Ну что ж!— вздохнул я. — Будем молиться!

—Молитесь сколько хотите, — рассердился Устинов, — только знайте, что никогда за всю историю ни немцы, ни французы, ни англичане, ни американцы нам преступников не выдавали. И за преступления не судили. И мы своих мерзавцев им никогда не выдадим!

—Тогда мы будем молиться! — повторил я.

Прошел почти год.

Это был как раз тот период, когда мы устанавливали особые, очень непростые, но столь важные

Архиепископ
Марк

отношения с Русской Зарубежной Церковью. Однажды архиепископ Берлинский и Великобританский Марк пригласил меня в Мюнхен: мы готовили встречу Патриарха Алексия и Митрополита Лавра, Первоиерарха Зарубежной Церкви.

Получив благословение Святейшего, я вылетел в Баварию.

В аэропорту меня встретил ближайший помощник Владыки Марка отец Николай Артемов и повез на своей машине в резиденцию Владыки — маленький монастырек преподобного Иова Почаевского на окраине Мюнхена.

В Германии проживает, кажется, восемьдесят миллионов человек.

Но первым, кого я увидел, выйдя из машины, был Ярослав N!

Я тут же кинулся и схватил его.

Признаться, дальнейшее вспоминается мне немного как в тумане. Ярослав был настолько поражен встречей со мной, что даже не сопротивлялся. На глазах потрясенного отца Николая, не менее обескураженных монахов и самого архиепископа Марка я потащил Ярослава в монастырь. Там запихнул его в какую-то комнату и закрыл за ним дверь. И лишь тогда пришел в себя.

— Что вы делаете, отец Тихон?.. — с изумлением глядя на меня, только и выговорил Владыка Марк.

— Этот человек украл у нас огромную сумму денег!

— Здесь какая-то ошибка! Он устраивается в наш монастырь бухгалтером.

Вокруг нас собрались монахи.

Тут я представил себе изумление Владыки Марка: из России, из вчерашнего Советского Союза, приезжает священник, хватает гражданина Германии и заточает его в чужом монастыре.

Я рассказал Владыке и его монахам историю, случившуюся с Ярославом, но видно было, что они не могут мне поверить. Тогда я попросил разрешения позвонить и набрал московский номер Генерального прокурора.

—Владимир Васильевич, я его поймал! — закричал я в трубку.

—Поймали? Кого? — послышался обескураженный голос Устинова.

—Как кого? Того самого бандита, который украл у нас деньги.

—Постойте... Что значит — поймали? Где?

—В Мюнхене!

—В Германии?! Вы шутите? Как вы могли его найти?

—Ну как... Вышел из машины... Смотрю — он. Я его схватил, потащил в монастырь и запер! В келье!

Повисла пауза. Я испугался, как бы Устинов не подумал, что я его разыгрываю. Но через мгновение понял, что это не так. Потому что с того конца провода раздался настоящий вопль:

—Сейчас же отпустите его!!!

Я остолбенел.

—То есть как — отпустить?..

—Отпустите немедленно!!! — Устинов, казалось, гремел на всю Москву. — Вы понимаете, что вы натворили?!

—Владимир Васильевич!.. Да как же я могу его...

Но прокурор меня не слушал:

—Вы только что лишили свободы гражданина Германии! Вас за это посадят на два года! Мы потом замучаемся вас из тюрьмы выковыривать! Отпустите его сейчас же на все четыре стороны!

Я подумал и сказал:

—Ну уж нет! Мне его Господь в руки послал — как же я его отпущу?.. Что хотите делайте, Владимир Васильевич, но я буду его здесь держать, пока не приедет полиция.

Сколько ни кричал, как ни возмущался Устинов, но я стоял на своем. А достать меня из своего генеральнопрокурорского кабинета в Москве он не мог. Наконец Владимир Васильевич сдался:

—Ладно, сейчас я свяжусь с Интерполом Германии. Но если вас посадят — пеняйте на себя!

Через некоторое время в монастырь прибыл представитель баварского Интерпола. Однако вместо того чтобы арестовать Ярослава, он начал допрашивать меня. Разговор наш проходил следующим образом.

—Вы вели следственные действия на территории Германии?

—Какие следственные действия?

—Как вы нашли этого человека?

—Я вышел из машины, смотрю — Ярослав! Ну я и схватил его.

—Вы специально выслеживали его? Следили за ним? Уточняли местонахождение?

—Нет, конечно! Просто Господь послал мне его в руки.

—Простите, кто вам его послал?

—Господь!

—Еще раз, простите, кто?!

—Господь Бог послал мне его в руки!

—Понятно, — сказал баварец, опасливо глядя на меня.

Он повторно расспросил о всех подробностях дела. Потом еще раз. Недоверие на его лице сменялось все большим изумлением. Наконец он сказал:

—Знаете, если все было так, как вы рассказываете, я готов предложить вам кресло директора баварского Интерпола.

На это я сказал:

—Благодарю вас, но у меня уже есть одна гражданская профессия. Я — председатель колхоза. Поэтому ваше предложение никак принять не могу.

Эти события, с неотвратимостью предопределения одно за другим происходившие с Ярославом, произвели на него ошеломляющее впечатление. И внезапная конфискация денег — не где-нибудь, а в Германии, когда, казалось, все опасности были уже позади и он мысленно ликовал, чувствуя свое полное торжество. И то, что случилось это именно на таможне Франкфурта-на-Одере, в месте, которое Ярослав нарочно выбрал, поскольку проходил здесь границу много раз. И наша встреча в мюнхенском монастыре, куда он почти уже устроился бухгалтером... И, наконец, заточение его ни куданибудь, а вновь в монастырскую келью — подобную той, из которой он год назад столь неприглядно бежал.

К тому же, думаю, после совершения своего столь печального и опрометчивого поступка в Сретенском монастыре Ярослав не мог не чувствовать угрызений совести. Он прекрасно знал, с какой целью собирались взятые им деньги, и, не сомневаюсь, ему было по-настоящему больно и стыдно, как бы он ни старался себя оправдать.

Но самое главное, он почувствовал действие в мире, в Церкви и над самим собой таинственного и всеблагого Промысла Божия. Это потрясло Ярослава. Это и заставило его глубоко задуматься. В конце концов он признался во всем.

Его заключили под стражу. Спустя некоторое время состоялся суд. Ярослава осудили на четыре года тюрьмы, и он полностью отбыл срок там же, в Баварии. Монахи и послушники монастыря Иова Почаевского в Мюнхене все это время навещали его и помогали чем могли.

Генеральная прокуратура и Министерство юстиции России в учиненном порядке связались с Министерством юстиции Германии, и по приговору суда сто восемьдесят тысяч долларов, находившиеся в прокуратуре Франкфурта-на-Одере, были переданы сотрудникам нашего Минюста, специально приехавшим во Франкфурт.

6 июля 2003 года рано утром коробку с деньгами привезли в Сретенский монастырь и сдали отцу казначею под расписку. Это был день нашего престольного праздника — Владимирской иконы Божией Матери, той самой иконы, перед которой мы молились Пресвятой Богородице о благополучном разрешении свалившейся на нас беды.

На праздничной литургии мне не надо было думать о теме проповеди. Я поведал прихожанам случившуюся с нами историю и торжественно показал всему храму привезенную утром коробку.

Вскоре мы закупили необходимую сельскохозяйственную технику.

Гора Фавор в Палестине

Василий и Василий Васильевич

В начале девяностых годов появлялся время от времени в Донском монастыре один прихожанин. Назовем его Василий. Был он такой крепко сбитый толстячок, успешный кооператор, человек, без сомнения, верующий. Но была у него одна особенность. Приноровился он, хоть тресни, все в своей жизни делать только за молитвы и благословения особых духоносных священников и старцев. Вычитал про это где-то в книжках.

Спросят, какая же в том беда? А вот какая. Если священник советовал Василию нечто такое, что приходилось ему не по нраву, он тут же пускался на поиски других духовников, пока в конце концов не добивался нужных ему «благословений». Тут Василий совершенно успокаивался и сразу признавал такого батюшку правильным и духоносным.

Мы всячески стыдили его за это. Но Василий был мужичок себе на уме и над нашими укоризнами только хитренько посмеивался. Хотя, признаться, вера его в эти вымученные (а нередко, что греха таить, и купленные подношениями) благословения была, что называется, лютая!

У Василия в семье росли три маленькие дочки, но он давно и страстно мечтал о наследнике. Даже имя ему придумал — Васенька. В честь Василия Великого, конечно! Не в свою же честь, как некоторые грешники, подверженные страсти осуждения, могли подумать...

Василий то и дело вкрадчиво подходил ко всем священникам в монастыре и упрашивал их дать какие-то особые благословения, чтобы жена наконец родила ему мальчика. Мы вполне резонно отвечали, что таких благословений и быть-то не может, а Василию следует усердно молиться, дабы Господь, если Ему угодно, исполнил его просьбу. Но Василия подобные ответы совершенно не устраивали. Ему нужны были гарантии. Он отводил священников в сторонку, убеждал дать «правильное» благословение и шепотом заверял о готовности заплатить любые деньги, лишь бы в семье появился мальчик. Не добившись ничего от нас, он отправился в Печоры, но и там получил тот же ответ.

Все решили, что теперь он наконец успокоится. Но плохо мы его знали. Василий пустился на поиски «истинных» молитвенников, духовников и старцев. И, как водится, довольно быстро их нашел.

Один мудрый человек очень точно заметил: «Старцем очень легко стать: стоит только захотеть». То есть надо насупить брови, напустить на себя величественный вид, прослыть непримиримым, обличительным, начать помаленьку пророчествовать и раздавать благословения направо и налево — за таким причудником повалят многие. Но, разумеется, это никакой не старец, а простой человекоугодник.

Короче говоря, Василий вернулся в Москву торжествующий, с ворохом благословений и пророчеств на рождение мальчика. Жена его действительно вскорости забеременела.

Незадолго до родов Василий задумал совершить благочестивое паломничество в Святую Землю. И непременно втроем! Он сам, его супруга, которая была к тому времени на девятом месяце, и, конечно, долгожданный наследник — Василий Васильевич, находившийся еще в материнской утробе.

Лето было в разгаре. И здоровому-то человеку в это время в Святой Земле нелегко от нестерпимого зноя. А что говорить о женщине на последнем месяце беременности! Но благочестивый Василий был непреклонен. Он решил, что должен пройти со своим еще не родившимся наследником по всем святым местам.

Были они у Гроба Господня. Поднялись с сыночком на Голгофу. Василий, который уже сейчас умильно общался с наследником, похлопывал ладошкой по животу супруги и, наклонясь, приговаривал:

— Василий Васильевич! Ты чувствуешь, мы на Голгофе!

Потом устремятся они в Иудейскую пустыню. Бредут, бредут по святым тропам, палимые зноем. И поднимутся на Гору искушений. Василий и здесь тоже обратится к своему сыночку:

— Василий Васильевич! Мы на Горе искушений!

Перед самым отъездом взошли они даже на гору Фавор. Как истинный паломник, Василий конечно же пренебрег арабскими такси, зазывавшими туристов, и вместе с Василием Васильевичем достиг вершины Фавора пешком. Здесь он, оглядев дивную картину, открывающуюся с высоты орлиного полета, воскликнул:

— Василий Васильевич! Мы на Фаворе!

В аэропорту «Бен Гурион» стало понятно, что у жены Василия вот-вот начнутся схватки. Но рожать решили, конечно же, только в Москве. Дело осложнилось еще и тем, что нашего Василия не пропускала в самолет израильская таможня. В Святой Земле он отовсюду прихватывал с собой святыни. А какие святыни у православного паломника? Камень с Горы искушений, вода из Геннисаретского озера, вода из реки Иордан, песок из Иудейской пустыни, камень из Назарета, земля из Вифлеема и так далее, и так далее. Другие паломники брали понемногу — скажем, цветок из Галилеи или камушек из Иерусалима, а у Василия святынь набралось килограммов на тридцать.

Но если для него это были святыни, то для потрясенных израильских пограничников — пробы грунта и воды со всей территории Израиля. Подобное они видели впервые и решительно отказались выпускать Василия с таким грузом в Россию. Однако и наш Василий без святынь категорически отказывался возвращаться в свой Третий Рим из ветхого Иерусалима.

В конечном счете таможенники поняли, что перед ними, мягко выражаясь, большой чудак. И непоправимого вреда безопасности государству Израиль его деятельность не нанесет. Василия отпустили, а в Москве прямо из аэропорта его несчастную супругу доставили в роддом, где она благополучно родила девочку.

Потрясение нашего героя не поддавалось описанию.

—Подменили! — кричал он. — Врачи-вредители! Где мой Василий Васильевич?! У меня благословение! Старцы говорили, что будет мальчик! Отдайте моего Василия Васильевича!

Так и закончилась эта история. Василий скоро пропал из поля моего зрения. Не знаю, что с ним сейчас. Надеюсь, образумился и вымолил себе наследника. Или все же смирился с тем, что Господь благословляет в его семье рождение только замечательных представительниц слабого пола.

Иеромонах Рафаил (Огородников)

Жизнь, удивительные приключения и смерть иеромонаха Рафаила — возопившего камня

Н**аш герой родился в городке Чистополь на Каме в 1951 году. Отец его был директором какого-то советского предприятия, мать — домохозяйкой, старший брат — комсомольским вожаком и романтиком справедливого и прекрасного будущего.

Ничто не предвещало в жизни Бориса Огородникова особых, не запланированных ровным течением тогдашней советской жизни событий. Первый спортсмен среди старшеклассников, симпатяга и весельчак, в которого перевлюблялись все девчонки в классе, Борис, окончив школу, пошел в армию и геройски отслужил все три года пограничником на острове Даманском в самый разгар кровопролитного конфликта с Китаем. Вернулся он в свой Чистополь живым и невредимым, с наградами от армейского начальства и при сержантских погонах. Впереди его ждал институт. Борис решил поступать в Автодорожный, чтобы конструировать новые прекрасные машины, а потом самому разгоняться и с восторгом мчаться в них, забыв обо всем на свете.

Жизнь, удивительные приключения и смерть иеромонаха Рафаила

Но вот однажды в родном городке демобилизованный пограничник невесть какими путями получил в руки Книгу, которая ни в коем случае не должна была даже попадаться на глаза ни ему, ни его сверстникам. Об этом неутомимо заботилась отлаженная и суровая государственная система. Но, видно, что-то у них там дало сбой. И вот наш герой, уединившись на берегу реки, с любопытством и недоверием рассматривает эту Книгу. Вот он открывает ее. Вот начинает читать первые строки:

«В начале сотворил Бог небо и землю...»

Как быстро рушатся миры! Еще мгновение назад перед нами был образцовый советский юноша, с правильным прошлым и не менее правильным светлым будущим. Но вдруг не стало ни прошлого, ни будущего. Началось — настоящее.

«Се, творю все новое!» — не только обещает, но и всерьез предупреждает Тот, о Ком рассказывается в Книге, которую впервые, строка за строкой, читал на берегу Камы Борис Огородников, будущий отец Рафаил.

Но тогда он еще не понимал, что с ним происходит. У Бориса вдруг возникло множество вопросов, и он пробовал задавать их местным батюшкам. Но те в испуге шарахались от молодого человека. Время было непростое, и священникам разрешалось общаться только с доживающими свой век старушками.

Борис отправился в Москву поступать в институт, который его уже не интересовал. В столице он стал ходить по храмам и задавать так неожиданно народившиеся в его уме вопросы, ответы на которые тщетно искал у чистопольских священников.

Но повсюду он встречал все те же настороженность и недоверие, пока не набрел на укромную церковь в Замоскворечье. Здесь с ним неожиданно проговорили целых два часа. И Борис остался в этом храме, подрабатывая в нем на жизнь сторожем и оберегая порученную ему территорию как самую главную в жизни границу.

Книгу, которая так властно перевернула всю его жизнь, Борис, к немалому удивлению приходских священников, за недолгий срок перечитал дважды от корки до корки. Отец настоятель даже поставил юношу в пример своим сослужителям.

— Мы, которые призваны изучать и благовествовать слово Божие, нерадивы и малодушно молчим! — грустно заметил своим священникам отец настоятель. — А этот паренек, который и воспитания христианского не получил и не должен был бы до самой смерти ничего знать о Боге, проявляет столь великую ревность и веру... Такие молодые люди посрамляют нас, иереев Божиих, за нашу боязливость, лень и молчание о Христе. Какой, отцы, понесем мы ответ? Что будет с Церковью при таких пастырях? Но — жив Господь! Сбываются слова Спасителя: «Если ученики Мои замолчат, то камни возопиют!» Этот простой юноша, он и есть — тот самый возопивший камень! А мы ищем где-то чудес!..

Борис ничего не говорил родителям, но вместо института стал готовиться в духовную семинарию. Экзамены в Загорске он сдал, что называется, блестяще. И, конечно же, не поступил. С его геройским армейским прошлым, с его комсомолом, с его светлым советским будущим — о семинарии в те годы не могло быть и речи.

Ответственные товарищи, приставленные в те годы к духовному образованию, немедля встретились с абитуриентом Огородниковым. Они чувствовали свою вину уже за то, что недосмотрели и допустили юношу с такой биографией, до вступительных экзаменов в семинарию. Товарищи сурово потребовали от молодого человека скинуть с себя религиозный дурман и вернуться к нормальной жизни.

Они приступали к юноше с самыми сладкими посулами. Они грозили самыми грозными карами. Борис в ответ только смотрел куда-то в одному ему ведомую даль и наконец, после двух дней увещаний, передал уговорщикам запечатанный конверт. Те жадно вскрыли его, но обнаружили лишь заявление Бориса Огородникова об исключении его из комсомола «по религиозной причине».

Уговорщики от досады наобещали Борису все возможные и невозможные неприятности: и по работе, и по учебе, и по свободе, и по несвободе, и по пожизненной психбольнице... В общем, все-все самое ужасное — и в этой жизни, и даже в будущей... Брошенные на религиозный фронт, уговорщики поневоле набрались мистического духа.

Но для Бориса среди всех этих устрашений было ясно одно — в семинарию ему поступить не дадут. И тогда по совету настоятеля храма он отправился в Псково-Печерский монастырь, хотя совершенно не представлял, что и кого там встретит.

Но Тот, Кто так властно взял в Свои руки жизнь и судьбу Бориса Огородникова, знал о каждом его шаге и о каждом шаге людей, которых Он посылал ему навстречу.

В монастыре Бориса сразу выделил из общей толпы паломников Великий Наместник архимандрит

Алипий. Ответственные товарищи, приставленные к Псково-Печерскому монастырю, предупредили отца Алипия, чтобы тот ни в коем случае не брал к себе героя-пограничника. Архимандрит Алипий, тогда уже смертельно больной, внимательно выслушал их и на следующий день издал указ о зачислении в обитель послушника Бориса Огородникова. Этот указ был чуть ли не последним, подписанным архимандритом Алипием. Вскоре он умер, и постриг в монашество послушника Бориса уже новый наместник — архимандрит Гавриил.

Ответственные товарищи не замедлили предупредить и архимандрита Гавриила, что он должен в ближайшее время сделать все, дабы Борис Огородников покинул Печоры. Наместник заверил, что со своей стороны прекрасно понимает трудность сложившейся ситуации, и пообещал сделать все для этого юноши. И он действительно сделал все что смог. Поскольку буквально через несколько дней совершил монашеский постриг, и на свет появился новый человек — юный монах Рафаил.

Архимандрит Алипий

На громы и молнии донельзя возмущенных ответственных товарищей отец наместник ответил более чем резонными аргументами: заботясь о государственном благоденствии, о тихом безмолвном житии, он постриг юношу в монашество, ибо это был наилучший вариант для всех. Почему? Очень просто. Дело в том, что старший брат новоиспеченного монаха Рафаила, Александр, за эти годы стал известным диссидентом. О нем день и ночь вещали на Советский Союз зарубежные радиостанции. И если бы его младший брат, изгнанный из монастыря, примкнул к Александру (а такое наверняка бы произошло), от этого всем стало бы только хуже.

И действительно, Александр Огородников, так же как и его младший брат, в те же годы дерзновенно устремился в самое упоительное, но и самое опасное в нашем мире путешествие — на поиски высших смыслов и целей. Правда, пошел он другим путем. То, что отец наместник говорил о диссидентстве Александра, было чистой правдой, и ответственные товарищи об этом прекрасно знали.

Жаждущая безотлагательного торжества справедливости душа Александра через бурные духовные искания привела этого некогда пламенного комсомольского вожака опять-таки в ряды страстных борцов за светлое будущее. Но теперь он оказался по другую сторону баррикад и основал в Москве диссидентский христианский семинар. После чего на него незамедлительно вышли ответственные товарищи, специально приставленные как раз к искателям светлого справедливого будущего. Александра арестовали. Всеми способами, в том числе и очень пристрастными, его постарались переубедить. Но так ничего и не добившись, отправили молодого человека для дальнейших исканий и размышлений на девять лет в зону для политических преступников, носившую название «Пермь–6», самую тяжелую в те годы по условиям содержания.

Разумные аргументы отца наместника произвели впечатление на ответственных товарищей: юного монаха Рафаила оставили в монастыре, и вскоре он был произведен в иеродьякона, а затем в иеромонаха. И отец Рафаил стал самым счастливым человеком на свете.

Борис Огородников был первым, кого архимандрит Гавриил, став наместником, постриг в монашество. И даже имя ему дал Рафаил, в честь Архангела. Небесным покровителем самого наместника был тоже Архангел — Гавриил. В монашеской среде подобное просто так не делается. Видно, наместник очень рассчитывал на этого молодого, горячего, искренне верующего иеромонаха. Во всяком случае, за все тринадцать лет своего наместничества больше он никого в честь Архангелов не называл.

При постриге каждый новоначальный монах передается на послушание опытному духовнику. Первым старцем отца Рафаила стал архимандрит Афиноген, монах уже очень преклонных лет, переживший гонения, войны, тюрьмы и ссылки. К девяноста восьми годам отец Афиноген пребывал во всем величии и силе нового человека, преображенного верой и навечно соединившегося со Христом — своим Богом и Спасителем. Общение отца Рафаила с первым духовником было коротким: вскоре архимандрит Афиноген отошел ко Господу. Отец Рафаил рассказывал о нем всего две особо запомнившиеся ему истории.

Когда на именины отца Афиногена братия монастыря собралась в большой трапезной, он, маленький и согбенный, выслушав слова почтения и признательности, долго стоял и молчал. Все, затаив дыхание, ожидали его ответа.

Старец оглядел стоявших перед ним монахов и проговорил:

— Что мне сказать вам, братья? Просто я всех вас люблю!

Тогда находящиеся в трапезной иноки, даже самые суровые, стояли и плакали.

Вторую историю надо начать с того, что архимандрит Афиноген почти до самой своей смерти совершал отчитки, как это называют в народе, — изгонял бесов из тяжко страждущих людей. Иногда такого страдальца достаточно было, преодолевая его отчаянное сопротивление, втащить в келью отца Афиногена, чтобы бесы остались по ту сторону дверей. А больной приходил в себя, сам не веря, что освободился от многолетнего недуга. Но чаще для исцеления требовался долгий пастырский труд отца Афиногена и особые церковные молитвы. Это очень непростое и по многим причинам опасное послушание изнуряло старца до последних пределов.

Однажды в банный день отец Рафаил помогал своему духовнику в монастырской бане. Такая забота по отношению к пожилым монахам всегда лежала на молодых послушниках. Отец Рафаил на какую-то минуту отвернулся, чтобы намылить мочалку, а когда вновь взглянул перед собой, то с ужасом увидел, что его старец висит в воздухе над банной скамьей. Молодой монах застыл на месте со своей мочалкой. На его глазах отец Афиноген медленно и плавно опустился на каменную скамью и недовольно спросил послушника:

— Что, видел? Молчи, дурак, никому не говори! Это бесы! Хотели меня бросить о камень. Но Матерь Божия не допустила. Молчи, никому до моей смерти не рассказывай!

«Се, творю все новое!» — эти слова неуклонно сбывались в жизни отца Рафаила. Как большинство новоначальных монахов, он постепенно открывал для себя бесконечно загадочный, но и ни с чем не сравнимый новый мир, который впервые предстал пред ним тогда, на бе-

Отец Афиноген

регу реки Камы, когда он начал читать незнакомую ему Книгу.

Этот мир, полный радости и света, жил по своим, совершенно особым законам. Здесь помощь Божия являлась именно тогда, когда это становилось действительно необходимым. Богатство было смешно, а смирение — прекрасно. Здесь великие праведники искренне признавали себя ниже и хуже всякого человека. Здесь самыми почитаемыми были те, кто убегал от человеческой славы. А самыми могущественными — кто от всего сердца осознал свое человеческое бессилие. Здесь сила таилась в немощных старцах, и иногда быть старым и больным было лучше, чем молодым и здоровым. Здесь юные без сожаления оставляли обычные для их сверстников удовольствия, чтобы только не покидать этот мир, без которого они уже не могли жить. Здесь смерть каждого становилась уроком для всех, а конец земной жизни — только началом.

* * *

Когда отец Рафаил был столь решительно и властно изъят из своей прежней жизни, он с радостью отдал Богу все — и обычное человеческое счастье, и радости жизни, и карьеру, и даже свою буйную волю. Но с одним он так и не смог расстаться... Да, было обстоятельство, о котором, как бы мы ни хотели, умолчать невозможно. Это звучит смехотворно, но отец Рафаил не смог преодолеть лишь одного — своей страсти к скорости! Да, да... Всего лишь этого!

Но сначала придется рассказать, что, прожив в монастыре шесть лет, отец Рафаил из обители был отправлен в ссылку на глухой сельский приход. Причиной опалы вновь стал его старший брат.

К тому времени Александр был известным на весь мир диссидентом. Уже несколько лет он находился в заключении, причем значительную часть времени отбывал в карцерах. Основанием для столь суровых наказаний были донельзя дерзкие и просто немыслимые с точки зрения властей требования Александра к тюремному начальству. Арестант настаивал, чтобы ему было разрешено держать в камере Библию и предоставлено право встречи со священником для исповеди и причащения. В ответ на само собой разумеющиеся отказы тюремного руководства Александр тоже не соглашался жить по их правилам. Когда ему приказывали вставать, он садился. Когда приказывали отвечать, он упрямо молчал. Понятно, что для таких причуд требовалось завидное мужество. Из девяти лет заключения он в общей сложности два года провел на голодовках и треть срока в карцерах. (В скобках надо заметить, что Александр все-таки вышел победителем из этой битвы: он стал первым советским заключенным, которому в тюрьме официально разрешили иметь Библию и приглашать священника в камеру.)

Когда Александра судили, наместник отпускал отца Рафаила на процесс и тайно передавал деньги для его семьи. Но позже власти не на шутку приступили с требованиями удалить из монастыря брата известного диссидента.

В конечном итоге то ли наместник решил не обострять конфликт со властями, то ли отношения самого отца Гавриила и молодого иеромонаха испортились (скорее всего, и то и другое), но отца Рафаила отправили из обители на глухой деревенский приход, куда не было даже автобусного сообщения, и нужно было несколько километров добираться пешком от соседнего села. Потом его перевели в столь же далекое, но чуть более людное место, в храм святителя Митрофана в деревне Лосицы, где в церкви по воскресеньям собиралось не больше десяти человек.

Единственным имуществом кроме иконы, пары книг и монашеского облачения у отца Рафаила был магнитофон. Но зато какой! Иностранный, огромный, транзисторный. Стоил он тогда в московском комиссионном магазине целое состояние — тысячу рублей. Эту ценную вещь привезли отцу Рафаилу прямо накануне отъезда на приход — Александр из тюрьмы попросил друзей передать свой магнитофон младшему брату, чтобы поддержать его хотя бы материально.

Отец Никита

Отец Рафаил

Тут-то и сбылась давняя мечта отца Рафаила о машине. Магнитофон немедленно был продан, и отец Рафаил выторговал себе во Пскове на автомобильном рынке старенький «Запорожец». Покупка была отвратительного грязно-оранжевого цвета.

Отец Рафаил сам взялся ремонтировать эту полуразбитую колымагу. Он залез в недра «Запорожца» и выбрался на свет только через месяц. Машина получилась на самом деле уникальная. Не знаю, как он этого добился, но разгонялась она до ста пятидесяти километров. Оставалось только сменить ужасную окраску. Отец Рафаил уехал во Псков на желто-оранжевом уродце, а вернулся в деревню почти на лимузине черного правительственного цвета, с белыми занавесками на задних окнах. На вопрос, почему он выбрал именно черный цвет, отец Рафаил пояснил, что на автостанции было только две краски — черная и красная. И естественно, он выбрал черный, монашеский тон, потому что не может ездить на машине цвета коммунистического флага.

Думаю, это был единственный в СССР «Запорожец» представительского цвета. Никому больше в голову не приходило покрасить такой драндулет черной краской, да еще и навесить на задние стекла белые шторки, что тогда было признаком чиновничьих автомобилей. Как ни печально признать, но со стороны иеромонаха Рафаила все это было не чем иным, как явным и преднамеренным хулиганством.

Особенно нравилось отцу Рафаилу дразнить важных областных функционеров. Он садился на хвост черных «Волг», долго тащился позади, а потом, когда они пытались оторваться, обгонял их на своем реактивном «Запорожце» и молниеносно уходил вперед. А уж если это была «Волга» псковского уполномоченного по делам религий Юдина, день считался прожитым не напрасно.

«Запорожец»

Отец Рафаил

Дьякон Виктор   Иеромонах Никит

Приходской дом в Лосицах и его обитатели

П
риходской дом отца Рафаила в деревне Лосицы представлял собой самую простую деревенскую избу в одну комнату. Но в остальном здесь все было необычно.

На печи жил бесноватый Илья Данилович — могучий старик, который и на землю-то спускался нечасто. Никогда — ни до, ни после — я не встречал никого, подобного Илье Даниловичу. Когда он начинал рассказывать, — не имело значения, о давно ли минувших годах или о недавних событиях — слушатели невольно замирали, понимая, что столкнулись с чем-то совершенно уникальным. Илья Данилович обладал поистине эпическим складом ума. Наверное, за всю мировую историю так излагали только Гомер, Толстой и бесноватый Илья Данилович.

Память его была невероятна. Вспоминая, скажем, какой-нибудь случай из своего военного прошлого, он перечислял имена офицеров и солдат, их звания, годы рождения и гибели, имена жен и невест, названия их родных городов и сел. А оружие, которым они сражались, будь то трехлинейка

или гаубица, Илья Данилович описывал не менее завораживающе, чем был воспет щит Ахилла в «Илиаде».

К вере Илья Данилович пришел особым образом, и именно благодаря беснованию. Потому что, как говорил отец Рафаил, без беснования Илья Данилович — красавец и богатырь, ничего в этом мире не боявшийся и живший по одному закону плоти, — к Богу вовек бы не пришел. А требования плоти, по рассказам самого Ильи Даниловича, у него бывали такой силы, что, не говоря уже о любовных похождениях, однажды, в сорок первом, ночью, на передовой, он до того оголодал, что не выдержал и как сомнамбула пошел на запах тушенки к вражеским окопам. Немцы сначала всполошились, но стрелять не стали. Решили подождать, пока этот русский ввалится к ним в окоп. А когда разобрались, зачем он явился, дали ему каши с тушенкой. Так что Илья не только сам наелся, но и набил кашей каску и карманы для голодных товарищей.

Вернувшись с фронта, бравый солдат, не откладывая дела в долгий ящик, выбрал себе самую красивую невесту. Но очень скоро выяснилось, что характер у молодой жены, а особенно у ее мамаши — на редкость скверный. Илья затосковал, но разводиться в те годы, да еще в рабочем поселке, было не принято. Утешение конечно же быстро нашлось. Илья работал водителем на дальних рейсах и, рассказывая свою историю, покаянно вспоминал, что не только в родном поселке, но и в каждом городе на постоянных маршрутах у него были «любовные подружки». Жена быстро узнала об этом. Однако ни скандалы, ни уговоры, ни профкомы, ни товарищеские суды на Илью не действовали. Тогда оскорбленная супруга решилась на крайний шаг. Она нашла ворожею, и та, как говорят в народе, «сделала» Илье «на смерть».

Помнится, я с большим недоверием отнесся к этой части повествования Ильи Даниловича. А он даже ухом не повел и продолжал.

Как-то, возвратившись поздно вечером из очередного рейса, он подошел к своей калитке и увидел во дворе незнакомую женщину. В этом бы не было ничего удивительного, если бы женщина не была ростом около пяти метров — головой достигала крыши! Старше средних лет, простоволосая, с длинной седой косой, она была одета в старомодный сарафан. Не обращая на Илью никакого внимания, гигантская гостья обошла вокруг дома, что-то бормоча под нос, без труда переступила через штакетник и скрылась в темноте.

Илья, как простой советский человек, в мистику отроду не верил. Вдобавок он был совершенно трезв. Так что, когда первая оторопь прошла, он сообразил, что все это ему привиделось от усталости после долгой дороги.

Зайдя в дом, он увидел жену и тещу, заботливо суетящихся вокруг щедро накрытого стола. Это показалось ему странным: такого внимания от скандальных баб Илья давно не помнил. Между тем его приветливо усадили, теща налила водочки, и началось небывалое угощение. Вспомнив о непонятном видении во дворе, Илья все же спросил, не случилось ли чего-то необычного перед его приходом. Женщины дружно замахали руками и заверили, что ничего особенного не было да и быть не может. Водочка полилась еще обильнее, и скоро Илья забыл обо всем.

Очнулся он наутро в супружеской постели. Жены рядом не оказалось. Илья решил, что пора вставать, но, к своему удивлению, не смог этого сделать: руки и ноги не слушались. От страха он попытался закричать, но наружу вырвался только слабый стон. Спустя час, который показался Илье страшной вечностью, пришли жена, теща и еще какая-то женщина, поразительно похожая на ту, которая ему привиделась вчера в саду. Только теперь она была обычного человеческого роста. Не обращая внимания на стоны Ильи, женщины без стеснения рассматривали его и о чем-то шепотом переговаривались. Потом они ушли, и Илья остался один.

Только к вечеру снова появилась жена, но теперь уже с местным врачом. Илья слышал, как она, всхлипывая, рассказывала про то, что муж вернулся из рейса, крепко выпил, лег спать и вот с утра не может подняться. На следующий день больного отвезли в районную больницу. Там он провел больше месяца. Врачи так и не смогли разобраться в причинах странного недуга и выписали высохшего как щепка Илью умирать домой.

Дома его подстерегал настоящий кошмар: жена и теща не скрывали своего торжества и с нетерпением ждали смерти неверного мужа и обидчика. Когда Илье стало совсем худо, жена даже пригласила домой гробовщика и помогала ему снимать мерку с еще живого бессловесного супруга.

Так и не поняв, что с ним происходит, Илья примирился с мыслью о скорой смерти и ждал конца почти безропотно. Но однажды, улучив час, когда женщин не было дома, к Илье, уже совершенно недвижимому и немому, пришел его фронтовой товарищ и привел с собой одетого по-мирски священника. Тот предложил умирающему здесь же, на смертном одре, окреститься и просить помощи у Бога. Больной, хотя и плохо понимал, что это значит, но единственным доступным ему движением — кивком головы — выразил согласие.

После крещения чудес не произошло, если не считать того, что Илья так и не умер. Жена и теща были вне себя от злости. Прошел еще месяц, к концу которого Илья, хотя и с огромным трудом, стал понемногу подниматься с постели и еле слышно говорить. Во всем прочем состояние его оставалось ужасным. Как-то к нему снова пришел фронтовой друг, собрал Илью, посадил на поезд и повез на перекладных через всю страну в Псково-Печерский монастырь, к старцу архимандриту Афиногену.

Илья попал в незнакомый и странный для него мир. Но после беседы с отцом Афиногеном, за которой последовали первая исповедь и причащение, он, что называется, воскрес. Еще через неделю Илья был полностью на ногах и с каждым днем набирался сил. Он быстро нашел общий язык со старцем: оба были простые люди, из крестьян. Поэтому, когда отец Афиноген поведал Илье, что жена навела на него порчу и он, не имея никакой духовной защиты, должен был умереть, Илья сразу ему поверил. А кому же еще верить в этом мире, где только старик-монах смог его спасти?

Больше Илья Данилович не возвращался домой. Он сделался странником: временами жил и трудился

в монастыре, временами ходил по России — от церкви к церкви. Паспорта у него уже давно не было. Так он постепенно состарился, но физически продолжал оставаться могучим и здоровым. Таким я его и застал на приходе у отца Рафаила.

* * *

Еще одним жителем приходского домика в Лосицах был инок Александр. Студент Брянского педагогического института, он, несколько лет назад придя к вере, оставил все и тоже пошел странником по России. Хотя ничего подобного истории Ильи Даниловича с ним, слава Богу, не случалось. Александр оказался в Псково-Печерском монастыре, но через два года примкнул к группе монахов, восставших против наместника, и снова ушел странствовать. В конце концов его приютил у себя на приходе отец Рафаил.

Тогда Александру было двадцать восемь лет. На костяшках его рук виднелись грубые мозоли, следы многолетних занятий карате. Мы любили гулять по полям и лесам и делали себе для прогулок легкие посошки из орешника. У всех они были кривоватые, и только посох Александра был идеально прямой, выкрашенный в черный цвет. Как-то на привале я решил поближе рассмотреть эту красивую вещицу, но, к своему удивлению, еле-еле смог ее поднять. Посох оказался тяжеленным стальным ломом. На вопрос, зачем Александру такое грозное оружие, инок ответил, что этот посох дает ему возможность хоть немного поддерживать физическую форму.

Отец Александр был молчалив и все свободное время уделял чтению творений древних святых

Инок
Александр

отцов. Спал он в отдельной каморке, отгороженной горбылем. Жилище свое Александр запирал на ключ, что было немного странно, поскольку изба отца Рафаила закрывалась чисто символически — на щеколду. Однажды я мыл в доме полы, а Александр вышел куда-то, оставив свою каморку открытой. Я не выдержал и заглянул туда. В каморке на полу стоял сколоченный из грубых досок гроб. От неожиданности я так перепугался, что как ошпаренный выскочил из его убежища.

Переведя дух, я поинтересовался у Ильи Даниловича, что это означает. Тот со своей печи ответил, что в этом гробу инок Александр спит, потому что монах всегда должен помнить о смерти. Так, оказывается, поступали многие подвижники.

Несмотря на столь суровый образ жизни, Александр сочинял по-настоящему талантливые стихи и музыку к ним. Получались песни, теперь хорошо известные, разошедшиеся на дисках и кассетах, опубликованные в многочисленных сборниках с предисловиями наших самых известных писателей. Инок Александр давно уже пострижен в монашество с именем Роман — в честь древнего святого византийского поэта Романа Сладкопевца.

Тогда же, в Лосицах, он сочинял и пел свои песни по вечерам под гитару. Если, конечно, разрешал отец Рафаил, который, хотя и считал это занятие совсем не монашеским, но послушать Александра все же иногда любил.

Вот одна из этих песен.

Уже вечер, друзья, уже вечер,
И луна свою лампу зажгла.
Так оставим же праздные речи,
Оторвемся на миг от стола.

За окном никакого ненастья,
Листопад не шуршит в этот час,
Словно душу осеннюю настежь
Отворила природа для нас.

И быть может, не стану пророчить,
Где-то путник в нелегком пути,
Но под светлую исповедь ночи
Он надеется все же дойти.

Благодати исполнены кущи,
Пруд, заросший туманом, кадит.
Мир тебе, одиноко идущий,
И тому, кто тебя приютит.

Кто же ты, неизвестный прохожий,
Далеко ль путь-дорога лежит?
Почему так меня растревожил
Твой блаженный, задумчивый вид?

В твоем сердце молитва святая
Разгоняет душевную тьму.
Может, скоро и я, все оставив,
Помолясь, посох в руки возьму.

И, крестами себя пообвесив,
Побреду неизвестно куда,
Заходя в близлежащие веси,
Стороной обходя города.

Мы записывали эти песни на магнитофон, а потом я привез их в Москву. Как-то, много позже, меня направили с поручением к Патриарху Пимену, в его резиденцию в Чистом переулке. Там, ожидая в прихожей, я с удивлением услышал из покоев Патриарха запись песен отца Романа. Патриарх Пимен сам был прекрасным певцом и поэтому мог ценить настоящее церковное творчество.

* * *

Частыми гостями на Лосицком приходе были еще два человека — иеромонах Никита, самый близкий друг отца Рафаила, и дьякон Виктор.

Отец Никита тоже был пострижеником Псково-Печерского монастыря. В тринадцать лет он, ленинградский пионер, ушел из дома, где никому не был нужен. Отец Никита так и говорил: «Еще тогда я понял, что человек в этом мире не нужен

Отец Никита

никому, кроме самого себя и Господа Бога». Как пионер мог до такого додуматься, остается загадкой, но, так или иначе, мальчик скоро очутился на приходе у удивительного подвижника иеромонаха Досифея в деревеньке Боровик, в шестидесяти километрах от Пскова. Там он и вырос при старце, на Псалтири и древних патериках, изучая словесность по аскетическим книгам, написанным в V веке, — «Лествице» и «Авве Дорофею». Мирской жизни он почти совсем не знал.

В школу мальчик больше не ходил, но вырос умным, по-своему очень образованным и добрым юношей. К тому же — высоким, стройным и необычайно красивым. Перед армией отец Досифей отправил его на год в Псково-Печерский монастырь — немного разобраться в жизни XX века. Там он и подружился с отцом Рафаилом. А когда вернулся из армии, сразу подал прошение в монашество. В тот же год, когда отца Рафаила отчислили из монастыря, старец отца Никиты, иеромонах Досифей, попросил у псковского Владыки митрополита Иоанна благословения удалиться в скит — дом в двух километрах по реке от села Боровик, среди псковских лесов и болот. Митрополит, зная о высокой жизни подвижника, благословил это уединение, а на освободившееся священническое место назначил отца Никиту, который лучше всех знал и храм, и людей в Боровике.

Так молодые иеромонахи оказались на приходах километрах в двухстах друг от друга и по возможности наведывались то в один храм, то в другой — помолиться вместе, совершить литургию, подсобить по хозяйству.

Наконец, еще одним завсегдатаем в Лосицах был недавно рукоположенный дьякон Виктор, присланный на приход к отцу Никите для прохождения дьяконской практики. Отец Виктор совсем недавно вышел из тюрьмы. Отсидел он семь лет по политической статье. Дьякон очень хотел вступить в монашество, но митрополит Иоанн — древних лет мудрый и добрый старец — сумел получить разрешение у псковского уполномоченного по делам религий только на то, чтобы бывший заключенный стал дьяконом. Причем на самом глухом приходе, а никак не в людном монастыре. Хотя и дьяконское рукоположение бывшего политического заключенного по тем временам уже было событием из ряда вон выходящим.

Из тюрьмы отец Виктор вынес непоколебимую веру в Бога, полное презрение к любым трудностям и такой веселый нрав, что от его неиссякаемых рассказов мы в самом буквальном смысле в изнеможении падали под стол от смеха. Последнее обстоятельство выглядело как-то совсем уж не по-монашески, и мы

Дьякон Виктор

старались с этим бороться по мере сил. Но сил хватало лишь до очередного рассказа отца Виктора. А еще он привнес в нашу благочестивую жизнь тюремную лексику, от которой, как мы его ни корили, освободиться так и не смог.

Больше всего пострадал от этого филологического бедствия простосердечный отец Никита. Дьякон Виктор решительно появился в его тихом уголке со своим хохотом, немереным оптимизмом и тем самым кошмарным зековским жаргоном, который отец Никита, к нашему ужасу, немедленно перенял.

За отцом Виктором вдруг как-то сразу закрепилась кличка — Старчишка. Это было само по себе удивительно, потому что мы никому и никогда прозвищ не давали. Но для этого сидельца кличка возникла как-то сама по себе, совершенно естественным образом.

Храм в селе Боровик, где служил отец Никита

Помню, как-то в начале осени я приехал в Боровик к отцу Никите. Продукты и деньги, привезенные мною из Москвы, закончились очень быстро, поскольку здесь гостил не только я. Собрались такие же молодые и оголодавшие после Успенского поста отец Рафаил, инок Александр, дьякон Виктор и бесноватый Илья Данилович. Последний, правда, был лет на тридцать нас старше, но обладал вполне молодым зверским аппетитом.

Итак, истребив подчистую доставленные из Москвы продукты и до аллергии объевшись яблоками нового урожая, мы окончательно приуныли. И решились на последний в таких случаях шаг — ехать во Псков, просить денег у нашего митрополита Владыки Иоанна.

Этот Владыка был, наверное, самым старым в те годы архиереем Русской Православной Церкви. Чего только он не испытал в своей жизни! Высокий, могучий, совершенно седой, он был необычайно добр, особенно к монахам. Так что мы были уверены: он поворчит-поворчит, но в конце концов нам не откажет. Владыка лет сорок безвыездно сидел в своей епархии и занимался только церковными делами. Он был единственным архиереем во всей Русской Церкви, который мог позволить себе не выезжать на Архиерейские и даже Поместные Соборы в Москву. Там на него, по-видимому, давно махнули рукой. Митрополит хорошо знал и любил отца Никиту, поскольку принимал участие в его воспитании с тех пор, когда тот школьником сбежал из дома на приход к старцу Досифею.

Конечно, Владыка хорошо представлял, насколько бедно живут его монахи на дальних приходах. Знал, но все-таки посылал их туда служить. Ведь лишь благодаря тому, что в храмах совершались богослужения, власти не решались закрыть их или разрушить. Вообще почти на всех дальних приходах в Псковской епархии несли служение монахи или одинокие священники. Женатым батюшкам, да еще с детьми, здесь пришлось бы совсем туго. Отец Никита рассказывал, что за месяц у него с трудом набегало жалованья рублей двадцать пять. Это и понятно: старые крестьянки, которые обычно составляли приход таких храмов, были не зажиточнее своих настоятелей. Священники помогали этим, как правило, брошенным родными детьми и внуками старухам то дров нарубить, то крышу починить. А иногда на последние копейки покупали им еду и лекарства. Деньги у батюшки появлялись, как правило, лишь тогда, когда деревенский, почти неверующий народ приходил на крестины или приносил в храм отпеть покойника. Но монахи о деньгах не думали. Или, если уж быть до конца честным, думали о них в последнюю очередь.

Итак, заняв рубль на автобус, мы, для пущей жалобности все вместе, отправились к Владыке. Дома оставили только Илью Даниловича — сторожить храм. По всей Псковщине заезжие воры то и дело грабили церкви.

В автобусе народу было немного, и мы вчетвером — отец Рафаил, отец Никита, отец Виктор и я — удобно расселись. Пассажиры посматривали на нас с интересом, а некоторые и с умилением: в те годы нечасто удавалось встретить молодых монахов, вот так, спокойно, в рясах и с посохами, путешествующих по Советской стране.

До епархии мы добрались благополучно. Правда, так увлеклись разговором, что во Пскове чуть было не пропустили нужную остановку. Но отец Виктор в последнюю секунду закричал на весь автобус:

— Отцы! Быстро — ро́ги мочим!

Опрометью выкатившись из автобуса, мы все-таки успели заметить потрясенные лица пассажиров... Но нам было не до них. Впереди лежала заветная улица. Она хотя и носила имя большевика Яна Фабрициуса, но здесь располагалось епархиальное управление с архиерейским домом. (Советская власть вообще любила предоставлять места для епархий то во 2-м Коммунистическом тупике, то на улице Карла Либкнехта.)

Владыка встретил нас в своем кабинете, сидя в глубоком кресле. Мы по очереди подошли к нему под благословение и жалобно заныли про свою горькую долю. Владыка слушал, но с места не поднимался. Это нас сразу насторожило. Может, он хотел поподробнее выяснить все обстоятельства нашего бедственного жития, а может, у него самого с деньгами сейчас было не густо. Как бы то ни было, но мы заволновались. Отец Рафаил даже вытолкнул меня — как самого маленького и худенького — вперед. Но и это не подействовало. И тогда перед архиереем выступил отец Никита. Он никогда не был оратором, к тому же еще и заикался, но сейчас на него — по-видимому, от голода — снизошло вдохновение:

— В-Владыко святый! — отчаянно начал он. — Какая жизнь, в натуре?! Держимся ваще на последних! Ро́ги отваливаются! Денег — нет! Еды — нет! Зубы на полку ложим! П-покойников — и тех нет!

Владыка так и обмяк в своих креслах.

А нам речь понравилась, и мы дружно закивали. Хотя, конечно, отец Никита от волнения несколько необдуманно употребил воспринятые им от отца Виктора выражения. А говоря о покойниках, он, разумеется, имел в виду денежные средства, которые поступают в храм за отпевания. Но все вместе вышло, наверное, слишком уж сильно для престарелого архиерея.

— Батюшка, дорогой!.. Где ты таких слов набрался? — обратился ошеломленный Владыка к отцу Никите.

Архиерей не слыхивал подобных выражений уже лет шестьдесят, с тех пор как отбывал заключение в двадцатые годы.

Тут вперед вышел Старчишка Виктор и вызвал огонь на себя.

— Владыко святый, это я, старый баклан, при нем языком мелю — никак не отвыкну. Вы уж на Никиту не сердитесь. Я во всем виноват, — покаянно забасил он и даже ударил себя в перси.

Но, видно, речь отца Никиты произвела на архиерея яркое впечатление. Он грузно поднялся из своих кресел, подошел к столу, покряхтел немного и достал из ящика сто рублей. Нам такие деньги и не снились!

Архиерей повертел купюры в руках, прикидывая, не многовато ли будет, но не стал мелочиться и протянул деньги отцу Рафаилу как старшему.

Благословляя нас в дорогу, он все же сказал:

— Ты, Никитушка, уж лучше того... больше по-церковнославянски читай!

Отец Никита горячо пообещал исправиться, и мы, счастливые, покинули архиерейский дом.

Жизнь продолжалась! Правда, был постный день, среда, и нельзя было сейчас же съесть мороженого, но мы готовы были потерпеть до завтра. Накупив еды себе и гостинцев деревенским старухам, мы вернулись домой.

А наутро пришла телеграмма из епархиального управления, в которой сообщалось, что указом митрополита Иоанна дьякон Виктор переводится из Покровского храма села Боровик в храм Архангела Михаила деревни Толбицы. В этом храме служил всеми уважаемый пожилой священник отец Борис. Расчет архиерея был прост — на отца Бориса жаргон дьякона уж точно не повлияет. Этот

Старчишка

Отец Никита

образованный, интеллигентный батюшка отсидел в лагерях, кажется, лет двадцать. При этом никто никогда не слышал от него таких слов, какими потчевал своих слушателей Старчишка дьякон Виктор.

Случай на дороге

Как-то поздним зимним вечером мы сидели в маленькой занесенной снегом избушке на приходе в Боровике у отца Никиты и попивали чаек. За окошком трещал тридцатиградусный мороз. Было около одиннадцати часов, но спать совсем не хотелось.

— А не съездить ли нам в Толбицы к Старчишке Виктору? — предложил отец Рафаил.

Конечно, я с радостью принял предложение навестить нашего Старчишку Виктора — самого веселого человека на свете! Отец Никита ехать с нами отказался — он хотел до завтрашнего дня переписать на магнитофон все песни инока Александра, которые я собирался отвезти в Москву. Сам Александр помогал ему и тоже с нами не поехал. Бесноватый Илья Данилович читал Псалтирь и на наше предложение вовсе не отреагировал.

Отец Рафаил пошел разогревать двигатель и включать печку, которая в «Запорожце» работает отдельно от мотора. Когда все было готово, мы — в одних подрясниках, потому что отец Рафаил устроил в машине настоящую баню, — уселись в черный «Запорожец» и помчались к Старчишке. Путь предстоял километров в шестьдесят.

Была очень морозная звездная ночь. Мы мчались, освещая снег фарами, то и дело скользя на поворотах, — резина у «Запорожца» истерлась еще летом. Несмотря на поздний час, Старчишка встретил нас со всем своим обычным радушием. Мы уселись пить чай с белым хлебом и вареньем и за разговорами просидели часов до двух. Службы назавтра ни у кого не предвиделось, так что мы не боялись проснуться позже обычного.

Наконец мы засобирались обратно. Выйдя на улицу, я сразу окоченел в своем подряснике — мороз не на шутку усилился. Решив не ждать, пока прогреется кабина, мы распрощались со Старчишкой и полетели обратно в Боровик.

Но печка почему-то не включалась. Стужа пронизывала нас насквозь. Отец Рафаил пару раз останавливался и пытался что-то сделать с проклятой печкой, но безуспешно. Он и раньше гонял как сумасшедший, а теперь от холода гнал машину как только мог.

Мы неслись по пустынной дороге в ледяной черной железке, дрожа от стужи и стуча зубами.

Внезапно «Запорожец» резко понесло в сторону. Окоченевший отец Рафаил не смог справиться с управлением, и мы вылетели в кювет, подняв тучу снежной пыли.

Машина не перевернулась, но ее со всех сторон плотно зажало снегом. Мы с трудом открыли дверцы и вылезли наружу. «Запорожец» до самых стекол увяз в снегу в двух метрах от дороги. Мы сразу поняли, что вытащить его нам самим не удастся.

Положение становилось отчаянным. В одних подрясниках, в тридцатипятиградусный мороз, в третьем часу ночи мы торчали на безлюдной трассе. До ближайшей деревни — километров пятнадцать. Первые машины пойдут в лучшем случае не раньше шести утра.

Осознав все это, я испугался. По-настоящему.

— Батюшка! — проговорил я, всем телом дрожа от страха и лютого мороза. — Как же так? Ведь мы здесь погибнем! Может, как-то можно помолиться?.. Но что просить? Господи, достань нам из снега машину? Но это как-то даже...

Отец Рафаил вдруг так строго посмотрел на меня, что я на секунду забыл о холоде.

— Как вам не стыдно, Георгий Александрович! — возмущенно произнес он (отец Рафаил всегда называл меня Георгием Александровичем). — Как же вы можете усомниться в том, что Господь поможет нам в такую минуту? Сейчас же молитесь!

Это было сказано настолько требовательно и даже гневно, да он еще и ногою притопнул, что я послушно перекрестился и пролепетал:

— Господи, помоги нам!.. Сделай что-нибудь! А то мы здесь замерзнем и погибнем!..

Отец Рафаил тоже перекрестился и углубился в молитву.

И вдруг... Сначала издалека, а потом все ближе явственно послышалось дивное пение какого-то мотора. От неожиданности и изумления я просто остолбенел. Повторюсь: ни по дороге к отцу Виктору, ни на обратном пути нам не встретилось ни единого автомобиля. Мы с отцом Рафаилом переглянулись, и я понял, что он потрясен не меньше моего.

Звук мотора нарастал, и наконец из-за поворота вынырнул «Москвич». Мы как сумасшедшие замахали руками, и машина остановилась.

Господь Бог послал нам для спасения четырех ангелов — в виде четырех пьяных офицеров, которые возвращались с какой-то гулянки. Вшестером мы обступили «Запорожец» и с трудом, но вытащили его на дорогу. Отец Рафаил отлил офицерам бензина из нашей канистры — оказалось, что бак у них почти пуст. От души поблагодарив военных (а они нас), мы уже со всей осторожностью помчались к Боровику.

По пути, пораженные случившимся, мы долго молчали. Наконец отец Рафаил сказал:

— Вот видите, Георгий Александрович, как быстро Господь слышит молитвы мирян!

Это он имел в виду, что Господь спас нас именно по моим молитвам. Вот уж действительно этот монах всегда и во всем старался не упустить возможности смирить себя. Такой уж он был человек.

А может, просто слишком глубоко прочувствовал, что смирение — единственно надежная опора духовной жизни.

Я после этой поездки здорово простыл и три дня отлеживался на печке у отца Никиты. А отцу Рафаилу — хоть бы что, даже не чихнул ни разу.

Иеромонах Досифей

Скит отца Досифея

О смирении

Отец Рафаил никогда не упускал возможности смириться перед любым, даже первым попавшимся человеком. Но происходило это всегда легко, как бы само собой, и уж точно никогда не выглядело нарочито. Он везде, если можно сказать, жадно искал поводы к смирению. Происходило это оттого, что отец Рафаил своей чуткой душой разгадал поразительную тайну: от смирения даже простой грешный человек становится ближе к Богу. Причем сразу, немедленно. Так что отец Рафаил даже в мелочах старался найти хоть какой-нибудь предлог, чтобы смирить себя.

Например, когда мы садились за стол, отец Рафаил сразу брал самое плохонькое, подгнившее яблочко, а лучшие оставлял нам. Или — приеду я в гости к нему на приход, и он немедленно уступает мне свою кровать. А сам, не слушая моих протестов, располагается на полу. Делал он это не потому, что я, к примеру, столичный гость. Точно такой же прием в его приходской избушке ожидал и деда-странника, и какого-нибудь пономаря из соседнего прихода.

Как-то мы с отцом Рафаилом приехали на поезде во Псков. С северного неба накрапывал промозглый дождик. Не успели мы выйти на перрон, к нам сразу же пристал какой-то цыган:

— Поп, поп, помоги! Дай хоть три рубля!

Считалось, что у священника всегда есть деньги. Но у нас, как обычно, не было ни копейки. Так я и объяснил цыгану. Но тот не унимался:

— Как нет? Хоть что-то есть? Поп, поп, дай хоть что-нибудь!

Отец Рафаил остановился и внимательно оглядел попрошайку. На ногах у него красовались драные разбитые башмаки. Отец Рафаил вздохнул и, не говоря ни слова, стал стягивать с себя замечательные хромовые сапоги. Месяц назад их подарил ему один военный. Отец Рафаил ими очень дорожил.

— Батя, ты что? Заболел? — испугался цыган.

Но отец Рафаил уже снял легонькие сапожки, поставил их перед оторопевшим цыганом, аккуратно положил сверху фланелевые портянки и как ни в чем не бывало босиком зашлепал по лужам.

— Человек! Человек! Какой человек! — на весь вокзал завопил потрясенный цыган.

Смирение отца Рафаила простиралось, впрочем, до определенных пределов. И граница эта была совершенно отчетлива: он мог стерпеть что угодно по отношению к себе самому, но не выносил, когда оскорбления касались Господа Бога и Его Церкви.

Как-то мы — отец Рафаил, дьякон Виктор, еще один наш друг, подслеповатый монах Серафим, инок Александр и я — шли поздним вечером по Пскову. Наши монашеские одежды привлекли внимание пьяной компании. Сначала нас принялись осыпать насмешками, потом перешли к оскорблениям и угрозам. Отец Рафаил физически был необычайно сильным. Такой немного неуклюжий молодой медведь. Отец Виктор тоже был не слабак, да и после тюрьмы он хорошо понимал, как ответить в подобной ситуации. Серафим — просто гигант, несмотря на свою подслеповатость. Наконец, инок Александр, самый выдающийся из нас в бойцовском смысле, имел высокий разряд по карате. Я со своим чахлым третьим юношеским по боксу в этой компании в расчет не принимался.

Но мы, не отвечая хулиганам, продолжали себе спокойно идти. Даже когда в нас полетели комья земли, камни и какие-то палки, старались не обращать на это внимания. Каждое успешное попадание отмечалось смехом за нашей спиной и самой пошлой бранью. Инока Александра так и трясло от негодования. В конце концов он не выдержал и срывающимся голосом кротко попросил отца Рафаила благословить ему задержаться и побеседовать с заблудшими молодыми людьми.

Но отец Рафаил лишь беззаботно шагал как ни в чем не бывало.

Наконец безобразники совсем остервенели. Видя, что ни оскорбления, ни комья грязи на нас не действуют, они стали поносить Господа Бога и Божию Матерь.

Отец Рафаил остановился.

— Мне нельзя, — вздохнул он, — я священник. Отец Виктор — дьякон, ему тоже нельзя. Отец Серафим и Георгий Александрович — в резерве. Ну, что же делать, остаешься только ты, отец Александр!

Второй раз инока Александра просить не требовалось. Он рванул с себя монашеский пояс, скинул

Инок Александр с посохом

подрясник и, оказавшись в длинной рубахе, шароварах и кирзовых сапогах, развернулся к хулиганам. Те — их было несколько человек — с удивлением приостановились. В следующее мгновение инок Александр издал дикий, варварский визг, взвился в воздух и врезался ногами в пьяную компанию. Далее совершилось жестокое побоище. Несчастные хулиганы только расползались в разные стороны, утирая кровь и выплевывая выбитые зубы. Мы кинулись оттаскивать Александра, но и нам досталось сгоряча. Не без труда успокоив нашего героя, как бультерьера после схватки, и убедившись, что «скорую» для безобразников вызывать не обязательно, мы снова облачили инока Александра в подрясник и продолжили свой путь.

Эта история, конечно, не лучший пример смирения, но в монашеской жизни отца Рафаила живых образцов истинного смирения было предостаточно. Взять хотя бы архимандрита Иоанна (Крестьянкина), который стал духовником отца Рафаила после смерти отца Афиногена. Были и другие, как, например, не известный почти никому подвижник, воспитатель отца Никиты иеромонах Досифей (Пашков).

Он тоже был псково-печерским выучеником. Отец Досифей, как и многие его возраста монахи Псково-Печерского монастыря, прошел всю войну. Освободившие свою страну, завоевавшие пол-Европы, эти совсем еще молодые воины, расплативишись по всем земным долгам, пришли служить Богу Всемогущему. Они ясно понимали, зачем оказались в монастыре и для чего подвизаются здесь насмерть в духовной брани за себя и за тех живых и мертвых своих сверстников, которым не дано было быть призванными на эту самую главную, невидимую миру войну.

Отец Досифей был по-настоящему великим монахом, почти незаметным в монастыре. Это, к слову, верный признак истинного высокого подвижника. На приходе он оказался по послушанию архиерею. Тот однажды направил иеромонаха Досифея на время послужить в дальнее село Боровик в Покровский храм, потом еще раз, и еще, и в конце концов оставил его приходским священником в этом селе.

Когда отец Досифей ушел в затвор и поселился в двух километрах по реке, в заброшенном доме на островке среди болот, он по воскресеньям в выдолбленном из елового ствола челноке приплывал в храм причащаться Святых Христовых Таин. (В этой лодке никто, кроме старца, не мог проплыть и десяти метров, сразу переворачивался.) Остальные дни отец Досифей проводил в полном уединении.

В свой дом, в непроходимой глуши, отец Досифей приволок ствол дуба с огромным дуплом. В это дупло старец забирался, чтобы часами творить Иисусову молитву, совершенно отрешившись даже от своей малой скитской обыденности.

Дуб с дуплом в доме отца Досифея

Но, полностью уйдя от мира, загадочный пустынник всеми силами своей любящей души об этом мире заботился — и пламенной молитвой, и трудами, которые открылись уже после его смерти. Разбирая вещи отца Досифея, мы с отцом Никитой нашли пишущую машинку и собственноручно перепечатанные старцем под копирку по четыре экземпляра — Новый Завет, книги древних подвижников «Лествицу» и «Творения Исаака Сирина» и пять томов сочинений епископа Игнатия (Брянчанинова). В те годы, когда почти вся духовная литература была уничтожена, это было настоящим сокровищем.

По своей прозорливости отец Досифей еще задолго до ухода десяти монахов из Псково-Печерского монастыря намеками стал говорить об этом событии. Он не одобрял поступок иноков, но жалел их, сетовал, предвидя, как они будут нуждаться, и даже стал заготавливать для них продукты — крупы, консервы и прочие запасы. Пенсия у отца Досифея, как ветерана войны, была немаленькая. Когда уже после его смерти и вправду случилось, что десять монахов ушли из обители, эти продукты помогли некоторым из них.

Местные деревенские пьянчуги прознали и разнесли по округе, что поп получает большую пенсию. Как-то три здоровых парня, известные громилы и воры из райцентра, приплыли к нему на лодке — грабить. Они ввалились в келью старца и с угрозами потребовали денег и вообще — все что есть.

Отец Досифей спокойно сказал им:

— Берите что хотите. Только вначале я вас благословлю.

И осенил их иерейским благословением.

В ту же секунду на громил напал такой ужас, что они выскочили за дверь и в панике бросились прочь.

Старец был высокий, сухопарый и даже в преклонном возрасте обладал недюжинной силой. Долгое время он полностью управлялся в своем скиту сам. Но в последние годы ему помогали отец Никита и отец Рафаил. Как-то они втроем заготавливали на зиму дрова. Два молодых монаха подносили бревна, а отец Досифей резал их старой бензопилой. Когда молодые люди изрядно устали, старец тоже согласился отдохнуть. Отец Рафаил решил подержать в руках допотопную бензопилу и, ощутив ее весьма внушительную тяжесть, был поражен тем, как отец Досифей работает столь долго не прерываясь. В тот же день, как рассказывал отец Рафаил, они вместе со старцем зашли в сарай за какими-то инструментами, и вдруг молодой монах увидел возле своей босой ступни болотную гадюку. Он замер, но тут услышал ровный голос старца:

— Не бойся, она тебя не тронет. Бери стамески и пойдем.

Я как-то спросил отца Никиту: его старец-аскет, наверное, был очень суров нравом? На это отец Никита отвечал, что может рассказать один случай. Он, тогда шестнадцатилетний мальчишка, был почему-то вдруг донельзя рассержен на отца Досифея и даже закричал на него. Старец бросился ему в ноги и со слезами стал просить прощения за то, что допустил воспитанника до такого гнева.

Отошел ко Господу отец Досифей в Страстной Четверг. В это утро он приплыл на своем челноке по холодным весенним водам в храм, причастился на литургии и снова уплыл в скит. А на следующий день его тело нашли в реке. Рядом плавала перевернутая лодка-бревно. Когда в морге производили вскрытие, врачи удивились, что не обнаружили в кишечнике покойного никаких остатков пищи. Отец Никита объяснил им, что старец весь Великий пост не вкушал ничего, кроме Святого Причастия и воды. В милицейском протоколе о смерти так и записали — «утонул в реке вследствие полного физического истощения».

Хоронили отца Досифея на пасхальной неделе в монастыре, в пещерах. Когда ко гробу подошел отец Иоанн, он, лишь взглянув на покойного, всплеснул руками и воскликнул:

— Убили тебя, Досифеюшка!

И действительно, вскоре по округе разнеслось, что пьяные охотники из райцентра похвалялись, как, проезжая по реке на моторной лодке, ради забавы опрокинули в воду старого попа, плывшего на бревне.

Отец Досифей всей своей жизнью стремился к цели, открытой в нашем мире очень немногим избранникам Божиим, — к своей Голгофе. Для нас, обычных людей, это непостижимо. Позже среди бумаг старца мы нашли стихотворение, написанное им для самого себя:

Стой на Голгофе умом,
Помышляй всегда о том
Искуплении святом,
Понесенном за тебя Христом.

Многое было непостижимо в его жизни. Но в одном мы не сомневались — Бог даровал ему в последнюю минуту совершить голгофскую молитву Своего Сына Иисуса Христа о распинателях и о всем человеческом роде: «Господи, прости им, ибо не ведают, что творят».

Архимандрит Иоанн (Крестьянкин) называл отца Досифея последним великим русским пустынником.

Как отец Рафаил пил чай

Л юди относились к отцу Рафаилу по-разному. Встречались те, кто его просто терпеть не мог. Другие — а таких было гораздо больше — утверждали, что отец Рафаил изменил всю их жизнь. К примеру, один из трех молодых монахов, убитых на Пасху 1993 года в Оптиной пустыни, иеромонах Василий (Росляков), говорил: «Я отцу Рафаилу обязан монашеством, я ему обязан священством, да я ему всем обязан!»

В чем же был секрет такого необыкновенного воздействия отца Рафаила на души людей? Чем он занимался помимо обычной для деревенского священника церковной службы по праздникам и воскресным дням? Ответить на этот вопрос нетрудно. Те, кто были с ним знакомы, скажут, что отец Рафаил в основном занимался лишь тем, что пил чай. Со всеми, кто к нему приезжал. И всё. Хотя нет! Иногда он еще ремонтировал свой черный «Запорожец», чтобы было на чем поехать к кому-нибудь в гости — попить чайку. Вот теперь действительно всё!

С точки зрения внешнего мира, это был самый настоящий бездельник. Некоторые его так и называли. Но, по-видимому, у отца Рафаила была какая-то особая договоренность с Господом Богом. Поскольку все, с кем он пил чай, становились православными христианами. Все без исключения! От ярого безбожника или успевшего полностью разочароваться в церковной жизни интеллигента до отпетого уголовника. Не знаю ни одного человека, кто, познакомившись с отцом Рафаилом, после этого самым решительным образом не возродился бы к духовной жизни.

При этом, правду сказать, отец Рафаил даже проповеди не умел как следует составить. В лучшем случае: «Э-ээ... М-эээ... Братья, сестры, того... С праздником, православные!»

Однажды мы, правда, застыдили его и убедили произнести проповедь в день престольного торжества. Он с энтузиазмом взялся за дело, но в результате получилось такое позорище, что все чуть не умерли от стыда, хотя сам отец Рафаил был весьма собой доволен.

Но, попивая чаек за покрытым клеенкой деревенским столом, он совершенно преображался, когда к нему из мира приезжали измученные и усталые люди. Выдержать такой бесконечный наплыв посетителей, зачастую капризных, на всё и вся разобиженных, настырных, с кучей неразрешенных проблем, с бесконечными вопросами, обычному человеку было бы просто невозможно. Но отец Рафаил терпел все и всех. Даже не терпел — это неточное слово. Он никогда никем не тяготился. И прекрасно проводил время за чаем с любым человеком, вспоминая что-нибудь интересное из жизни Псково-Печерского монастыря, рассказывая о древних подвижниках, о печерских старцах. Потому от сидения с ним за чаем невозможно было оторваться. Хотя, скажем честно, одними только разговорами людей, безнадежно заблудившихся в нашем холодном мире и, что еще страшнее, в самих себе, не изменишь. Для этого нужно открыть им иную жизнь, иной мир, в котором безраздельно торжествуют не бессмысленность, страдания и жестокая несправедливость, а всесильные и бесконечные — вера, надежда и любовь. Но и не только открыть, издалека показав и поманив, а ввести человека в этот мир, взять его за руку и поставить перед Самим Господом Богом. И лишь тогда человек вдруг сам узнает Того, Кого он давным-давно, оказывается, знал и любил — единственного своего Создателя, Спасителя и Отца. Только тогда жизнь меняется по-настоящему.

Но весь вопрос в том, как попасть в этот удивительный мир? Это невозможно никакими обычными человеческими способами. Никакой земной властью. Ни по какому блату. Ни за какие деньги. В этот мир нельзя и краешком глаза заглянуть, даже при помощи всех разведок и спецслужб. А еще выясняется, что в него нельзя величественно прошествовать, скажем, просто закончив духовную академию и даже получив священнический и епископский сан.

Но зато туда спокойно можно было доехать с отцом Рафаилом на его черном «Запорожце»! Или этот мир вдруг открывался тем, кто сидел в приходском домике в Лосицах и попивал с отцом Рафаилом чаек. Почему так происходило? Просто отец Рафаил был гениальным провожатым по этому миру. Бог был для него Тем, для Кого он жил и с Кем он сам жил каждый миг. И к Кому приводил всякого, кто посылался в его убогую прихрамовую избушку.

Вот что неудержимо притягивало людей к отцу Рафаилу! А их собиралось у него, особенно в последние годы, немало. И отец Иоанн направлял к нему молодежь, и некоторые московские духовники. Отец Рафаил принимал всех, и никто в его доме не был лишним.

Многим он просто выворачивал наизнанку все их привычное мировоззрение. Он умел, хотя и в свойственной ему почти легкомысленной манере (это для того, чтобы самого отца Рафаила не воспринимали слишком всерьез), давать такие точные, неожиданные ответы на вопросы собеседников, что порой дух захватывало — какая вдруг открывалась правда жизни! Проявляться это могло в совершеннейших мелочах.

Однажды мы подсадили в «Запорожец» какого-то попутчика, довезти до Пскова. Вместо того чтобы поблагодарить отца Рафаила, этот сердитый чудак принялся на чем свет стоит ругать священников:

— Вы, попы, все жулики! На что живете? Бабок обманываете!

Отец Рафаил, как обычно, добродушно отнесся к его брани, но тут же предложил:

— А ты попробуй — обмани бабку. Бабка старая, всю жизнь прожила, ну-ка обмани ее! Это ты наслушался на партсобраниях, и тебя, как пластинку на патефоне, заело.

Пассажира эта мысль просто сразила.

— Да-а!.. Мою бабулю поди обмани... Или, скажем, тещу!..

Потом он всю дорогу не отставал от отца Рафаила, расспрашивая обо всем на свете, но по большей части о церковных непонятностях, о покрытых для него мраком праздниках и дедовских обычаях.

На прощанье отец Рафаил пригласил его приехать на приход попить чайку.

Или как-то отец Рафаил шел мимо кладбища и услышал, как за оградой какая-то женщина кричит, воет, убивается над могилой. Спутникам отца Рафаила стало не по себе от передавшегося им ужаса и безысходности.

— Как страшно плачет эта раба Божия... — сказал кто-то.

Но отец Рафаил ответил:

— Нет, это не раба Божия! Это плачет неправославный человек. Христианин с отчаянием горевать не может.

Он мог беззлобно, но и без промаха сказать священнику:

— Ну и морда у тебя сегодня! Ты что, телявизером вчера обсмотрелся?

Или ответить девушке, которая спрашивала, к какому священнику лучше подойти на исповедь:

— Выбирай самого толстого! Он будет осознавать свое недостоинство и лучше исповедовать.

Однажды накануне праздника Святой Троицы мы с отцом Рафаилом и с Ильей Даниловичем с утра пошли в рощу за молодыми березками, чтобы, как и положено к этому празднику, украсить ими храм. Но когда мы принялись рубить деревца, мне вдруг стало за них грустно — росли, росли, и вдруг мы их рубим, чтобы они каких-то два дня постояли в церкви. Мое нытье возмутило отца Рафаила.

— Ничего вы не понимаете, Георгий Александрович! Березка будет просто счастлива, что украсит собою храм Божий.

Но отец Рафаил мог запросто отвечать не только за какие-то там деревья, но и за всю Вселенную.

Помню, весенней ночью мы с ним и отцом Никитой шли по чу́дной лесной дороге в окрестностях Боровика. Звездное небо в тот поздний час было настолько великолепно, что мы невольно залюбовались.

«Неужели прекрасная, необозримая Вселенная, беспредельное число миров созданы Богом только для нас, людей, живущих на крохотной планете, несравнимой с бесконечностью Вселенной?» — подумалось мне. Я поделился этими лирическими размышлениями со своими спутниками, и отец Рафаил тут же, дерзновенно и без колебаний, разрешил мои сомнения.

— Разумной жизни, кроме Земли, больше нигде нет, — сказал он. И объяснил: — Потому что, если бы она была где-то еще, Господь обязательно открыл бы это Моисею, когда тот писал книгу Бытия. А Моисей хотя бы намеком, но подсказал бы нам это. Так что даже не сомневайтесь, Георгий

Александрович, Вселенная была создана Богом только для человека!

—Но зачем же тогда все бесконечные мириады звезд над нами?!

—Это для того, чтобы мы, взирая на них, постигали всемогущество Божие.

Но и это было еще не все! Отец Рафаил иногда отвечал не то что за Вселенную, но и за Самого Господа Бога!

Однажды зашел разговор, есть ли в мире те, кого не любит Господь. Все дружно поспешили дать хрестоматийно правильный ответ: «Господь любит всех». Но отец Рафаил вдруг сказал:

—А вот и не так! Господь не любит боязливых!

Отношения с людьми у него были самые простые.

Однажды соседка принесла отцу Рафаилу банку огурцов.

—Вот возьми хоть ты, батюшка! А то огурцы все равно пропали, — вздохнула она.

—Ладно, давай! — великодушно согласился отец Рафаил. — Если тебе так жаль их выкинуть, я сам их на помойку снесу.

Одна московская гостья приезжала к отцу Рафаилу, но никак не хотела носить платок. Отец Рафаил строго сказал ей:

—Вы опять без платка? Я вам к голове половик гвоздиком прибью!

Девушка так испугалась, что платок больше не снимала. Говорят, даже спала в нем.

Мы поражались тому, как отец Рафаил относится к тем, кто его оскорблял или ненавидел. А таких в его жизни хватало. В том числе и среди собратий-священников. Отец Рафаил никогда не позволял себе в их адрес не то что неприязненных слов, но даже осуждающего тона. Вообще он никогда никого не осуждал. Разве что иногда бурчал на советскую власть. С ней у отца Рафаила были особые отношения.

Советская власть в те годы, с одной стороны, конечно, все время маячила где-то рядом и порой здорово мешала нам жить. Но, с другой стороны, ее для нас как бы и не существовало. Мы просто жили, не обращая на нее внимания. И в этом смысле не до конца понимали, скажем, тогдашних верующих диссидентов, которые своей главной целью положили борьбу с этой самой властью. Для нас было совершенно ясно, что советская власть сама скоро изживет себя и торжественно рухнет. Хотя, конечно, пока она могла серьезно подпортить жизнь: например, засадить в тюрьму или психбольницу, устроить травлю или просто убить. Но мы верили, что без Промысла Божиего ничего такого все равно не случится. Как говорил древний монах-подвижник авва Форст: «Если Богу угодно, чтобы я жил, то Он знает, как это устроить. А если Ему не угодно, то для чего мне и жить?»

Отец Рафаил время от времени с удовольствием дразнил псковские областные и районные власти. Особенно когда ему приходилось быть настоятелем какого-нибудь деревенского храма и одновременно единственным в нем священником. По должности он должен был каждый год писать отчеты о количестве крещений и венчаний. В этих отчетах отец Рафаил приводил такие огромные четырехзначные цифры венчанных им пар и крещенных младенцев, что в местном Совете по делам религий возникала настоящая паника. В конце концов, разобравшись с его дурачествами, Псковский Совет сполна отвечал самой искренней ненавистью и жестокой травлей и за эту рафаиловскую математику, и за черный с белыми занавесками реактивный «Запорожец», и за сотни людей, приезжавших к нему на приход. Но отец Рафаил не унывал даже когда по нескольку раз в год ему, по настоянию чиновников Совета по делам религий, приходилось переезжать с одного места на другое.

Мы очень сетовали, что в России так мало духовной литературы. Издавать церковные книги, помимо мизерных дозволенных властями тиражей, было не просто запрещено, но и уголовно наказуемо. Однажды мы расфантазировались, что хорошо бы поставить в скиту отца Досифея типографию и печатать в ней духовную литературу. Мы так увлеклись своими мечтами, что стали горячо обсуждать будущее издательство с многочисленными знакомыми.

Как-то накануне 7 ноября отец Рафаил заехал в Москву за запчастями для машины и на денек остановился у меня дома. Мы решили вместе отправиться к нему на приход, благо с выходными и ноябрьскими праздниками у меня набиралась почти неделя отдыха.

Вечером отец Рафаил сидел в моей комнате и, коротая время до поезда, болтал по телефону со знакомыми. Но в трубке все время что-то трещало и хрюкало. Решив, что причиной тому — прослушка КГБ, отец Рафаил начал костерить советскую власть. Мол, не может она даже поставить качественные подслушивающие устройства. Я встревожился и намекнул батюшке, что телефон действительно может прослушиваться. Но отца Рафаила это только раззадорило.

—Вот и Георгий Александрович уже перетрусил до полусмерти! — громко возмущался он в трубку. — Ничего, комсомольцы, большевички! Скоро рухнет советская власть, что вы тогда станете делать? А мы пока начнем готовиться, книжки издавать, подпольную типографию в скиту запустим! Еще и вас, большевички-комсомольцы, крестить и венчать будем!

И дальше в том же духе. Я понервничал-понервничал, а потом махнул рукой и даже перестал его слушать.

Как всегда, мы примчались на вокзал в последнюю минуту. Высшим пилотажем у отца Рафаила считалось, когда мы ставили ногу на подножку хвостового вагона уже отходящего поезда. А до этого он просто всех изводил.

—Батюшка, час остался до отхода поезда! — предупреждали мы.

—Как, еще целый час? Ставим чифирьбак!

Имелся в виду чайник. «Чифирьбак» — это лагерное выражение, занесенное к нам отцом Виктором. Ставился чайник, и под нервические вздохи спутников, имевших неосторожность собраться с отцом Рафаилом в дорогу, мы садились пить чай.

—Батюшка! Всего полчаса до отхода! А нам ехать двадцать пять минут! — в отчаянии канючили отъезжающие.

—Ну, еще пару чашечек, — не сдавался отец Рафаил.

Если с кем-то не случалось истерики, все, как правило, обходилось благополучно. Отец Рафаил в одну лишь ему известную минуту наконец с удивлением спрашивал:

—Ну что же мы сидим? Так ведь и опоздать можно!

Тут все, безмерно благодарные ему за шанс уехать, срывались с места и мчались на вокзал. И хотя пару раз нам приходилось провожать взглядом уходящий поезд, все равно это развлечение повторялось каждый раз.

В тот вечер, после телефонной болтовни о скитах и издательствах, мы благополучно успели на поезд. Приехали во Псков и сразу направились в гости к отцу Никите. Мы привезли ему книги, продукты и, собравшись вместе, стали вслух читать новую книгу, которую только что раздобыли в Москве, — «Старец Силуан».

Погода в те ноябрьские дни стояла ясная — легкий морозец, солнце сияло вовсю. Утром мы прочли молитвенное правило и снова уселись слушать книгу. Но наше мирное чтение неожиданно было нарушено: с улицы послышался звук сразу нескольких подъехавших машин. Это было удивительно для такого медвежьего угла, как Боровик. Мы выглянули в окно и поняли, что приехали к нам. Из двух «Волг» и газика вышли милиционеры и штатские в плащах и шляпах.

Я, честно говоря, здорово перепугался. Отец Никита тоже. Зато отец Рафаил, Илья Данилович и отец Виктор даже ухом не повели. Только

Отец Никита своего храма

Старчишка как-то нехорошо усмехнулся, безошибочно определив, кто к нам пожаловал.

— Всем оставаться на местах! Приготовить документы!

С таким воплем местный участковый, толстобрюхий милиционер, которого мы все прекрасно знали, первым ворвался в дом. Остальные гости, а их ввалилось в комнату человек шесть, угрожающе уставились на нас. Только что пистолеты не достали.

— Проверка документов! Всем приготовить документы! — неистово орал наш прежде добродушный участковый, так что какой-то товарищ в штатском даже стал его успокаивать.

Собственно, документы проверили только у меня. Несколько пришедших одновременно стали задавать мне вопросы: кто я такой, по какому адресу прописан, где работаю и почему нахожусь здесь, не зарегистрировавшись, как положено, в местных органах. Впервые попав в такую историю, я не знал, что и отвечать. Но еще больше я испугался, что друзья заметят мою трусость.

Неожиданно меня выручил тот же участковый. Он снова заорал, но теперь уже выдал кое-что похлеще.

— Где подпольная типография?! Признавайтесь! Отвечать! Мы всё знаем! Скрывать бесполезно!

Он ревел, как пожарная сирена, а его физиономия на наших глазах становилась багрово-красной.

Вначале мы лишь изумленно смотрели на него и ничего не могли понять. Какая типография? Что мы скрываем? Но потом до меня и до отца Рафаила стало доходить, что причина всего — наша болтовня среди знакомых, а может быть, и по телефону о той самой пресловутой типографии.

Громогласный милиционер не замедлил подтвердить эти догадки.

— Мы всё знаем!.. У вас типография. В подпольном ски́те. Всем не двигаться! На выход!.. Я сказал, на выход! С вещами! Показывать дорогу! Ты здесь хозяин! — он ткнул в грудь отца Никиту. — Вперед! Показываешь дорогу!

— Никуда он не пойдет, — прервал эти вопли отец Рафаил. — И никто из нас не пойдет.

— Что-о?! — снова взревел страж порядка.

— И нашу типографию мы вам тоже показывать не будем! — добавил отец Рафаил.

Он словно между прочим сказал о типографии как о реально существующей. Я сразу понял, что это не просто так.

Еще минут двадцать незваные гости то требовали, то уговаривали нас во всем признаться, отвести их в скит и показать наборные станки. Но мы, косясь на отца Рафаила, упрямо молчали.

Наконец вся незваная компания удалилась во двор посовещаться. А вернувшись, они объявили, что найдут типографию и без нас. Только потребовали объяснить, как до этого скита побыстрее добраться. Неожиданно отец Рафаил сам стал объяснять им дорогу. Он безжалостно направлял сыщиков по самому далекому и тяжелому пути — километров пятнадцать по топям и по лесу.

Было начало ноября. Болота в окрестностях покрылись тонким ледком. Воодушевленные гости вышли вон и направились в свой скорбный путь.

Все же я спросил отца Рафаила:

— А вдруг они потонут в болотах?

— Потонуть они не потонут, — отвечал тот. — Зато будут друг друга героически спасать.

Было часов восемь утра. Мы напились чаю, накололи дров бабке, прихожанке отца Никиты. Прибрали в храме. Затянул долгий моросящий дождь. Но мы загодя успели погулять, а под дождичек пообедали, неспеша размышляя, как там наши шерлоки холмсы разыскивают типографию. Только к семи часам вечера, когда уже опустились промозглые сумерки, а мы уютно сидели за самоваром, в доме вновь появились утренние посетители. Но что у них был за вид! Мокрые с головы до ног, промерзшие, измученные, они выглядели так жалко, что мы чуть не поперхнулись горячим чаем.

— Где же типография? — жалобно, безо всякой надежды спросил один из штатских.

— Какая типография? — прихлебывая чаек, поинтересовался отец Рафаил.

— Подпольная... — все больше осознавая глупость собственных слов, уточнил штатский.

— Ах, подпольная!.. Так вы ее в скиту не нашли?

— Понятно... — тоскливо сказал штатский. — Дайте хоть чаю согреться!

— В сельсовете попьете, — отвечал добрый отец Рафаил.

— Понятно... — повторил штатский и понуро вздохнул. На прощание он устало сказал отцу Рафаилу: — Смотри, как бы не пожалеть потом!

Штатский не обманул, исполнил угрозу. Через неделю отца Рафаила перевели на новый приход. А еще через два месяца — на другой. Но отцу Рафаилу к этому было не привыкать.

* * *

В нашей семье никогда не было машины, поэтому, рассекая с отцом Рафаилом на черном «Запорожце» псковские просторы, я думал, что его стиль вождения совершенно нормален. Лишь значительно позже я стал догадываться, что это не совсем так. Впрочем, водителем отец Рафаил был прекрасным: в Чистополе он не только занимался велосипедным спортом, но и участвовал в областных автораллли.

Отец Рафаил тормозил только останавливая машину. Во всех остальных случаях он устремлялся вперед. Тормозами же он старался не пользоваться, чтобы, по его словам, не изнашивались тормозные колодки. Или он мог на полном ходу вдруг заняться ремонтом руля, снять баранку и начать копаться в рулевой штанге. И только в последний момент нацепить рулевое колесо и сделать поворот. Я к такой езде привык, но другим пассажирам сразу становилось жутко до окоченения.

Как-то мы направлялись с отцом Рафаилом во Псков. Километрах в семидесяти от города нам попался батюшка, голосовавший у обочины. Это был наш знакомый, отец Георгий, питерский художник, ставший священником и уехавший на приход в Псковскую епархию. Я перебрался на заднее сиденье, а отец Георгий сел рядом с отцом Рафаилом. И мы помчались.

Отец Георгий сразу вцепился в свой портфель и напряженно уставился перед собой. А мы, поняв, что собеседник не склонен поддерживать разговор, болтали о наших проблемах. Через некоторое время отец Рафаил стал ворчать, что машину ведет в сторону, — снова какие-то неполадки с рулем. На прямом участке пути он, по своему обыкновению, не снижая скорости, снял рулевое колесо, засунул нос в рулевую колонку и принялся устранять неисправность, время от времени поглядывая на дорогу. При этом он, по привычке, клял советскую власть, что она не может сделать нормальную машину.

Мы приближались к повороту, и я предупредил об этом отца Рафаила. Он взглянул на дорогу, еще что-то подкорректировал в рулевом управлении и наконец начал надевать руль. Но тот никак не вставал на свое место...

— Батюшка, уже близко, — заметил я, имея в виду, что без руля мы повернуть не сможем.

Отец Рафаил заторопился, но скорости не снижал. В последний момент он все же успел надеть руль, резко повернул, и мы благополучно миновали опасный участок. Еще немного поругав нашу отечественную автопромышленность, мы перешли к какой-то другой, не менее захватывающей теме. И уже забыли о произошедшем, как вдруг с переднего сиденья раздался нечеловеческий вопль отца Георгия:

— Останови!!! Останови!!!

От этого страшного крика отец Рафаил настолько перепугался, что разом принес в жертву все свои принципы и нажал на тормоза.

—Что с вами, батюшка?! — в один голос испуганно воскликнули мы с отцом Рафаилом.

Вместо ответа отец Георгий выскочил из машины. Оказавшись на дороге, он просунул голову в дверь и прокричал:

—Никогда! Ты слышишь? Никогда я больше не сяду в твою машину!

Тут мы стали понимать, что все время от начала манипуляций с рулем отец Георгий просто находился в полуобморочном состоянии. Мы принялись просить у него прощения, обещали ехать дальше тихо и аккуратно, но отец Георгий решительно отказался возвращаться в черный «Запорожец». Он отошел подальше и стал голосовать проезжающим автомобилям, время от времени сверкая на нас глазами.

* * *

При всем, можно даже признать, хулиганстве отца Рафаила, все отмечали не только удивительную действенность его молитв, но и силу его священнического благословения. Однажды я с ним поссорился. Сейчас даже не припомню, по какому поводу, но надулся изрядно. Мы были на престольном празднике Успения в Печорах, но я так рассердился, что решил уехать в Москву, не дожидаясь службы Погребения Плащаницы Пресвятой Богородицы. Она совершается в монастыре на третий день после Успения. Перед отъездом я, всячески изображая равнодушие и независимость, все-таки подошел взять у отца Рафаила благословение в путь.

—Как же вы, Георгий Александрович, дерзаете уехать с похорон Божией Матери? — поразился он. — Ни за что вас не благословлю! Вот помолитесь сегодня вечером на погребении, а после этого и уезжайте.

— Ах так?! — возмутился я. — Ну как хотите! И вообще, главный праздник, Успение, уже прошел. А благословение я спокойно возьму у кого-нибудь из монастырских батюшек.

Сказав это, я развернулся и направился прочь. Но, на беду, мне так и не встретился ни один священник. Все готовились к долгой вечерней службе или были где-то на послушаниях. Времени до поезда оставалось немного, и, махнув рукой, я поспешил к автобусу. На автовокзале меня ждала еще одна неожиданность: билетов до Пскова не было. Но и это меня не остановило. Я упросил кассиршу, и она наконец отыскала мне билет на самый неудобный рейс: автобус хотя по расписанию и поспевал к моему поезду, но до Пскова делал длинный крюк через окрестные деревни. Я уселся в первом ряду у окошка, и вскоре передо мной замелькали мокрые от дождя деревянные дома и печальные северные пашни.

Настроение было скверное. Хуже не придумаешь. На сердце лежала тяжесть от ссоры с отцом Рафаилом, которого я все-таки очень любил. И еще, конечно, совесть обличала, что я взял да и уехал с Погребения Плащаницы. И благословения на дорогу так и не взял... «До чего я дожил!» — проносилось у меня в голове, пока мы тряслись в еле тащившемся допотопном автобусе. Совершив объездной путь по окрестным селам, мы выехали на псковскую дорогу и автобус побежал резвее.

Мы миновали поворот на Печоры, когда на шоссе прямо под моим окном наш автобус начал обгонять красный «Жигуленок». Я следил за ним рассеянным взглядом и видел, как «жигуленок» припустил, но после обгона вдруг резко вывернул вправо и оказался под колесами нашего «Икаруса». Раздался пронзительный скрежет металла, завизжали тормоза. Пассажиров бросило вперед. Все закричали... А громче всех закричал я, мгновенно потрясенный страшной догадкой:

— Это из-за меня-я!!!

Может, это глупо и смешно, но я, когда вспоминаю эту давнюю историю, до сих пор уверен, что случившееся произошло по моим грехам, из-за моего упрямства и непослушания. А тогда, в общей панике, на мой крик никто не обратил внимания.

Автобус еще несколько метров протащил машину перед собой по асфальту и остановился. Наш водитель открыл двери и бросился к раздавленному автомобилю. Автобус буквально навис над грудой измятой легковушки. За водителем выбежали пассажиры. От ужаса все замерли на месте перед искореженным «Жигуленком». Вдруг его дверь, скрипя, приоткрылась и оттуда выскочил огромный черный ньюфаундленд. Пес пронзительно заскулил и сразу дал стрекача по шоссе. Я в жизни не видел, чтобы у собаки, даже когда она очень испугана, был так поджат хвост — под самое горло. Вслед за ньюфаундлендом из машины показалась девочка лет двенадцати. Слава Богу, она была совершенно цела! Девчонка закричала вслед убегающей собаке: «Принц! Принц! Ко мне!» — и помчалась за псом.

Наш водитель помог выйти шоферу. Больше в машине никого не оказалось. У мужчины с виду тоже серьезных повреждений не было — его только трясло после аварии, а на лице алели свежие ссадины. «Жигуленок» бедняги был безнадежно изуродован.

Вышедшие из автобуса пассажиры, поняв, что все живы и здоровы, облегченно переговаривались. Но я вдруг еще больше разозлился на свою судьбу. Вместе с десятком моих спутников я принялся голосовать встречным автомобилям в надежде доехать до Пскова. Меня прямо-таки заклинило от упрямства: все равно будет по-моему! Я уеду в Москву во что бы то ни стало!

Так я голосовал и прыгал на шоссе минут пятнадцать, но никто из водителей не остановился, видя, что желающих добраться до Пскова у нашего автобуса скопилось слишком много. В конце концов я взглянул на часы и понял, что не успеваю на поезд ни при каких обстоятельствах.

А через несколько минут рядом с местом аварии остановился встречный автобус, шедший из Пскова, и водитель предложил желающим доехать до Печор. Ничего другого не оставалось, и скоро я был доставлен туда, откуда недавно так постыдно бежал.

В монастыре уже шла служба Погребения Плащаницы Божией Матери. По традиции, это происходило под открытым небом на площади у Михайловского собора. Я разыскал отца Рафаила. Увидев меня, он ничуть не удивился.

— А, Георгий Александрович, это вы!

— Простите, батюшка! — сказал я.

— После службы поедем в гости к Старчишке?

Я кивнул, встал рядом, и больше мы от молитвы не отвлекались.

Праздник Успения в Печорах

* * *

Как-то, когда я был уже на послушании в Издательском отделе, митрополит Питирим попросил меня отвезти в Псково-Печерский монастырь его родных — сестру, ее дочь и двух своих внучатых племянниц. Сестра митрополита Ольга Владимировна была замечательным архитектором, ее дочь тоже занималась архитектурой, а девочки оканчивали школу. Все они, конечно, были глубоко церковными людьми, но общались в основном с московскими священниками и архиереями и никогда ничего подобного Печорам не видели.

Полные впечатлений после монастыря и особенно от встреч с отцом Иоанном, они возвращались в Москву. В поезде я так много рассказывал им о наших приключениях с отцом Рафаилом и с отцом Никитой, что, когда мы приблизились к Порхову, где как раз тогда служил отец Рафаил, мои спутницы сказали, что с удовольствием повидали бы таких удивительных батюшек. Я отвечал, что от отца Рафаила и отца Никиты всего можно ожидать, и кто знает, может, мы и сейчас с ними встретимся. Дамы с недоверием отнеслись к моим словам, но я на всякий случай вышел в коридор — посмотреть: а вдруг мои друзья и вправду объявятся на вокзале?

И это «вдруг», конечно, произошло! Стоянка в Порхове была всего две минуты. Когда состав уже тронулся, на перрон вылетели отец Рафаил и отец Никита и помчались за уходящим поездом. Я закричал им, замахал руками, и они благополучно запрыгнули на подножку нашего вагона.

Оказалось, они собрались в Москву за запчастями к автомобилю и у них на двоих был только один билет в плацкарте. Зато у меня как раз оказался лишний билет.

Когда я торжествующе предстал перед моими спутницами вместе с двумя монахами, они не могли поверить, что перед ними те самые отец Рафаил и отец Никита. Дамы пригласили батюшек к столу, выложили все свои дорожные припасы и заказали чай.

Взявшись за подстаканник, отец Рафаил почувствовал себя в своей тарелке. Дамы забросали его вопросами. Между прочим спросили и о трудностях жизни на отдаленных приходах в псковских лесах.

— В деревне у отца Никиты медведи иногда заходят прямо на крыльцо храма! — поведал отец Рафаил, прихлебывая чай.

— Неужели прямо на крыльцо? — поразились дамы, с уважением посмотрев на застенчивого отца Никиту.

Тот, как всегда немного заика-ясь, честно ответил:

— Лет пять назад на крыльцо моего храма действительно забежал заяц. С тех пор в рассказах отца Рафаила он постепенно превращался сначала в лису, потом в волка, а вот сегодня стал медведем.

— Действительно, самые опасные звери — это медведь и кабан, — не обращая внимания, продолжал отец Рафаил. — Ведь

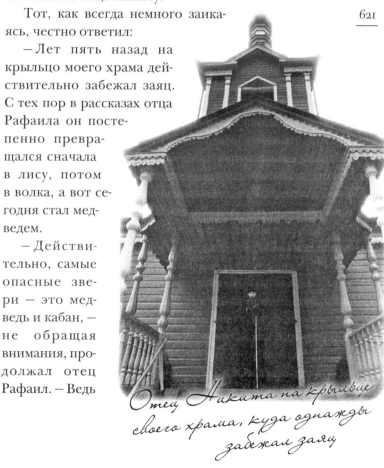

Отец Никита на крыльце своего храма, куда однажды забежал заяц

только кажется, что кабан — такая свинка, копается в земле да похрюкивает. А медведь — эдакий плюшевый мишка. На самом деле все обстоит совсем не так. Медведь — страшный, хитрый, беспощадный зверюга! Кидается на человека и мгновенно сдирает с него скальп. А потом всего ломает и иногда даже отрывает голову!

От столь живописной картины дамам стало не по себе. Отец Рафаил, по-видимому, заметил это и решил их ободрить.

— Но есть один способ защититься от медведя.

— Что же это за способ?! — воскликнула сестра митрополита Ольга Владимировна с такой надеждой в голосе, будто поезд вез ее сейчас не в Москву, а в леса, кишащие голодными медведями.

Отец Рафаил не заставил себя упрашивать и доверительно поведал:

— Как только вы встретите медведя, надо сразу остановиться и ждать. Если он не голоден, то просто поворчит-поворчит и отойдет.

— А если голоден?!

— Это хуже... Тогда вам придется бежать изо всех сил!

— Бежать?.. Но куда?

— Куда глаза глядят! Но надо, конечно, понимать, что медведь бросится за вами.

— И что же делать? — в отчаянии воскликнули дамы.

— Есть только один путь. Надо быстро выбрать дерево повыше и не раздумывая лезть на него!

Дамы во все глаза глядели на отца Рафаила и слушали, затаив дыхание. Было видно — они живо представляют, как карабкаются по стволу, спасаясь от голодного зверя.

Отец Рафаил не успокаивался.

— Но медведь сразу полезет за вами! — предупредил он.

— Что же тогда делать?!

— У вас останется единственный способ спастись. Надо успеть подняться повыше и, когда медведь будет уже совсем рядом с вами, стянуть с себя телогрейку и швырнуть ее прямо в медведя! Медведь не поймет, что это телогрейка, он подумает, что это вы сами! Вцепится в нее всеми четырьмя лапами и, конечно, отпустит ствол. И тут — сорвется вниз! Грохнется всей тушей о землю и сломает себе шейные позвонки! Тогда вы можете, уже не торопясь, спускаться на землю и торжественно ставить свой сапог на его толстое брюхо.

От столь счастливого исхода все радостно заулыбались.

Но отец Рафаил не дал слушательницам расслабиться.

— Еще опаснее встретить на своем пути дикого кабана! — неумолимо продолжал он, и улыбка сразу сошла с лиц его слушательниц. — Кабан — это такой страшный механизм из стальных мышц и лезвий-клыков. Если он накинется на человека, то обязательно сожрет его полностью, до последнего клочка одежды. Даже землю, на которую капнул человеческий жир, тоже сожрет! Был человек во Вселенной — и нет его... Но все же есть способ спастись и от кабана.

— Что же это за способ?! — взмолились московские путешественницы.

Отец Рафаил покровительственно оглядел нас всех и, как учитель в школе, задал вопрос:

— В лесу вы встретили дикого кабана. Что вам надо делать?

—Бежать от него изо всех сил! — дружно ответили дамы. И тут же со страхом прошептали: — Но кабан, наверное, побежит за нами?..

—Правильно! — похвалил отец Рафаил. — И что вы делаете потом?

—Видим подходящее дерево и залезаем на него?

—Точно!

—И кабан лезет за нами?

—Нет! — утешил своих спутниц отец Рафаил. — Кабаны по деревьям не лазают.

—Какое счастье! — от души обрадовались дамы.

Но они явно поторопились.

—Кабаны по деревьям не лазают, — наставительно повторил отец Рафаил. — Но и добычу свою никогда не бросят. Кабан достанет вас по-другому. Он начнет подкапывать корень дерева, на котором вы сидите. Он будет неистово рыть землю, не спать, не есть, не пить, пока дерево не рухнет.

—Что же делать?! — в полном отчаянии вскричали его собеседницы.

Но отец Рафаил их успокоил.

—Есть выход. Единственный. Нужно выбрать самую толстую ветку на вашем дереве и отползти по ней как можно дальше от ствола. Кабан — животное страшно сильное. Но и ужасно тупое. Он будет копать только прямо под своей добычей, то есть под вами. Он будет вгрызаться в землю день и ночь. Два дня, три! Может быть, четыре. Вам нужно лишь продержаться на своей ветке. А через четыре дня кабан выкопает громадный котлован и от изнеможения сдохнет в нем. Вот тогда-то вам останется только осторожно доползти назад до ствола и спуститься на землю.

Через много лет, встречаясь с этим дамами, мы вспоминали о той поездке и о нескольких часах,

проведенных ими с отцом Рафаилом, как о чем-то необычайно светлом и радостном. Хотя умные женщины прекрасно понимали, что деревенский батюшка над ними весело и беззлобно подшутил.

Потом я встретил отца Рафаила мельком в Москве. Он был как-то непривычно сосредоточен и далек. А потом его не стало.

Несвятые святые

—П оп на «Мерседесе» разбился! Поп на «Мерседесе» разбился! — кричали мальчишки, пробегая под окнами дома отца Рафаила.

Мы сидели в его комнате и знали, что это — правда.

Многому учит таинство смерти. Многому учат и те обстоятельства, при которых это таинство совершилось. Смерть отца Рафаила тоже немалому научила нас. В конце концов, это было вполне в его стиле: как священник отец Рафаил если и учил, то по ходу дела, без лишних назиданий и ненавязчиво.

Думаю, он предчувствовал скорую смерть: за год до того, как все произошло, отец Рафаил взял из церковной лавки и повесил над своей кроватью погребальное покрывало. И с тех пор стал как-то серьезнее, молчаливее. Мы все это заметили. Хотя поток людей в его домик в городке Порхове, где он служил последние три года, не только не сократился, но заметно увеличился. До такой степени, что один знакомый священник, зайдя к нему, даже проворчал:

—Что у тебя творится? Кошки, девки!

Действительно, и тех и других в доме отца Рафаила было полным-полно. Впрочем, как и молодых людей со своими духовными и житейскими проблемами. Как и приезжавших из Москвы семейных пар, у которых дело дошло почти до развода. В общем, в этом доме можно было встретить кого угодно. И каждый ревниво считал, что у него с батюшкой свои — единственные и совершенно особые — взаимоотношения.

Вообще отношение наших благочестивых прихожан к своим любимым священникам можно охарактеризовать лишь одним словом — «беспощадное». Отец Рафаил испытал это на себе сполна. Но воспринимал он такое положение вещей совершенно спокойно. Он и сам в свое время докучал старцам, особенно отцу Иоанну, и считал это правильным и весьма полезным для спасения души. «А для чего еще существуют на свете старцы и священники?» — говорил он.

Только поздно вечером отец Рафаил запирался в своей «келье» — огороженном досками крохотном закутке, куда никому не позволялось входить, — и в изнеможении падал на кровать. А отлежавшись, почти до рассвета молился и исполнял монашеское правило.

Что же касается «кошек» и «девок», как выразился тот батюшка, котов он и вправду немало развел в своем доме, хотя их и не баловал. Сидя на колченогом стуле, он поглаживал ногой свою любимицу, объявившуюся после мартовских прогулок, и приговаривал:

—Ты, блудница, опять нагулялась.

И за нее отвечал:

—Нет, это ты — монах, это у тебя — обеты. А я — тварь безгрешная.

А насчет девиц надо честно сказать, что даже в монашескую пору они в отца Рафаила то и дело влюблялись не на шутку. Не говоря уже о том времени, когда он еще до монастыря жил в Чистополе. Тогда у него от девчонок просто отбою не было. Мир очень не хотел отпускать Бориса Огородникова. В юности отец Рафаил очень любил гонять на мотоцикле. Однажды, когда он уже узнал Бога, какая-то девчушка настолько одолела его своими чувствами, что он в конце концов посадил ее сзади на мотоцикл, разогнался и, на полном ходу повернувшись к ней лицом, предложил:

— Вот теперь давай целоваться!

— Дурак!!! — закричала девушка. И сразу его разлюбила.

Сам же отец Рафаил так уверовал в Бога, так полюбил Его, что сердце его переполнилось и больше не могло впустить в себя никого. Отец Рафаил был настоящий монах. Хотя и большой хулиган. А за влюбленных в него девчонок переживал больше их самих.

Нет, не этого рода слабости явились для отца Рафаила главным искушением. Таким искушением стала для него, казалось бы, полная ерунда, нелепость, совершенно несерьезное пристрастие.

Есть такой закон в духовной жизни: монаху нельзя ничего очень сильно желать, кроме Бога. Ни в коем случае. Не имеет значения, чего именно — архиерейства, учености, здоровья, какой-нибудь материальной вещи. Или даже старчества, духовных дарований. Все придет, если будет на то воля Божия. Отец Рафаил, конечно, об этом прекрасно знал. Но все же у него была страстная мечта.

Его смирение касалось всего, кроме, как ни странно, как ни смешно это произнести... автомобиля. Здесь он ничего не мог с собой поделать. Он носился на своем черном «Запорожце» по псковским дорогам с таким упоением, что, наверное, испытывал какое-то особое ощущение свободы. Отец Иоанн, встречая его, всякий раз предупреждал:

— Будь осторожен! Не увлекайся своей машиной.

Отец Рафаил на это только кряхтел да смущенно похихикивал. Но все продолжалось по-прежнему. Наконец, когда он прямо-таки загорелся мечтой во что бы то ни стало заполучить иностранную машину, батюшка заволновался всерьез. Он категорически воспротивился подобному желанию своего духовного сына и долго убеждал отца Рафаила отказаться от своей затеи. Батюшка говорил, что если уж и покупать новый автомобиль вместо старой развалюхи, то довольствоваться следует самой простой машиной.

Но отец Рафаил ухищренно истолковал слова духовника по-своему. Он горячо доказывал и нам, и самому себе, что, приобретая иномарку, он как раз послушно и абсолютно буквально исполняет данное ему благословение: хочет завести себе именно простую машину. Всего лишь машину. Самую обычную. А советские средства передвижения никакой разумный человек автомобилем не назовет. Это так, в лучшем случае усовершенствованная большевистская тачанка, механическая телега.

Если человек чего-то очень настойчиво хочет, причем во вред себе, Господь долго и терпеливо, через людей и обстоятельства жизни, отводит его от ненужной, пагубной цели. Но, когда мы неуклонно упорствуем, Господь отходит и попускает свершиться тому, что выбирает наша слепая и немощная свобода.

Однажды этот духовный закон начал действовать и в жизни отца Рафаила.

Как-то он очень помог одному человеку в решении его семейных проблем. Здорово помог — сохранил семью. В благодарность тот, не помню точно, подарил или продал отцу Рафаилу за символическую сумму свой старый «Мерседес».

Машина была ярко-красного цвета. Но все равно отец Рафаил был от этого подарка в полном восторге. Мы не преминули напомнить счастливому обладателю иномарки недавние времена, когда он горячо уверял, что ни за что на свете не станет ездить на автомобиле расцветки коммунистического флага. На это отец Рафаил даже с некоторым высокомерием разъяснил, что мы ничего не понимаем: его новая машина окрашена в идеальный пасхальный цвет...

В начале Господь на целый год отвел беду. Отец Рафаил никогда не был скрягой. По первой же просьбе он отдал «Мерседес» на неделю, попользоваться, нашему общему другу Коле Филатову. За несколько дней тот угробил машину, даже умудрился намертво заклинить мотор. Понадобился длительный и очень дорогостоящий ремонт. Но и это не остановило отца Рафаила.

Почти год, пока в какой-то московской кооперативной мастерской возились с этой злосчастной машиной, отец Рафаил в поте лица бегал по требам, занимал деньги... С болью мы смотрели на все это, но ничего поделать не могли. Думали: ладно, обойдется, получит он свой автомобиль, наиграется и снова вернется к нам — прежний отец Рафаил.

Наконец его мечта сбылась. В московской мастерской сделали именно ту машину, о которой он мечтал. Перебрали двигатель. Поставили новые колеса. Даже перекрасили кузов в черный — монашеский цвет. Наконец отец Рафаил достал где-то «родные» мерседесовские стеклоочистители...

Ранним утром 18 ноября 1988 года он сел в машину своей мечты. Помчался к себе на приход и разбился на четыреста пятнадцатом километре Ленинградского шоссе под Новгородом.

Хоронили отца Рафаила, как и положено, через три дня. Был день его именин — праздник Архистратига Михаила и всех Ангелов и Архангелов. Отец Рафаил не раз говорил: «Только бы умереть, не отпав от Церкви! Величайшее счастье каждому православному христианину, если он умрет, оставаясь в Церкви. За него будет совершаться литургия. Церковь имеет величайшую силу изымать грешников даже со дна ада».

На его похороны съехалось множество потрясенных и потерянных от неожиданного горя людей. Отец Иоанн, к которому обратились духовные дети отца Рафаила с недоуменным вопросом, почему все так произошло, ответил в письме: «Путь странствия отца Рафаила кончился. Но у Господа нет мертвых, у Господа все живы. И Он один знает, когда и кого позвать из жизни сей».

Незадолго до того страшного дня отец Рафаил приходил к отцу Иоанну: домишко, в котором он ютился в Порхове, давно обветшал, и отец Рафаил испрашивал благословения — искать ли ему обмен или придется покупать новый дом?

Отец Иоанн устало ответил ему:

—Покупай или меняйся — все равно... Только выбирай домик напротив алтаря.

Отец Рафаил, конечно, чувствовал угрызения совести, что не слушает батюшку в вопросе про автомобиль. Он тогда послушно обошел все соседние с порховским храмом дома. Но никто их продавать не собирался. Когда вскоре отец Рафаил разбился и встал вопрос о его похоронах, все были уверены, что его, как постриженника Псково-Печерского монастыря, похоронят в пещерах. Но архиепископ Владимир, к тому времени сменивший старого митрополита Иоанна на Псковской кафедре, благословил хоронить отца Рафаила на месте его последнего служения, у храма в Порхове. Там его и положили — прямо напротив алтаря.

* * *

Спустя шестнадцать лет после гибели отца Рафаила умер отец Никита. Он больше всех переживал потерю своего друга. Бесноватый Илья Данилович принял монашеский постриг в нашем Сретенском монастыре с именем Исаия. Он отошел ко Господу четыре года назад. Веселый сиделец дьякон Виктор дождался исполнения своего сокровенного желания — быть постриженным в монашество. Это произошло тоже у нас в Сретенском монастыре, и теперь он — иеромонах Нил, священник на далеком псковском приходе в деревне Хохловы Горки. Отец Роман, некогда инок Александр, уже много лет живет затворником в скиту отца Досифея, среди псковских болот. Недавно мы издали еще одну книжку его замечательных стихов.

Я назвал эту последнюю главу «Несвятые святые». Хотя мои друзья — обычные люди. Таких много в нашей Церкви. Конечно, они весьма далеки от канонизации. Об этом нет даже и речи. Но вот, в конце Божественной литургии, когда великое Таинство уже свершилось и Святые Дары стоят в алтаре на престоле, священник возглашает: «Святая — святым!»

Это означает, что Телом и Кровью Христовыми будут сейчас причащаться святые люди. Кто они?

Это те, кто находится сейчас в храме, священники и миряне, с верой пришедшие сюда и ждущие причащения. Потому что они — верные и стремящиеся к Богу христиане. Оказывается, несмотря на все свои немощи и грехи, люди, составляющие земную Церковь, для Бога — святые.

В нашей маленькой компании отец Рафаил был, безусловно, старшим. И даже не потому, что священником он к тому времени был уже лет семь, а это казалось нам тогда огромным сроком. Главное заключалось в том, что мы видели в нем удивительный пример живой веры. Эту духовную силу не спутаешь ни с чем, какими бы чудачествами или слабостями не был порой отягощен человек, такую веру обретший.

За что мы все так любили отца Рафаила? И хулиганом он был, и проповедь путно сказать не мог, и со своей машиной зачастую возился больше, чем с нами. А вот не стало его, и как тоскует о нем душа! Больше двадцати лет прошло после его смерти.

В часы, когда тягучее уныние подкрадывается и хочет заполнить душу, когда то же происходит с близкими мне людьми, я вспоминаю события, связанные с чýдным Промыслом Божиим. Один подвижник как-то сказал, что всякий православный христианин может поведать свое Евангелие, свою Радостную Весть о встрече с Богом. Конечно, никто не сравнивает такие свидетельства с книгами апостолов, своими глазами видевших Сына Божия, жившего на земле. И всё же мы, хоть и немощные, грешные, но Его ученики, и нет на свете ничего более прекрасного, чем созерцание поразительных действий Промысла Спасителя о нашем мире.

Эти истории я рассказывал братии Сретенского монастыря, потом — своим студентам, очень многие — на проповедях. Я благодарен всем моим слушателям, которые и подвигли меня на написание этой книжки.

Особо хотелось бы попросить прощения у читателей за то, что в книге пришлось говорить и о себе самом. Но без этого документальных рассказов от первого лица не бывает. Как писал батюшка архимандрит Иоанн (Крестьянкин): «Мои разрозненные эпизодические повествования не были рассказы обо мне, но иллюстрации некоторых жизненных ситуаций. Теперь же, когда это лоскутное одеяло сложилось и я переписал, перелистал, возвращаясь в прошлое, я сам умилился, узрев богатство милости Божией...»

Содержание

«Несвятые святые» и другие рассказы

Содержание

Все средства от реализации этой книги
поступят на строительство храма во имя
Новомучеников и Исповедников
Российских «на крови», что на Лубянке.
Этот храм строится в московском Сретенском
монастыре. По благословению Святейшего
Патриарха Кирилла храм должен быть готов
к освящению к февралю 2017 года.

Подробно о строительстве храма на сайте:
www.pravoslavie.ru/sobor/

Архимандрит Тихон
(Шевкунов)

«Несвятые святые»
и другие рассказы
Четвертое издание

ОТВЕТСТВЕННЫЙ ЗА ВЫПУСК *Владимир Кузнецов*

РЕДАКТОРЫ *Елена Ямпольская, Татьяна Соколова*

МАКЕТ, ВЕРСТКА *иеромонах Матфей (Самохин)*

КОРРЕКТОРЫ *Ольга Грецова, Надежда Нечаева*

ТЕХНОЛОГ *Михаил Мыскин*

ФОТОГРАФИИ *Анатолия Заболоцкого,*

Анатолия Горяинова,

Юрия Кавера,

архимандрита Тихона (Шевкунова)

Интернет-сайт: **www.ot-stories.ru**

Подписано в печать 12.12.2011

Формат 84x108 $^1/_{32}$ Бумага офсетная. Гарнитура NewBaskervilleC.

Печать офсетная. Тираж 300 000 экз. Зак. № 1118210

Издательство Сретенского монастыря

Адрес издательства: 107031, Москва, Б. Лубянка, 19

Интернет-магазин: **www.sretenie.com**

Книжная торговля Сретенского монастыря: **(495) 628-8210**

ЗАО «ОЛМА Медиа Групп»

Адрес издательства:

129626, г. Москва, Звездный бульвар, д. 21, стр. 3, пом. I, комн. 5

Почтовый адрес: 143421, Московская область, Красногорский район,

26 км автодороги «Балтия», Бизнес-парк «Рига Лэнд», стр. 3

Интернет-сайт: **www.olmamedia.ru**

Отпечатано в полном соответствии с качеством
предоставленного электронного оригинал-макета
в ОАО «Ярославский полиграфкомбинат»
150049, Ярославль, ул. Свободы, 97

arvato
ЯПК